CB074891

DARKLOVE.

THE NIGHT TIGER
Copyright © Yangsze Choo, 2018
Publicado em acordo com a Flatiron Books.
Todos os direitos reservados.

Tradução para a língua portuguesa
© Aline Naomi, 2020

Os personagens e as situações desta obra são reais apenas no universo da ficção; não se referem a pessoas e fatos concretos, e não emitem opinião sobre eles.

Diretor Editorial
Christiano Menezes

Diretor Comercial
Chico de Assis

Gerente de Novos Negócios
Giselle Leitão

Gerente de Marketing Digital
Mike Ribera

Editoras
Marcia Heloisa
Raquel Moritz

Editora Assistente
Nilsen Silva

Coordenador de Arte
Arthur Moraes

Capa e Projeto Gráfico
Retina78

Ilustração
Kamisaka Sekka
Ohara Koson
Taguchi Tomoki

Designers Assistentes
Aline Martins/Sem Serifa
Sergio Chaves

Finalização
Sandro Tagliamento

Revisão
Aline TK Miguel
Alyne Azuma

Impressão e acabamento
Ipsis Gráfica

DADOS INTERNACIONAIS DE CATALOGAÇÃO NA PUBLICAÇÃO (CIP)
Angélica Ilacqua CRB-8/7057

Choo, Yangsze
 A noite do tigre / Yangsze Choo ; tradução de Aline Naomi. — Rio de Janeiro : DarkSide Books, 2020.
 384 p.

 ISBN: 978-65-5598-019-6
 Título original: The Night Tiger

1. Ficção norte-americana 2. Fantasia I. Título II. Naomi, Aline

20-2951   CDD 813.6

Índices para catálogo sistemático:
1. Ficção inglesa

[2020]
Todos os direitos desta edição reservados à
DarkSide® *Entretenimento LTDA.*
Rua Alcântara Machado, 36, sala 601, Centro
20081-010 — Rio de Janeiro — RJ — Brasil
www.darksidebooks.com

A Noite do Tigre
YANGSZE CHOO

Tradução Aline Naomi

DARKSIDE

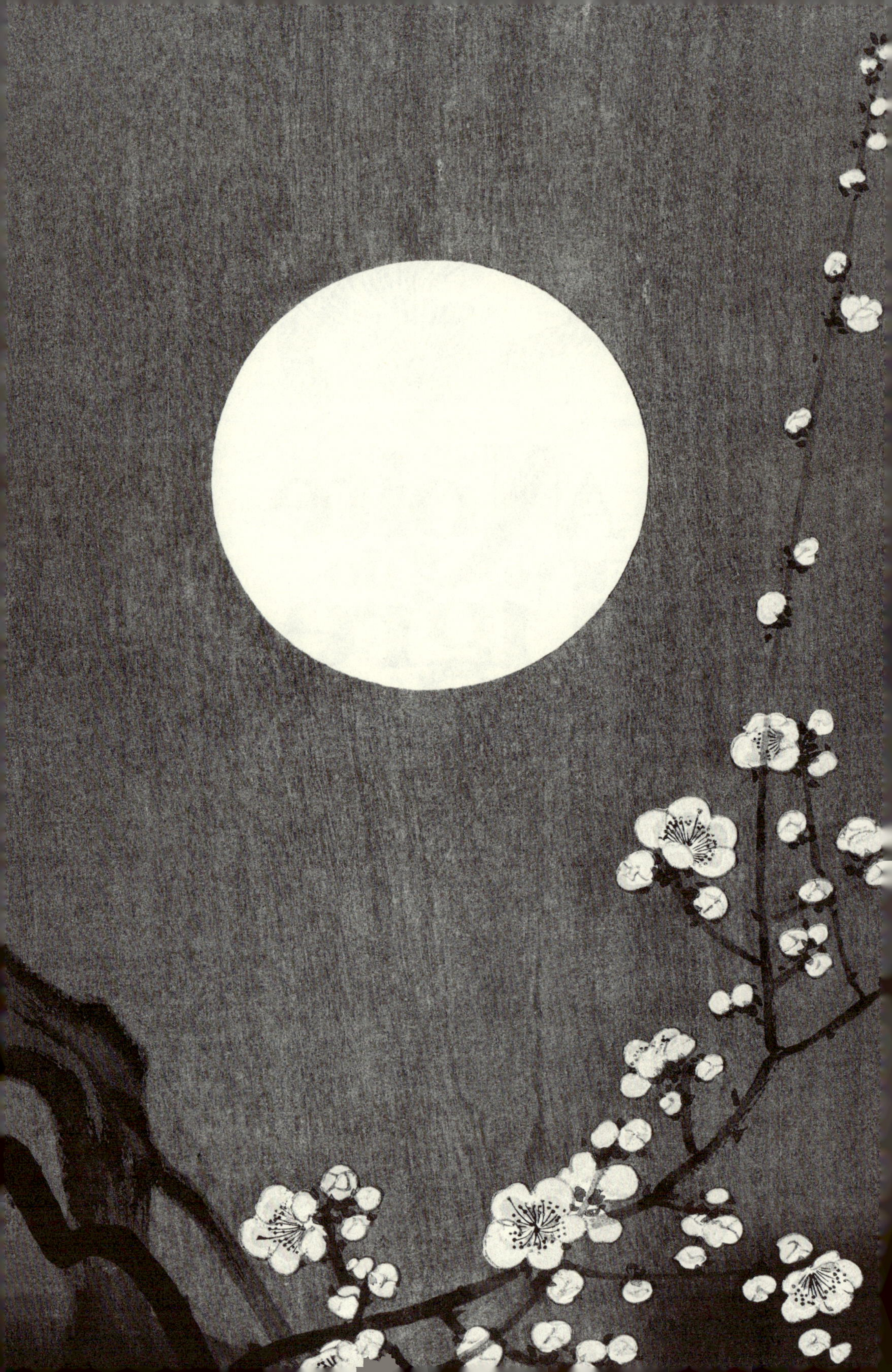

*Este livro é para meu pai e minha mãe,
que nasceram e cresceram no Vale Kinta.*

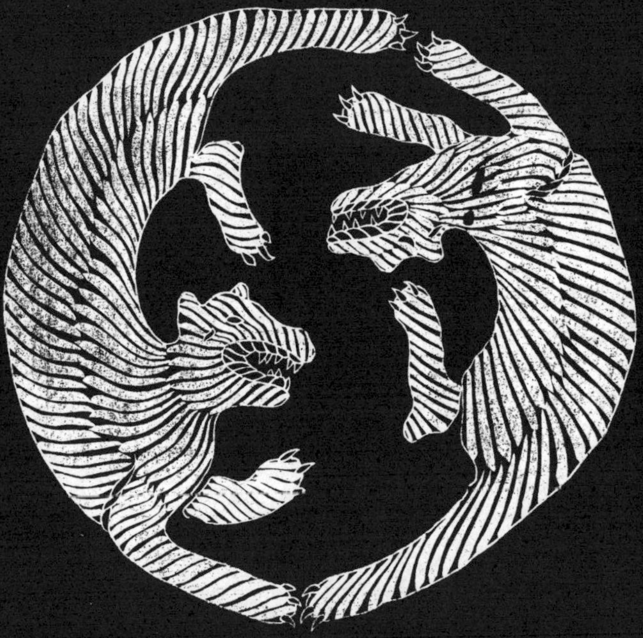

A Noite do Tigre
Yangsze Choo

1

Kamunting, Malaia, maio de 1931

O velho está morrendo. Ren consegue perceber pela respiração fraca, pelas faces encovadas e pela fina pele esticada sobre as maçãs do rosto. Apesar disso, ele quer as janelas abertas. De modo irritado, gesticula para que o garoto se aproxime, e Ren, com a garganta apertada como se tivesse engolido uma pedra, abre a janela do segundo andar.

Do lado de fora há um mar de verde brilhante: as copas ondulantes das árvores da floresta e um céu azul como um sonho febril. O resplendor tropical faz Ren recuar. Ele se move para proteger o mestre com sua sombra, mas o velho o detém com um gesto. A luz do sol torna mais visível o tremor de sua mão, com o coto feio de um dedo perdido. Ren lembra que há apenas alguns meses aquela mão ainda conseguia acalmar bebês e suturar feridas.

O velho abre os olhos azuis muito claros, aqueles olhos exóticos e baços que tanto assustavam Ren no começo, e sussurra algo. O garoto inclina a cabeça com seus cabelos curtos e se aproxima.

"Não se esqueça."

O garoto meneia a cabeça.

"Diga." A voz áspera e rouca está cada vez mais fraca.

"Quando você estiver morto, vou encontrar seu dedo perdido", Ren responde em voz baixa e clara.

"E?"

Ele hesita. "E vou enterrá-lo em seu túmulo."

"Bom." O velho inspira o ar de maneira ruidosa. "Você precisa recuperá-lo antes que terminem os quarenta e nove dias de minha alma."

O garoto já fez muitas dessas tarefas antes, com rapidez e competência. Ele vai dar conta, mesmo que os soluços do pranto sacudam seus ombros estreitos.

"Não chore, Ren."

Em momentos como esse, o garoto parece muito mais jovem do que é. O velho lamenta — gostaria de ele mesmo fazer isso, mas está exausto. Em vez disso, vira o rosto para a parede.

A Noite do Tigre
Yangsze Choo

2

Ipoh, Malaia
QUARTA-FEIRA, 3 DE JUNHO

Quarenta e quatro é um número de azar para os chineses. Pronunciado, soa como "morra, morra definitivamente", e, assim, o número quatro e todas as suas repetições devem ser evitados. Naquele desafortunado dia de junho eu estava trabalhando em meu emprego secreto de meio período no Salão de Dança May Flower, em Ipoh, fazia exatamente quarenta e quatro dias.

Meu trabalho era segredo porque nenhuma menina respeitável deveria dançar com estranhos, apesar de sermos anunciadas como "instrutoras". O que talvez fôssemos para a maioria dos clientes: funcionários e estudantes nervosos que compravam rolos de tíquetes destacáveis para aprender foxtrote e valsa ou *ronggeng*, uma dança malaia encantadora. O restante eram *buaya*, ou crocodilos, como nós os chamávamos. Homens sorridentes cujas mãos bobas só eram detidas com um beliscão bem-dado.

Eu nunca ganharia muito dinheiro se continuasse machucando-os assim, mas esperava não precisar fazer isso por muito tempo. Meu objetivo era quitar uma dívida de quarenta dólares locais que minha mãe havia contraído a uma taxa de juros exorbitante. Meu verdadeiro trabalho diurno como aprendiz de costureira não era suficiente para pagar a dívida, e minha mãe, pobre e tola, provavelmente não conseguiria resolver isso sozinha; ela não tinha sorte no jogo.

Se ela tivesse deixado a estatística comigo, as coisas poderiam ter sido melhores, pois costumo ser boa com números. Digo isso, mas sem muito orgulho. É uma habilidade que não tem sido muito útil para mim. Se eu fosse um menino, a situação seria outra, mas meu prazer em solucionar equações quando tinha sete anos não ajudava minha mãe, que tinha acabado de ficar viúva na época. No triste vácuo do falecimento de meu pai, eu passava horas rabiscando números a lápis em pedaços de papel. Eles eram tangíveis e sistemáticos, diferentes do caos em que mergulhou nossa família. Apesar disso, minha mãe não perdeu seu sorriso doce e vago, o que a tornava parecida com a Deusa da Misericórdia, embora provavelmente estivesse preocupada com o que comeríamos no jantar. Eu a amava muito, mas falarei mais disso depois.

• • •

Quando fui contratada, a primeira coisa que a Mama do salão de dança me disse para fazer foi cortar o cabelo. Eu tinha deixado o cabelo crescer por anos, depois das importunações de meu meio-irmão, Shin, por eu parecer um menino. As duas longas tranças, bem amarradas com fitas, exatamente como foram em todos os anos que frequentei a Escola de Moças Anglo-Chinesas, eram um doce símbolo de feminilidade. Eu acreditava que elas encobriam uma infinidade de pecados, incluindo a habilidade não apropriada para meninas de calcular taxas de juros em tempo real.

"Não", disse Mama. "Você não pode trabalhar para mim desse jeito."

"Mas outras garotas aqui têm cabelos longos", ponderei.

"Sim, mas você, não."

Ela me mandou para uma mulher aterradora que cortou minhas tranças. Caíram no meu colo, pesadas e quase vivas. Se Shin pudesse me ver, morreria de rir. Inclinei a cabeça enquanto ela aparava meu cabelo, minha nuca exposta e assustadoramente vulnerável. A mulher cortou a franja e, quando levantei os olhos, sorriu.

"Está linda", disse ela. "Está igualzinha a Louise Brooks."

Quem era Louise Brooks, afinal? Aparentemente, uma estrela de cinema mudo muito popular havia alguns anos. Corei. Era difícil me acostumar com a nova moda, em que garotas com jeito de menino, de peito chato, como eu, haviam se tornado populares de repente. Claro que, estando na Malaia e na periferia do Império, estávamos lamentavelmente atrasados em questões de estilo. As senhoras britânicas que vinham para o Oriente se queixavam de estar de seis a doze meses atrasadas em relação à moda de Londres. Não era de surpreender, então, que o entusiasmo pela dança de salão e por cabelos curtos estivesse finalmente chegando a Ipoh, apesar de já estarem fazendo sucesso alhures há um bom tempo. Toquei minha nuca raspada com medo de, mais do que nunca, parecer um menino.

Movendo seu corpo volumoso, a Mama declarou: "Você vai precisar de um nome. De preferência, em inglês. Vamos chamar você de Louise".

• • •

Então foi como Louise que eu estava dançando tango naquela tarde de 3 de junho. Apesar do mercado de ações hesitante, Ipoh, nossa movimentada cidade, estava eufórica com o avanço de novos edifícios construídos com a riqueza das exportações de estanho e borracha. Estava chovendo forte, um aguaceiro atípico para o meio da tarde. O céu tinha cor de ferro e, para o desgosto da gerência, foi preciso acender a luz elétrica. A chuva retumbou de forma ruidosa no teto de zinco, e o líder da banda, um pequeno goense de bigode fino, tentou abafar o barulho o melhor que pôde.

O entusiasmo pelas danças ocidentais levou à proliferação de salões de dança públicos nos arredores de todas as cidades. Alguns eram grandiosos, como o recém-construído Celestial Hotel, enquanto outros não passavam de barracões abertos para receber a brisa tropical. Dançarinas profissionais, como eu, eram mantidas em um cercado, como se fôssemos galinhas ou ovelhas. O cercado era uma seção de assentos separada por uma fita. Garotas bonitas ficavam ali, cada uma com uma roseta de papel numerada presa ao peito. Os seguranças garantiam que ninguém se aproximasse de nós, a menos que tivessem um tíquete, embora isso não impedisse alguns homens de tentar.

Fiquei bastante surpresa por alguém me tirar para dançar tango. Nunca aprendi direito na academia de dança da srta. Lim, onde, como consolo por ter sido forçada a deixar a escola pelo meu padrasto, aprendi valsa e, o que foi mais audacioso, o foxtrote. O tango, no entanto, não era ensinado. Era tido como indecoroso, apesar de todos termos visto Rodolfo Valentino dançando tango nos filmes em preto e branco.

Quando comecei no May Flower, minha amiga Hui disse que seria melhor eu aprender a dançar tango.

"Você parece uma garota moderna", disse ela. "Com certeza vai receber pedidos."

Minha querida Hui. Foi ela quem me ensinou, nós duas cambaleando como bêbadas. Ainda assim, ela fez seu melhor.

"Bem, talvez ninguém peça", disse ela, esperançosa, depois que um desequilíbrio repentino quase nos derrubou.

Claro, Hui estava errada. Aprendi rápido que o tipo de homem que pedia o tango, em geral, era um *buaya* e, naquele malfadado quadragésimo quarto dia, isso não foi exceção.

• • •

Ele disse que era vendedor. Especializado em material escolar e de escritório. De imediato, lembrei-me do cheiro de papelão dos meus cadernos escolares. Eu adorava a escola, mas agora essa porta estava fechada para mim. Tudo o que restava era a conversa fiada e os pés pesados daquele vendedor, que me contou que os artigos de papelaria eram um negócio estável, embora ele estivesse certo de que podia fazer algo melhor.

"Você tem uma pele boa." Seu hálito tinha cheiro de arroz de frango de Hainan com alho. Não sabendo o que dizer, eu me concentrei em meus pés pisoteados. Era uma situação desesperadora, já que o vendedor parecia crer que dançar tango consistia em fazer poses bruscas e exageradas.

"Já vendi cosméticos." Perto demais de novo. "Sei muito sobre a pele das mulheres."

Inclinando-me para trás, aumentei a distância entre nós. Quando demos um giro, o vendedor fez um movimento brusco para que eu cambaleasse contra ele. Suspeitei que ele tinha feito isso de propósito, mas sua mão fez um gesto involuntário em direção ao bolso, como se estivesse preocupado que algo pudesse cair.

"Você sabe", disse ele, sorrindo, "que existem formas de manter uma mulher jovem e bonita para sempre? Com agulhas."

"Agulhas?", perguntei, curiosa, apesar de achar que essa era uma das piores cantadas que eu já tinha ouvido.

"Em Java Ocidental, há mulheres que enfiam agulhas de ouro muito finas no rosto. Essas agulhas são introduzidas até que não possam ser vistas. É bruxaria para evitar o envelhecimento. Conheci uma linda viúva que enterrou cinco maridos e dizia ter vinte agulhas no rosto. Mas ela também me disse que é preciso removê-las depois da morte."

"Por quê?"

"O corpo deve estar intacto de novo após a morte. Qualquer coisa adicionada deve ser removida, e qualquer coisa que esteja faltando deve ser reposta — caso contrário, a alma não descansará em paz." Apreciando minha surpresa, ele descreveu o restante de sua viagem em detalhes. Algumas pessoas falavam muito, enquanto outras dançavam em silêncio, com a palma das mãos suada. Em geral, eu preferia os falantes, porque ficavam absortos em seu próprio mundo e não se intrometiam no meu.

Se minha família descobrisse que eu estava trabalhando meio período aqui, seria um desastre. Estremeci ao pensar na ira do meu padrasto e nas lágrimas da minha mãe, pois ela seria obrigada a confessar suas dívidas de mahjong[1] para ele. E havia Shin, meu meio-irmão. Nascido no mesmo dia que eu, as pessoas costumavam perguntar se éramos gêmeos. Ele sempre foi meu grande companheiro, pelo menos até recentemente. Mas Shin fora embora, após conseguir uma vaga para estudar na Faculdade de Medicina King Edward VII, em Singapura, onde talentos nativos estavam sendo treinados para combater a falta de médicos na Malaia. Eu ficara orgulhosa, porque se tratava de Shin, que sempre foi inteligente, mas também sentia uma inveja profunda, porque eu tirava notas mais altas que ele na escola. Mas não adiantava pensar em "e se". Shin nunca mais respondeu minhas cartas.

O vendedor ainda estava falando. "Você acredita em sorte?"

"Por que deveria acreditar?" Tentei não fazer uma careta quando ele pisou forte no meu pé.

"Porque vou ter muita sorte." Sorrindo, ele deu outro giro súbito. De soslaio, notei Mama nos encarando com uma expressão severa. Estávamos passando vexame na pista de dança, cambaleando daquele jeito, o que era muito ruim para os negócios.

Cerrando os dentes, tentei me equilibrar enquanto o vendedor arriscou-se em um passo perigosamente rente ao chão. De um jeito constrangedor, bambeamos. Braços se agitando, se agarrando às roupas. Sua mão segurou meu traseiro enquanto ele espiava para dentro do meu vestido. Dei uma cotovelada nele, e minha outra mão se agarrou ao seu bolso. Algo pequeno e leve veio parar na minha palma quando tentei retirá-la. Parecia um cilindro fino e liso. Hesitei, ofegante. Eu deveria tê-lo colocado de volta; se ele tivesse visto que peguei alguma coisa, poderia me acusar de furto. Alguns homens gostavam de causar esse tipo de problema; era um modo de obter poder sobre uma garota.

O vendedor sorriu descaradamente. "Qual é o seu nome?"

Atrapalhada, dei a ele meu nome verdadeiro, Ji Lin, em vez de Louise. A coisa estava cada vez pior. Naquele instante, a música acabou, e o

---

[1] Jogo de mesa de origem chinesa, composto por 144 peças, chamadas de pedras. [Nota da Tradutora, de agora em diante N. T.]

vendedor me soltou de forma abrupta. Seus olhos estavam fixos em um ponto além do meu ombro, como se tivesse visto alguém conhecido e, com um sobressalto, ele se foi.

Como se para compensar o tango, a banda começou a tocar "Yes Sir, That's My Baby!". Casais correram para a pista de dança enquanto eu voltava para o meu lugar. O objeto na minha mão queimava como um ferrete. O vendedor na certa voltaria; ainda tinha um rolo de tíquetes de dança. Se eu esperasse, poderia devolver o que pegara. Fingir que ele o havia derrubado no chão.

O cheiro da chuva entrava pelas janelas abertas. Amedrontada, levantei a fita que separava os assentos das dançarinas da pista de dança e me sentei, alisando a saia.

Abri a mão. Como deduzi pelo tato, era um cilindro de paredes finas feito de vidro. Um tubo de coleta, com apenas cinco centímetros de comprimento e uma tampa de rosca de metal. Algo leve se agitou dentro dele. Sufoquei um grito.

Eram as duas primeiras articulações de um dedo seco e amputado.

A Noite do Tigre
Yangsze Choo

3

Batu Gajah
QUARTA-FEIRA, 3 DE JUNHO

Quando o trem ressoa em Batu Gajah, Ren está de pé, o rosto encostado na janela. Essa próspera cidadezinha, sede da administração britânica do estado de Perak, tem um nome peculiar: *batu* significa pedra, e *gajah*, elefante. Alguns dizem que a cidade recebeu esse nome em homenagem a dois elefantes que cruzaram o rio Kinta. Irritada com o ato, a divindade Sang Kelembai os transformou em dois blocos de pedra que se erguiam da água. Ren imagina o que esses pobres elefantes estavam fazendo no rio para serem transformados em pedra.

Ren nunca tinha viajado de trem, embora tenha esperado muitas vezes pelo velho médico na estação ferroviária de Taiping. As janelas estão abertas no vagão da terceira classe, apesar de partículas de fuligem, algumas tão grandes quanto uma unha, serem sopradas quando o motor a vapor faz uma curva. Ren pode sentir a umidade pesada das monções no ar. Ele pressiona a mão contra sua bolsa de viagem feita de tapete. Dentro dela está a preciosa carta. Se chover forte, a tinta pode escorrer. Ao pensar na caligrafia cuidadosa e trêmula do velho médico se desfazendo, ele sente a saudade de casa atravessá-lo como uma punhalada.

O ruidoso trem avança, afastando-o cada vez mais do bangalô caótico e bagunçado do dr. MacFarlane, seu lar nos últimos três anos. Agora ele se foi. O pequeno quarto onde Ren ficou na ala dos criados, ao lado da tia Kwan, está vazio. Esta manhã, ele varreu o chão pela última vez e, com habilidade, amarrou os velhos jornais para o *karang guni*, o homem que passava recolhendo itens não desejados para revenda ou reciclagem. Quando fechou a porta cuja tinta verde estava descascando, viu a grande aranha que dividira o cômodo com ele reconstruindo sua teia em silêncio no canto do teto.

Lágrimas traiçoeiras enchem seus olhos. No entanto, Ren tem uma tarefa para cumprir; não é hora de choro. Com a morte do dr. MacFarlane, os quarenta e nove dias da alma começaram a contar. E essa cidade de nome estranho não é o primeiro lugar onde moraria sem seu irmão Yi. Ren pensa nos elefantes de pedra mais uma vez. Seriam gêmeos como Yi e ele? Às vezes, Ren sente um arrepio, como a contração dos bigodes de um gato, como se Yi ainda estivesse com ele. Um lampejo daquela estranha sensação de irmãos gêmeos que os ligava, alertando-o sobre acontecimentos vindouros. No entanto, quando olha por cima do ombro, não vê ninguém.

• • •

A Estação de Batu Gajah é uma construção longa e baixa com um telhado inclinado que fica ao lado da linha de trem como uma cobra adormecida. Em toda a Malaia, os britânicos construíram estações semelhantes a essa, que se encaixam em linhas familiares e organizadas. As cidades se repetem, com prédios governamentais brancos e *padangs*[1] cobertos de grama, aparada como os gramados das cidades inglesas.

Na bilheteria, o chefe de estação malaio tem a gentileza de desenhar um mapa a lápis para Ren. Ele tem um belo bigode e uma calça engomada com vincos bem marcados. "É bem longe. Tem certeza de que ninguém vem buscar você?"

Ren balança a cabeça. "Eu posso ir a pé."

Mais abaixo, há um aglomerado de *shophouses*, lojas chinesas onde os proprietários também vivem, inclinando-se umas sobre as outras com seus segundos andares se sobressaindo e pequenas lojas de conveniência espalhadas na parte de baixo. Esse caminho leva à cidade. No entanto, Ren vira à direita, passando pela Escola Estatal Inglesa. Ele olha por um bom tempo para a construção de madeira com linhas graciosas e pintada de branco, imaginando outros garotos de sua idade estudando nas salas de pé-direito alto ou brincando no campo verde. Com determinação, Ren continua caminhando.

A colina se eleva em direção a Changkat, onde os europeus vivem. Não há tempo para admirar os muitos bangalôs coloniais construídos

[1] Área plana, geralmente com gramado, para a prática de esportes ou lazer. [N. T.]

ao estilo do Raj britânico. Seu destino fica do outro lado de Changkat, em frente às plantações de café e borracha.

A chuva respinga com fúria na terra vermelha. Ofegante, Ren começa a correr, agarrando a bolsa de viagem. Ele está quase chegando a uma grande árvore *angsana* quando ouve o estrondo de um caminhão de mercadorias, o motor fazendo um ruído estridente enquanto sobe a colina. O motorista grita da janela: "Entre!"

Sem fôlego, Ren sobe na boleia. Seu salvador é um homem gordo com uma verruga na lateral do rosto.

"Obrigado, tio", diz Ren, usando o termo educado para se dirigir a uma pessoa mais velha. O homem sorri. A água escorre pelas calças de Ren até o chão.

"O chefe de estação me disse que você estava seguindo esse caminho. Para a casa do jovem médico?"

"Ele é jovem?"

"Não tão jovem quanto você. Quantos anos você tem?"

Ren considera contar a verdade. Eles estão falando cantonês, e o homem parece gentil. Mas ele é cauteloso demais para baixar a guarda.

"Quase 13."

"Você é pequeno, não?"

Ren assente com a cabeça. Na verdade, tem 11 anos. Nem o dr. MacFarlane sabia disso. Ren acrescentou um ano, como muitos chineses faziam, quando entrou na casa do velho médico.

"Conseguiu um emprego lá?"

Ren abraça a bolsa de viagem. "Uma entrega."

Ou uma retirada.

"Esse médico vive mais longe do que os outros estrangeiros", diz o motorista. "Eu não andaria aqui à noite. É perigoso."

"Por quê?"

"Muitos cães foram devorados recentemente. Foram levados mesmo quando estavam acorrentados à casa. Ficaram só as coleiras e cabeças."

O coração de Ren se aperta. Há um zumbido em seus ouvidos. É possível que tenha começado de novo, tão cedo? "Foi um tigre?"

"É mais provável que tenha sido um leopardo. Os estrangeiros dizem que vão caçá-lo. De qualquer forma, você não deve andar por aí quando escurecer."

Eles param no fim de uma longa estrada curva, depois de passar por um gramado inglês aparado que dá em um amplo bangalô branco. O motorista buzina duas vezes e, depois de uma longa pausa, um chinês muito magro aparece na varanda coberta, limpando as mãos em um avental branco. Enquanto Ren desce, agradece ao motorista do caminhão, falando um pouco mais alto por causa do barulho da chuva.

O homem diz: "Tome cuidado".

Ren se prepara e sai correndo pela entrada de carro até conseguir abrigo. A chuva pesada o encharca, e ele hesita na porta, preocupado com a água acumulada nas largas tábuas de teca. Na sala de estar, um homem inglês está escrevendo uma carta. Ele está sentado a uma mesa, mas quando Ren aparece, se levanta com um olhar indagador. Ele é mais magro e mais jovem que o dr. MacFarlane. É difícil avaliar sua expressão por trás do reflexo duplo dos óculos.

Ren apoia a surrada bolsa de viagem no chão e a vasculha à procura da carta, apresentando-a educadamente com as duas mãos. O novo médico abre o envelope de forma precisa com um abridor de cartas de prata. O dr. MacFarlane costumava abrir as cartas com o toco do indicador e o polegar. Ren olha para baixo. Não é bom compará-los.

Agora que entregou a carta, Ren sente um enorme cansaço nas pernas. As instruções que memorizou parecem nebulosas; o cômodo se inclina ao redor dele.

• • •

William Acton examina o pedaço de papel que recebeu. Vem de Kamunting, uma cidadezinha perto de Taiping. A caligrafia é pontiaguda e trêmula, a mão de um homem doente.

> *Caro Acton,*
> *Escrevo com pouca cerimônia. Adiei isso por muito tempo e mal posso segurar uma caneta. Como não tenho parentes, estou enviando uma herança: um dos meus achados mais interessantes, para o qual espero que você dê um bom lar. Sinceramente recomendo meu criado de serviços domésticos chinês, Ren. Apesar de jovem, ele recebeu treinamento e é de confiança. Será apenas por alguns anos até que chegue à maioridade. Acho que vocês se darão bem.*
> *Com meus cumprimentos, etc.*
> *Dr. John MacFarlane*

William lê a carta duas vezes e levanta os olhos. O menino está diante dele, a água escorrendo pelo cabelo curto e pelo pescoço fino.

"Seu nome é Ren?"

O garoto assente com a cabeça.

"Você trabalhava para o dr. MacFarlane?"

Mais uma vez, o silencioso movimento de cabeça.

William o estuda. "Bem, agora você trabalha para mim."

Enquanto examina o rosto jovem e ansioso do garoto, ele se pergunta se é chuva ou se são lágrimas escorrendo por suas bochechas.

A Noite do Tigre
Yangsze Choo

4

Ipoh
SEXTA-FEIRA, 5 DE JUNHO

Desde que peguei aquele souvenir horrível do bolso do vendedor, não consegui pensar em mais nada. O dedo enrugado assombrou meus pensamentos, embora eu o tivesse escondido em uma caixa de papelão no vestiário do salão de dança. Eu não queria tê-lo perto de mim, muito menos levá-lo para a oficina de costura onde eu morava.

A sra. Tham, a minúscula costureira de nariz grande para quem eu trabalhava, era amiga de uma amiga da minha mãe, um vínculo tênue pela qual eu era grata. Sem ela, meu padrasto nunca teria permitido que eu saísse de casa. No entanto, a sra. Tham tinha uma condição tácita: ter livre acesso aos meus pertences a qualquer momento. Era um preço incômodo, mas pequeno, a pagar pela liberdade. Então nunca me queixava, mesmo quando as pequenas armadilhas que eu colocava — uma linha presa em uma gaveta, um livro aberto em uma determinada página — eram invariavelmente desarranjadas. Ela me deu uma chave do quarto, mas como obviamente tinha sua própria cópia, isso era inútil. Guardar um dedo mumificado naquele quarto seria como deixar um lagarto ao alcance de um corvo.

Então guardei no vestiário do May Flower, mas vivia com o medo de que um dos faxineiros o encontrasse. Considerei entregá-lo ao escritório, fingindo que o havia encontrado no chão. Várias vezes, cheguei a pegar aquela coisa horrível e sair pelo corredor, mas, por algum motivo, eu sempre desistia. Quanto mais hesitava, mais a história parecia suspeita. Lembrei-me do olhar de desaprovação da Mama quando estávamos dançando; ela poderia pensar que eu era uma ladra que tinha se arrependido. Ou talvez o próprio dedo possuísse uma magia nefasta que dificultava que eu me livrasse dele. Uma sombra azul muito clara, que tornava o frasco de vidro mais frio do que deveria.

Eu havia contado para Hui, é claro. Ela franziu seu belo rosto rechonchudo. "Ugh! Como você aguenta tocar nisso?"

Tecnicamente, eu estava apenas tocando no frasco de vidro, mas Hui tinha razão — era perturbador. A pele havia escurecido e enrugado até o dedo parecer um galho seco. Apenas a reveladora articulação curva e a unha amarelada permitiam um vislumbre de reconhecimento. Havia um adesivo na tampa de metal com um número: 168, uma combinação de sorte que soava, em cantonês, como "fortuna por todo o caminho".

Hui perguntou: "Você vai jogar isso fora?".

"Não sei. Ele pode voltar para procurar."

Até agora não havia sinal do vendedor, mas ele sabia meu nome verdadeiro.

"Ji Lin" era o modo cantonês de pronunciá-lo; em mandarim seria "Zhi Lian". O Ji em meu nome não era comumente usado para meninas. Era o caractere para *zhi*, ou sabedoria, uma das Cinco Virtudes do Confucionismo. As outras eram benevolência, retidão, ordem e integridade. Os chineses gostam de conjuntos combinados de forma específica, e as Cinco Virtudes eram a soma das qualidades que compunham um homem perfeito. Então era um pouco estranho que uma garota como eu tivesse sabedoria no nome. Se tivessem me dado um nome feminino e delicado, como "Jade Preciosa" ou "Lírio Perfumado", as coisas poderiam ter sido diferentes.

• • •

"Um nome bem peculiar para uma garota."

Eu tinha dez anos, era uma criança magra com olhos grandes. A casamenteira local, uma velha senhora, fora visitar minha mãe viúva.

"O pai dela escolheu o nome." Minha mãe deu um sorriso nervoso.

"Suponho que você esperasse um menino", disse a casamenteira. "Bem, tenho boas notícias para você. Você pode conseguir um."

Fazia três anos que meu pai havia morrido de pneumonia. Três anos sentindo saudade de sua presença tranquila e três anos de uma viuvez difícil para minha mãe. Seu corpo frágil era mais adequado para se recostar a uma poltrona do que para costurar e lavar para outras pessoas. Suas mãos, cuja pele fora ficando esfolada, agora eram ásperas e vermelhas. Tempos atrás, minha mãe havia adiado todas as conversas sobre casamento arranjado, mas naquele dia ela parecia especialmente desanimada. Estava muito quente e silencioso. A buganvília roxa lá fora tremia com a temperatura elevada.

"Ele é um revendedor de estanho de Falim", disse a casamenteira. "Viúvo com um filho. Não é tão moço, mas você também não é."

Minha mãe puxou um fiapo invisível, depois deu um leve aceno de cabeça. A casamenteira parecia satisfeita.

O Vale Kinta, onde vivíamos, tinha os maiores depósitos de estanho do mundo, e havia dezenas de minas, grandes e pequenas, nas proximidades. Os revendedores de estanho ganhavam bem, e ele poderia ter enviado um mensageiro para a China para procurar uma esposa, mas tinha ouvido falar que minha mãe era linda. Havia outras candidatas, claro. Melhores. Mulheres que nunca tinham se casado. No entanto, valia a pena tentar. Agachando-me mais perto para escutar, eu esperava desesperadamente que esse homem escolhesse outra candidata sem ser minha mãe, mas tive uma sensação ruim a respeito.

• • •

Shin e eu, futuros irmãos, nos encontramos quando o pai dele veio visitar minha mãe. Foi um encontro muito objetivo. Ninguém se deu ao trabalho de fingir que havia algum pretexto romântico. Eles trouxeram pães de ló chineses embrulhados em papel de uma padaria local. Anos depois, eu ainda não conseguia engolir esses bolos macios feitos no vapor sem engasgar.

O pai de Shin tinha uma aparência rígida, mas sua expressão se suavizou quando viu minha mãe. Havia rumores de que sua falecida esposa também era bonita. Ele tinha bom gosto para mulheres atraentes, embora, claro, não visitasse prostitutas, a casamenteira assegurou à minha mãe. Era muito sério, financeiramente estável e não jogava nem bebia. Ao estudar seu rosto, disfarçando, achei que ele parecia severo e sem senso humor.

"E esta é Ji Lin", disse minha mãe, impelindo-me para a frente. Com meu melhor vestido, já pequeno e deixando à mostra meus joelhos ossudos, baixei minha cabeça timidamente.

"O nome do meu filho é Shin", disse ele. "Escrito com o caractere *xin*. Os dois já são como irmão e irmã."

A casamenteira parecia satisfeita. "Que coincidência! Já são duas das Cinco Virtudes do Confucionismo. É melhor vocês terem mais três filhos para completar o conjunto."

Todos riram, até minha mãe, que sorria de um jeito nervoso, mostrando seus belos dentes. Menos eu. No entanto, era verdade. Com o *zhi* (sabedoria) em meu nome e o *xin* (integridade) no nome de Shin, fazíamos parte de um conjunto, embora o fato de estar incompleto fosse um pouco inquietante.

Olhei para Shin para ver se ele achava aquilo divertido. Ele tinha olhos perspicazes e brilhantes sob sobrancelhas grossas e, quando me viu olhando para ele, franziu o cenho.

Eu também não gosto de você, pensei, tomada de ansiedade por minha mãe. Ela nunca tinha sido forte, e ter mais três filhos seria difícil para ela. Ainda assim, minha opinião não contava e, em menos de um mês, as negociações do casamento foram concluídas, e nos estabelecemos na *shophouse* do meu novo padrasto em Falim.

Falim era um vilarejo nos arredores de Ipoh, com pouco mais do que algumas vielas de *shophouses* chinesas — suas estruturas longas e estreitas prensadas lado a lado com paredes compartilhadas. A loja do meu padrasto ficava na via principal, a rua Lahat. Era escura e fresca, com dois pátios abertos fragmentando seu comprimento sinuoso. O grande aposento no andar de cima, na frente, era para os recém-casados, e eu teria, pela primeira vez na vida, meu próprio quarto nos fundos, ao lado do quarto de Shin. Um corredor sem janelas passava longitudinalmente ao lado dos dois quartos pequenos, amontoados um na frente do outro como vagões de trem. A luz entrava no corredor apenas se nossas portas estivessem abertas.

Shin mal tinha falado comigo durante toda a corte apressada e o casamento, embora tivesse se comportado muito bem. Éramos exatamente da mesma idade; na verdade, descobrimos que nascemos no mesmo dia, embora eu fosse cinco horas mais velha. Para completar, o sobrenome do meu padrasto também era "Lee", então não era preciso nem mudar os nomes. A casamenteira ficou satisfeita, embora, para mim, parecesse um horrível engano do destino ser colocada em uma nova família em que até meu aniversário não seria mais meu. Shin cumprimentou minha mãe de forma educada, mas fria, e me evitou. Eu estava convencida de que ele não gostava de nós.

A sós, implorei para minha mãe reconsiderar, mas ela apenas tocou meu cabelo. "É melhor para nós assim." Além disso, estranhamente, ela parecia ter começado a gostar do meu padrasto. Quando o olhar de admiração dele pousava em minha mãe, ela ruborizava. Ele nos deu dinheiro em pacotes vermelhos para comprar um enxoval simples para o casamento, e de repente minha mãe ficou animada. "Vestidos novos — para você e para mim!", disse ela, espalhando as notas sobre nossa colcha de algodão gasta.

Na primeira noite na casa nova, fiquei assustada. Era muito maior que a minúscula moradia de um cômodo feita de madeira, com chão de terra e uma cozinha ainda menor, onde minha mãe e eu tínhamos vivido. A casa funcionava como comércio e residência, e a parte de baixo parecia um espaço vasto e vazio. Meu novo padrasto era um revendedor; ele comprava estanho de pequenas mineradoras que trabalhavam com bombas de cascalho e lavadoras *dulang*, mulheres que garimpavam estanho com bateias em antigas minas e córregos, para revender às grandes fundições, como a Straits Trading Company.

Era uma loja silenciosa e escura. Próspera, embora meu padrasto fosse reservado e parcimonioso. Dificilmente alguém aparecia, a menos que fossem negociantes vendendo estanho, e as partes da frente e de trás eram fechadas com grades de ferro para impedir o roubo do minério estocado. Quando as pesadas portas duplas se fecharam naquele primeiro dia, senti um aperto no peito.

Na hora de dormir, minha mãe me deu um beijo e me mandou sair. Ela parecia envergonhada, e percebi que, daquele momento em diante, não dormiríamos mais no mesmo quarto. Eu não poderia mais arrastar meu fino estrado para ficar ao lado do dela ou me refugiar em seus braços. Agora, ela pertencia ao meu padrasto, que nos observava em silêncio.

Olhei para a escada de madeira que se abria para a escuridão do andar de cima. Eu nunca tinha dormido em uma casa de dois andares, mas Shin foi direto para cima. Corri atrás dele.

"Boa noite", falei. Eu sabia que ele poderia responder se quisesse. Naquela mesma manhã, quando estávamos arrumando nossos poucos pertences, eu o vira rindo e correndo com os amigos do lado de fora. Shin olhou para mim. Pensei que se essa casa fosse minha e uma mulher estranha e a filha dela se mudassem para cá, eu provavelmente estaria com raiva também, mas ele tinha uma expressão curiosa, quase de pena.

"É tarde demais para você agora", disse ele. "Mas boa noite."

• • •

Agora, enquanto examinava o frasco que peguei do bolso do vendedor, me perguntei o que Shin teria pensado. Ocorreu-me que alguns animais tinham dedos também.

"E se nem for humano?" Eu disse a Hui, que estava consertando sua saia.

"Como o dedo de um macaco?" Hui franziu o nariz. Ao que parecia, a ideia lhe igualmente repulsiva.

"Teria que ser grande — um gibão ou talvez até um orangotango."

"Um médico saberia dizer", disse Hui, pensativa, cortando a linha com os dentes. "Mas não sei como você vai encontrar um médico para examiná-lo."

Mas eu tinha a quem perguntar. Alguém que estudava anatomia, mesmo sendo apenas um estudante de medicina do segundo ano. Alguém que tinha comprovado, ao longo dos anos, ser capaz de manter um segredo.

Shin voltaria de Singapura na semana seguinte. Ele tinha saído de casa fazia quase um ano e, mesmo quando voltava para visitar, não ficava conosco por muito tempo. Nas últimas férias ele havia trabalhado como assistente hospitalar em Singapura para conseguir uma renda extra. Suas cartas para mim, nunca frequentes, tinham diminuído, e eu tinha parado de esperar por elas. Talvez fosse melhor não saber sobre seus novos amigos ou sobre as aulas que ele frequentava. Eu estava com tanta inveja de Shin que às vezes um gosto amargo inundava minha boca. No entanto, eu precisava ficar feliz por ele. Ele tinha conseguido fugir.

Desde que saí da escola, minha vida se tornara uma completa perda de tempo. Meu plano de me tornar professora caíra por terra quando meu padrasto descobriu que professoras recém-formadas poderiam ser despachadas para qualquer vilarejo ou cidadezinha da Malaia. Fora de questão para uma garota solteira, dissera ele. A escola de enfermagem era ainda mais inadequada. Eu teria que dar banho em estranhos acamados e descartar seus fluidos corporais. De todo modo, eu não tinha dinheiro. Meu padrasto me lembrou de forma fria que eu tivera autorização para permanecer na escola às suas custas, muito tempo depois de a maioria das meninas ter saído. Sua opinião era de que eu deveria ficar em casa quietinha, trabalhando para ele até me casar; e foi com má vontade que ele permitiu que eu aprendesse costura.

• • •

Houve uma batida na porta do vestiário. Enrolei o frasco de vidro em meu lenço.

"Entre!", disse Hui em voz alta.

Era um dos porteiros, o mais novo. Ele abriu a porta com um ar constrangido. O vestiário era um território das dançarinas, embora no momento apenas Hui e eu estivéssemos ali.

"Sabe o vendedor de quem você me perguntou outro dia?"

Fiquei em alerta de imediato. "Ele voltou?"

Seus olhos se afastaram dos vestidos pendurados no encosto das cadeiras, os vestígios de maquiagem sobre a penteadeira.

"É ele?" O porteiro mostrou um jornal, dobrado e aberto na seção de obituários. *Chan Yew Cheung, 28 anos. Morte súbita, em 4 de junho. Amado marido.* E havia uma fotografia granulada, obviamente um retrato formal. O cabelo estava penteado para trás, e a expressão era séria, o sorriso confiante fora deixado de lado, mas era o mesmo homem.

Pressionei a mão contra a boca. Durante todo o tempo em que o dedo roubado ocupara meus pensamentos, o homem estava deitado, frio e rígido, num necrotério em algum lugar.

"Você o conhecia bem?", perguntou o porteiro.

Balancei a cabeça.

O obituário fora breve, mas as palavras "morte súbita" tinha um ar agourento. Portanto, a previsão do vendedor sobre ser sortudo estava errada. Porque, de acordo com meus cálculos, ele morreu no dia seguinte ao nosso encontro.

Com um calafrio, coloquei o frasco de vidro embrulhado no lenço sobre a mesa. Parecia mais pesado do que deveria.

"Você não acha que é bruxaria, acha?", perguntou Hui.

"Claro que não." Mas lembrei-me de uma estátua budista que vi quando criança. Era bem pequena, feita de marfim, não maior que esse dedo. O monge que nos mostrou a estátua contou que fora roubada uma vez, mas não importava quantas vezes o ladrão tentasse vendê-la ou jogá-la fora, a estátua reaparecia. Até que, tomado pela culpa, ele a devolveu ao templo. Havia outras lendas locais também, como o *toyol*, um espírito infantil formado a partir do osso de um bebê assassinado. Mantido por um feiticeiro, ele era usado para roubar, executar missões e até cometer assassinato. Uma vez invocado, era quase impossível se livrar dele, a não ser com um enterro apropriado.

Estudei o jornal com cuidado. O funeral seria realizado naquele fim de semana na cidade vizinha, em Papan, próximo à casa da minha família em Falim. Eu tinha que voltar para uma visita; talvez pudesse devolver o dedo. Entregá-lo para sua família, ou colocá-lo em seu caixão para que fosse enterrado com ele, embora eu não soubesse como lidar com isso. No entanto, de uma coisa eu tinha certeza: não queria ficar com ele.

5

Batu Gajah
QUARTA-FEIRA, 3 DE JUNHO

Quem de fato administra a casa do novo médico é um cozinheiro chinês taciturno chamado Ah Long. É ele que se encarrega de Ren, encharcado como está, e o conduz pelas entranhas da casa até o alojamento dos criados na parte de trás. As dependências são separadas por uma passagem coberta, mas está chovendo tanto que os respingos os molham até os joelhos.

É difícil para Ren estimar a idade dos adultos, mas Ah Long parece velho. É um homem magro com braços nodosos, que oferece a Ren uma toalha áspera de algodão.

"Seque-se", diz ele em cantonês. "Você pode ficar com esse quarto."

O quarto é pequeno, quase dois metros e meio de um lado a outro, com uma janela estreita com vidraças. Na melancólica escuridão, Ren consegue distinguir uma única cama de solteiro. A casa é estranhamente silenciosa, e ele se pergunta onde estão os outros empregados.

Ah Long quer saber se ele está com fome. "Preciso preparar o jantar do mestre. Venha para a cozinha quando tiver se instalado."

Naquele momento, surgem um relâmpago ofuscante e um estrondo. A luz da casa principal pisca e se apaga. Ah Long dá um muxoxo e sai apressado.

Sozinho na escuridão, Ren retira da bolsa de viagem seus escassos pertences e senta-se timidamente na cama. O colchão fino afunda. Um dedo — um único dedo — é tão pequeno que poderia estar escondido em qualquer lugar dessa ampla casa. Seu estômago se embrulha de ansiedade enquanto faz as contas mentalmente. O tempo está passando; a morte do dr. MacFarlane foi há três semanas, agora ele tem apenas vinte e cinco dias para encontrar o dedo. Mas Ren está cansado, tão exausto da longa jornada e do peso da bolsa, que fecha os olhos e entrega-se a um sono sem sonhos.

• • •

Na manhã seguinte, Ah Long prepara o café da manhã de William: um ovo cozido e duas torradas ressecadas quase sem manteiga, embora haja pelo menos três latas de Golden Churn na despensa. A manteiga vinha da Austrália, armazenada a frio. Suave à temperatura ambiente, tem uma bela cor amarela. Ah Long não come manteiga, mas ainda assim raciona para seu mestre.

"Dessa maneira", ele explica para Ren na cozinha, "não é preciso comprar muito."

Ah Long se parece com a torrada que prepara: tem a casca grossa e o coração ressecado. Porém, também é honesto; frugal com a comida de William, também é avaro com suas próprias porções. Na casa do velho médico, eles comiam fatias grossas de pão branco de Hainan, torrado sobre carvão, em que espalhavam manteiga e *kaya*, um creme caramelizado feito de ovos, açúcar e leite de coco. Ren só consegue pensar que o café da manhã desse novo médico, William Acton, é um pouco triste.

Quando Ah Long julga que é a hora certa, enfia o rosto enrugado pela porta da sala de jantar.

"O menino está aqui, *Tuan*", anuncia ele, antes de voltar para sua toca.

Obediente, Ren entra no cômodo. Suas roupas são simples, mas estão limpas — uma camisa branca e uma bermuda cáqui na altura do joelho. Na casa do velho médico, ele não tinha uniforme oficial de criado doméstico e agora deseja ter tido, já que isso o faria parecer mais velho.

"Seu nome é Ren?"

"Sim, *Tuan*."

"Apenas Ren?" William parece achar isso um pouco estranho.

A pergunta é compreensível. A maioria dos chineses logo apresenta o sobrenome primeiro, mas Ren não sabe o que dizer. Ele não tem sobrenome nem lembranças dos pais. Quando eram crianças de colo, ele e o irmão Yi foram retirados de um cortiço em chamas, onde famílias de trabalhadores itinerantes dormiam. Ninguém sabia ao certo de quem eram os meninos, apenas que eram claramente gêmeos.

A supervisora do orfanato lhes deu nomes segundo as virtudes confucianas: *Ren*, para benevolência, e *Yi*, para retidão. Ren sempre achou estranho que ela tivesse parado em duas das Cinco Virtudes. E quanto às outras: *Li*, para ordem, *Zhi*, para sabedoria, e *Xin*, para integridade? Entretanto, os três outros nomes nunca foram atribuídos a novas crianças do orfanato.

"Que tipo de trabalho você fazia para o dr. MacFarlane?"

Ren esperava essa pergunta, mas, de repente, fica tímido. Talvez sejam os olhos desse novo médico, que travam as palavras na boca do garoto para que não transbordem. O garoto olha para o chão, então se força a olhar para a frente. O dr. MacFarlane ensinou-lhe que os estrangeiros gostam de ser olhados nos olhos. Ren precisa desse trabalho.

"Tudo o que o dr. MacFarlane quisesse."

Ren fala com respeito e clareza, da forma como o velho médico gostava que se dirigissem a ele, e lista as tarefas a que estava acostumado: limpar, cozinhar, passar roupa, cuidar dos animais que o dr. MacFarlane criava. Ren não sabe se deve ou não admitir que sabe ler e escrever muito bem. Olhando ansiosamente para o rosto de William, ele tenta avaliar seu humor. Mas o novo médico parece impassível.

"O dr. MacFarlane ensinou inglês para você?"

"Sim, *Tuan*."

"Você fala muito bem. Na verdade, você soa como ele." A expressão no rosto de William se suaviza. "Quanto tempo você ficou com ele?"

"Três anos, *Tuan*."

"E quantos anos você tem?"

"Treze, *Tuan*."

Ren prende a respiração ao mentir. A maioria dos estrangeiros tem dificuldade em determinar a idade dos habitantes locais. O dr. MacFarlane costumava brincar com isso o tempo todo, mas as sobrancelhas de William estão franzidas, como se estivesse fazendo um cálculo rápido. Por fim, ele diz: "Se você sabe passar roupa, tenho algumas camisas que precisam ser passadas".

Dispensado, Ren encaminha-se para a porta com alívio.

"Mais uma coisa. Alguma vez você ajudou o dr. MacFarlane em sua prática médica?"

Ren congela e, então, assente.

William volta para o jornal, sem perceber que o garoto está olhando para ele com uma expressão assustada.

• • •

Surpreso por Ah Long não estar à espera do lado de fora da porta, Ren encontra o caminho de volta para a cozinha. Em sua experiência, os empregados invariavelmente desconfiam dos recém-chegados. Durante seus primeiros dias na casa do dr. MacFarlane, a governanta o seguiu de cômodo em cômodo até se convencer de que ele não ia roubar nada.

"Nunca se sabe", disse ela muito tempo depois de Ren ter se tornado uma parte indispensável da casa. "Nem todo mundo é tão bem-educado quanto você."

Kwan-*yi*, ou tia Kwan, como Ren a chamava, era uma mulher de meia-idade robusta e esquentada. Era ela que administrava com mão de ferro a desorganizada casa do dr. MacFarlane; foi ela que ensinou Ren a cozinhar arroz em um fogão a lenha sem queimar o fundo da panela e também a pegar, abater e depenar uma galinha em meia hora. Se ela tivesse ficado, tudo poderia ter sido diferente. Mas tia Kwan havia partido seis meses antes de o velho médico morrer. A filha dela ia ter um bebê, e ela estava de mudança para o sul, para Kuala Lumpur, para ajudá-la.

O dr. MacFarlane disse que encontraria alguém para substituí-la, mas meses se passaram, e o velho ficou preocupado com outros assuntos. Ele já mostrara sinais disso antes de tia Kwan ir embora, o que pareceu deixá-la desconfortável quando partiu. Ren, tentando não chorar, agarrou-se a ela de um jeito feroz e inesperado. Ela colocou um pedaço de papel sujo contendo um endereço na mão dele.

"Você precisa cuidar de si mesmo", disse ela, preocupada.

Ren era propenso a acidentes. Uma vez um galho de árvore caiu, e ele saiu ileso por centímetros. Outra vez, um carro de bois desgovernado quase o prensou contra um muro. Houve outros quase acidentes — tantos que as pessoas diziam que Ren atraía azar.

"Venha me ver", disse ela, com um abraço forte. E agora o garoto pensa se deveria ter feito isso. Mas ele deve muito ao velho médico, e há promessas que Ren precisa cumprir.

• • •

Na cozinha arejada, Ah Long, taciturno, está cortando uma galinha. Ren, parado a uma distância respeitosa, se arrisca a dizer: "O mestre me pediu para passar as camisas dele".

Ah Long diz: "A roupa lavada ainda não voltou do *dhobi*[1]. Lave a louça primeiro".

---

1 Lavadeira, especialmente de origem indiana. [N. T.]

Ren é rápido e hábil, esfrega as panelas com uma escova de fibras de coco e um suave sabão caseiro marrom na pia funda do lado de fora. Quando a louça está lavada, Ah Long examina seu trabalho. "O mestre saiu, mas voltará para o almoço. Você pode varrer a casa." Ren quer perguntar se há outros empregados, mas a expressão no rosto de Ah Long o impede.

A casa é surpreendentemente vazia. As largas tábuas de teca estão gastas, e as janelas sem vidro, com as barras de madeira torneadas, se abrem para o verde intenso da selva ao redor. Há poucos móveis além das poltronas de ratã e do conjunto de jantar que parecem ter vindo com a casa. Não há fotos nas paredes, nem mesmo as aquarelas indiferentes tão amadas pelas *mems*[2], as senhoras inglesas.

O dr. MacFarlane era um homem desleixado cujos interesses se espalhavam por todas as partes da casa. Ren se pergunta como é possível que os dois homens tenham sido amigos. Ele pensa no pedido do velho médico e conta os dias mais uma vez. O aviso do motorista de caminhão sobre os cachorros sendo devorados o preocupa. Ele esperava encontrar o dedo rapidamente, talvez num armário de espécimes preservados. Essa seria a melhor solução. Mas o dr. MacFarlane nem tinha certeza de que o dedo estaria aqui.

"Talvez não esteja mais com ele", disse o médico com uma voz rouca. "Ele pode tê-lo dado de presente. Ou pode tê-lo destruído."

"Por que você não pede a ele?", disse Ren. "É o seu dedo."

"Não! Melhor se ele não souber de nada." O velho segurou com força o pulso de Ren. "Precisa ser pego ou roubado."

• • •

Ren está varrendo o chão com movimentos cuidadosos quando Ah Long se aproxima para lhe dizer que limpe o escritório do mestre também. Empurrando a porta entreaberta, Ren para de repente. À luz opaca das venezianas entreabertas, ele vê olhos vítreos e uma boca aberta, para sempre fixada em um rosnado. Ren diz a si mesmo que é apenas uma pele de tigre. O triste remanescente de alguma caça esquecida há tempos.

"O mestre caça?"

"Ele? Ele só coleciona", murmura Ah Long. "Eu não tocaria nisso."

"Por que não?" Ren experimenta um inquietante fascínio ao observar a pele de tigre. Apesar da indignidade de estar disposta no

---

2   Corruptela do inglês *ma'am*, senhora inglesa de classe alta. [N. T.]

chão, com o pelo desgastado em algumas partes, os brilhantes olhos de vidro são um aviso para manter a distância. Os olhos de tigre são valorizados pelas partes rígidas no centro; são aplicados em ouro para a fabricação de anéis e considerados amuletos preciosos, assim como os dentes, os bigodes e as garras. Um fígado seco em pó vale o dobro de seu peso em ouro como remédio. Até os ossos são levados para ser fervidos e virar geleia.

"*Aiya*[3]! Esse tigre era um devorador de homens. Matou dois homens e uma mulher em Seremban antes de ser baleado. Viu os buracos de bala na lateral?"

"Como ele conseguiu a pele?"

"Ele a está guardando para um amigo que disse que esse tigre era um *keramat*. *Cheh*! Como se um tigre *keramat* pudesse ser baleado."

Ren entende muito bem o significado dessas palavras. Um animal *keramat* é uma criatura sagrada, com capacidade de ir e vir como um fantasma, pisoteando canaviais ou atacando o gado impunemente. Ele sempre se distingue por alguma peculiaridade, como uma presa faltando ou uma rara coloração albina. Mas o indicador mais comum é uma pata deformada ou mutilada.

Quando Ren ainda estava no orfanato, viu pegadas do elefante Gajah Keramat. Era um animal famoso, um elefante que não vivia em manada e vagava de Teluk Intan até a fronteira tailandesa. As balas se desviavam magicamente do couro sarapintado do Gajah Keramat, e ele tinha a incrível capacidade de perceber uma emboscada. Naquela manhã, os raios ardentes do sol haviam tingido a estrada de terra de vermelho-sangue, destacando os homens amontoados sobre as pegadas que conduziam para fora de um aqueduto, atravessavam a estrada e adentravam a floresta secundária. Ren parou para observar a agitação.

"*Tentulah*[4], é o Gajah Keramat." Houve um som de concordância.

Movendo-se para a frente da multidão, Ren viu como a pata esquerda encolhida do elefante havia deixado uma marca curiosa na terra úmida e vermelha.

Mais tarde, quando começou a trabalhar na casa do dr. MacFarlane, Ren relatou o incidente ao velho médico. O dr. MacFarlane ficara fascinado e até anotou o relato em um de seus cadernos, as palavras

---

3   Interjeição usada por chineses para expressar surpresa, choque, espanto ou medo. [N. T.]
4   Em malaio: claro, certamente. [N. T.]

registradas em tinta com sua meticulosa caligrafia. Na época, Ren não sabia quão profundo seria esse interesse por animais *keramat*.

Um arrepio percorre sua espinha agora ao observar a pele do tigre no chão. Então essa é a ligação entre o velho médico e o novo? Estaria a morte está chegando com passos suaves ou teria seguido em frente, como uma sombra que se libertou do dono? Ren espera, desesperadamente, que seja apenas uma coincidência.

A Noite do Tigre
Yangsze Choo

6

Falim
SÁBADO, 6 DE JUNHO

Uma das condições da minha mãe para que eu fosse morar na oficina de costura da sra. Tham era que eu os visitasse com frequência em Falim. Sempre que eu voltava, levava uma lembrança para compensar o fato de não sentir saudades de casa. Hoje foram rambutões, uma fruta peluda e vermelha, que, ao ser aberta, revela um interior branco e doce. Estavam vendendo perto do ponto de ônibus, e comprei alguns, embrulhados em jornal velho. Quando sentei no ônibus me arrependi, porque os rambutões estavam cheios de formigas.

Outrora, Falim fora repleta de hortas, mas os arredores de Ipoh eram invadidos todos os anos. O magnata do estanho Foo Nyit Tse já havia construído um conjunto habitacional, além de uma grande mansão na rua Lahat que era a maravilha do bairro. A loja do meu padrasto se situava em uma fileira de *shophouses* de fachada estreita cujos pavimentos superiores se projetavam para formar um passeio coberto, ou *kaki lima*. Embora a loja tivesse apenas cinco metros e meio de largura, era surpreendentemente funda. Uma vez, Shin e eu percorremos sua extensão e descobrimos que chegava a quase trinta metros.

Quando cheguei, Ah Kum, a nova garota que meu padrasto havia contratado para me substituir, fazia anotações a lápis no livro de registros contábeis.

"Voltou hoje?" Ah Kum era um ano mais velha que eu, uma alegre fofoqueira com uma verruga sob o olho direito, com formato de lágrima. Algumas pessoas diziam que essa marca significava que ela nunca teria sorte no casamento, mas Ah Kum não parecia chateada. De qualquer forma, eu era muito grata a ela. Se Ah Kum não tivesse começado a trabalhar na loja, eu nunca teria conseguido ir embora.

"Quer?" Coloquei meu pacote de rambutões no balcão.

Ah Kum torceu uma fruta para abri-la. "Seu irmão está de volta."

Isso era novidade para mim. Shin deveria voltar na semana seguinte. "Quando ele chegou?"

"Ontem, mas está fora agora. Por que você não me disse que ele era tão bonito?"

Revirei os olhos. Shin e suas admiradoras. Obviamente, elas não tinham ideia de sua verdadeira personalidade, como eu costumava explicar para ele. Mas Ah Kum só começou a trabalhar aqui depois que Shin foi para Singapura — como essa pobre garota poderia saber?

"Se você acha o Shin tão maravilhoso, pode ficar com ele!", falei, desviando enquanto ela me golpeava. Nossa risada foi interrompida pelo som de passos no segundo andar. Nos recompomos às pressas, trocando um olhar.

"Ele está aqui dentro?" *Ele* só poderia ser o meu padrasto.

Ela balançou a cabeça. "É sua mãe."

Fui para o fundo da casa, inspirando o aroma familiar e sombrio de terra e metal do estanho estocado. No andar de cima, janelas se abriam para os pátios, trazendo luz e ar para os cômodos familiares. Esse grande cômodo superior era usado como uma sala de estar privada, longe dos negócios da loja na parte térrea. Mobiliada com poucas poltronas de ratã, uma mesa quadrada para o mahjong e algumas grandes fotografias em sépia dos pais do meu padrasto, a sala quase não fora alterada desde que eu e minha mãe nos mudamos dez anos atrás. Um longo aparador de pau-rosa estava coberto de troféus e faixas escolares. Os meus continuavam entre os mais antigos, mas os mais recentes, depois que meu padrasto decidiu que eu já tinha recebido educação suficiente, eram todos do meu meio-irmão.

Minha mãe estava sentada no parapeito, olhando os pombos que se empertigavam e arrulhavam por ali.

"Mãe", chamei em voz baixa.

Com o passar dos anos, ela ficara muito magra. No entanto, sua estrutura óssea ainda era adorável, e fiquei impressionada com o contorno delicado do crânio sob sua pele.

"Pensei que você só viria na semana que vem." Ela parecia feliz em me ver. Eu sempre podia esperar isso da minha mãe; às vezes eu pensava que faria qualquer coisa para vê-la sorrindo.

"Ah, eu quis vir. Comprei rambutões." Não mencionei que tinha voltado para casa trazendo um dedo mumificado, ou que planejava entrar de penetra no funeral de um estranho no dia seguinte.

"Que bom, que bom." Ela acariciou minha mão rapidamente.

Olhando ao redor, entreguei um envelope para minha mãe. Seus lábios tremiam enquanto ela contava o dinheiro. "É muito! Como você conseguiu tanto dinheiro?"

"Fiz um vestido para uma senhora na semana passada." Eu não era boa em mentir, então minhas frases eram sempre curtas.

"Não posso aceitar."

"Você precisa do dinheiro!"

Fazia dois meses que eu havia descoberto as dívidas da minha mãe, embora suspeitasse há um tempo, ao notar sua ansiedade e os pequenos luxos dos quais ela abrira mão. Ela até comia menos nas refeições. E, em especial, não havia mais encontros de mahjong com as amigas. Afinal, o mahjong fora a causa do problema.

Ao ser questionada, ela desmoronou. Tinha sido profundamente inquietante ver minha mãe chorando como uma criança, pressionando as mãos contra a boca enquanto as lágrimas escorriam em silêncio por seu rosto. Uma de suas amigas recomendara uma senhora que fazia empréstimos pessoais. Ela era muito discreta e, mais importante, não mencionaria nada ao meu padrasto.

"Por que você não me contou antes?", perguntei com raiva. "E que tipo de taxa de juros é essa, de trinta e cinco por cento?"

Meu padrasto poderia ter pagado a dívida. Ele ganhava bem como revendedor de estanho, mas nós duas sabíamos o que aconteceria se ele descobrisse. Sendo assim, pouco a pouco, estávamos juntando dinheiro. Ela era muito mais lenta que eu. Meu padrasto checava as contas domésticas toda semana, então minha mãe precisava economizar sem chamar a atenção dele. Mas desde que comecei a trabalhar no May Flower, consegui pagar um pouco do grosso da dívida. Minha mãe sempre tentava recusar, mas, no fim, eu sabia que ela iria — na verdade, precisava — aceitar o dinheiro.

Ela escondia o dinheiro na ponta dos chinelos de casamento. Meu padrasto nunca olharia lá, embora gostasse de ver minha mãe bem vestida. Ela queria vender suas joias, mas, com frequência, ele lhe pedia para usar certas peças e seria difícil explicar onde elas tinham ido parar. A atenção dele em relação a roupas se estendia até a mim e, durante aqueles anos, eu estivera sempre bem-vestida. Minhas amigas diziam que eu tinha sorte em ter um padrasto tão generoso, mas eu sabia que tudo isso tinha a ver com a própria vaidade dele. Meu padrasto era um colecionador, e nós éramos suas aquisições.

Eu nunca disse a Shin como me sentia em relação ao pai dele. Não precisava.

• • •

Quando minha mãe e eu nos mudamos, fiquei impressionada com o rigor com que meu padrasto tratava Shin. Ele parecia esperar obediência absoluta. Em casa, Shin mal falava, a não ser que lhe fosse dirigida a palavra; ele era uma sombra do garoto que eu conhecia fora de casa. Na verdade, fiquei bem surpresa em ver como Shin era popular. Montes de crianças apareciam todos os dias para brincar com ele. Como todos eram garotos, ele não se dava ao trabalho de me apresentar, e simplesmente saía correndo. Aquele olhar travesso e animado em seu rosto nunca era visto em casa, e logo descobri a razão.

Numa tarde, Shin tinha saído, e precisei ficar em casa, arrancando as raízes de uma enorme pilha de brotos de feijão, robustos e crocantes. Eu não gostava deles, mas meu padrasto gostava, e minha mãe costumava fritá-los com peixe salgado.

Enquanto eu fazia a tarefa de forma melancólica, meu padrasto chegou em casa. Ele entrou na cozinha em silêncio, depois verificou o pátio, empalidecendo de raiva. Shin tinha se esquecido de empacotar e pesar as pilhas de estanho que estavam secando. Quando ele finalmente voltou, seu pai o levou para a parte de trás da casa e lhe deu uma surra por cada pilha esquecida.

A vara usada na surra tinha um metro e vinte de comprimento e era tão grossa quanto o polegar de um homem, em nada semelhante à frágil vareta de ratã que minha mãe usava às vezes para me disciplinar. Pegando Shin pelo colarinho, o pai esticou o braço dele para trás o máximo que pôde. Houve um silvo, depois um estalo explosivo que ressoou pelo pátio. Os joelhos de Shin se dobraram. Um choro reprimido escapou de sua garganta. Tentei me convencer de que ele merecia, mas no segundo golpe eu já estava chorando.

"Pare!", gritei. "Ele sente muito! Ele não vai esquecer mais!"

Meu padrasto lançou-me um olhar incrédulo. Por um instante, fiquei apavorada com a possibilidade de ele me bater também, mas ele olhou para sua nova esposa, que surgiu, pálida, atrás de mim, e lentamente abaixou a vara. Sem dizer uma palavra, ele voltou para a loja.

Naquela noite Shin chorou, e eu não consegui suportar em silêncio. Pressionei minha boca contra a parede de madeira que nos separava.

"Está doendo?"

Ele não respondeu, mas os soluços se intensificaram.

"Eu sinto muito", falei.

"Não é culpa sua", disse ele, enfim.

"Quer pomada?" Eu tinha um pouco de bálsamo de tigre no meu quarto, a pomada chinesa usada para tudo, que supostamente continha ossos de tigre cozidos. Dizia-se que ela curava todo tipo de desconforto, desde picadas de mosquitos até artrite.

Houve uma pausa. "Pode ser."

Saí em silêncio pelo corredor escuro. Embora eu tivesse certeza de que meu padrasto e minha mãe estavam no quarto deles na parte da frente da *shophouse*, precisei criar coragem antes de abrir a porta do pequeno quarto de Shin. Era uma imagem espelhada do meu quarto, com as camas em posição oposta contra a parede. Ele estava sentado na cama. Ao luar, parecia muito jovem e pequeno, apesar de termos o mesmo tamanho. Tirei a tampa do pote de bálsamo de tigre e, em silêncio, ajudei Shin a passar a pomada nos vergões das pernas. Quando terminei, ele segurou minha manga.

"Não vá."

"Só um pouquinho, então." Estaria em apuros se me descobrissem, mas me deitei ao lado dele. Ele se aninhou como um animalzinho e, sem pensar, acariciei o cabelo dele. Pensei que ele poderia se opor a isso, mas Shin disse apenas: "Minha mãe costumava ficar comigo às vezes".

"O que aconteceu com ela?"

"Morreu. Ano passado."

Apenas um ano, pensei. Meu pai, meu pai de verdade, tinha morrido fazia três anos. Se minha mãe tivesse uma *shophouse* grande assim, não precisaria se casar de novo, refleti. Imaginei nós duas cultivando orquídeas em vasos no pátio, fazendo juntas o *nian gao*, o bolinho de arroz doce e grudento de ano-novo, como fazíamos antes. Teríamos ficado muito bem sozinhas.

"Quando eu crescer, nunca vou me casar", eu disse.

Pensei que ele poderia zombar de mim. Afinal, era isso que as garotas deveriam fazer. Mas Shin ponderou com seriedade. "Então eu também não vou me casar."

"Acho que você vai ficar bem. Você vai ficar com a loja." Meu padrasto queria muito que Shin desse continuidade aos negócios. Embora fosse um dos menores revendedores de estanho, outros do ramo tinham se saído muito bem, e era possível ganhar dinheiro reinvestindo.

"Você pode ficar com ela. Vou embora assim que puder."

Bufei. "Não quero. Eu é que vou embora."

Ele começou a rir e enterrou a cabeça embaixo do travesseiro para abafar o som. Ao fazer isso, um pedaço de papel amassado caiu. Havia um único caractere chinês escrito: 獏.

"O que é isso?" Sob o luar inconstante, era difícil enxergar. "É um animal?"

Shin agarrou o papel. "Minha mãe escreveu para mim", disse ele, ríspido. "É o caractere para *mo* — tapir."

Eu já tinha visto fotos de tapir. Tinha um focinho parecido com uma tromba de elefante atrofiada e manchas pretas e brancas, como se a parte da frente tivesse sido mergulhada em tinta, e a parte de trás, coberta de farinha, como um bolinho de arroz. Costumava ser bem grande, quase um metro e oitenta centímetros de comprimento, embora fosse difícil vê-lo na selva.

"A letra da sua mãe era linda." Minha mãe era analfabeta, por isso sempre quis me mandar para a escola e para aulas de caligrafia chinesa com pincel nos fins de semana.

"Ela veio do norte da China. Esse papel é para mim. Para quando tiver sonhos ruins. *Mo* é um devorador de sonhos, você não sabia?"

"Você quer dizer um tapir de verdade, da selva?" Imaginei que tipo de histórias a mãe de Shin havia contado a ele. Minha família estava na Malaia havia três gerações; embora ainda falássemos chinês, também estávamos adaptados à vida sob o domínio britânico.

"Não, o devorador de sonhos é um animal fantasma. Quando você tem pesadelos, pode chamá-lo três vezes para devorá-los. Mas é preciso ter cuidado. Se o chamar com muita frequência, ele também devorar suas esperanças e ambições."

Houve um silêncio enquanto eu digeria a informação. Queria perguntar se amuletos para devoradores de sonhos de fato funcionavam, e se ele já tinha visto um tapir, mas Shin adormeceu, então me levantei devagarzinho, em silêncio, e voltei para a minha cama.

• • •

Quando as pessoas que não sabiam de nossas circunstâncias familiares descobriam que Shin e eu tínhamos a mesma data de nascimento, presumiam que éramos gêmeos, embora não fôssemos parecidos.

Minha mãe tinha um carinho muito grande por ele, e ela acariciava a minha cabeça e a dele de forma afetuosa.

"É bom que você tenha um irmão agora, Ji Lin."

"Mas ele não vai me chamar de *Ah Jie*", ressaltei, magoada. Era um direito meu ser chamada de "irmã mais velha", mesmo que tivesse essa vantagem por apenas cinco horas. Mas Shin ignorava isso de forma intencional, chamando-me pelo meu nome e mostrando a língua.

De certa forma, seria melhor se ele ainda fizesse essas coisas, mas nos últimos dois anos, Shin se tornara estranhamente distante. Imaginava que fosse inevitável, mas fiquei triste, mesmo assim. No entanto, era orgulhosa demais para ficar correndo atrás dele como as outras garotas e estava tão infeliz por ter sido forçada a deixar a escola antes de terminar o colegial que tinha pouco tempo para me preocupar com sua mudança de comportamento. Acreditava, porém, que ainda podia confiar em Shin quando precisasse dele para estar ao meu lado, para guardar meus segredos. E para identificar dedos amputados. Ou, pelo menos, assim esperava.

• • •

O jantar daquela noite foi um evento silencioso, apesar do luxo de um frango inteiro cozido no vapor com óleo de gergelim. Tinha sido cortado com habilidade em pedacinhos e servido em um prato grande. Nenhum de nós tocou na comida; era tão silenciosamente repreensivo quanto o lugar vazio de Shin. Com timidez, minha mãe perguntou por ele.

"Ele disse que ia sair hoje à noite." Meu padrasto enfiou a comida na boca, mastigando metodicamente.

"Eu deveria ter falado para ele que ia matar uma galinha hoje." Minha mãe olhou preocupada para a ave, como se Shin fosse se materializar atrás dela. Contive um muxoxo.

"Ele vai ficar aqui por quanto tempo?", perguntei.

"Ele arrumou um emprego de meio período no hospital Batu Gajah, então vai passar o verão aqui." Minha mãe parecia satisfeita. Na verdade, não havia "verão" aqui na Malaia. Afinal, era uma zona tropical, embora tivéssemos adotado o termo "férias de verão" por sermos uma colônia. Mas eu não disse nada disso em voz alta. Era sempre melhor falar o mínimo possível durante as refeições.

"Shin vai ficar aqui?" Batu Gajah ficava a mais de dezesseis quilômetros de distância. Parecia-me improvável que ele tivesse escolhido passar tanto tempo sob o mesmo teto que o pai.

"O hospital tem alojamento para funcionários. Ele disse que era mais conveniente." Ela olhou rapidamente para o meu padrasto, que continuava a mastigar em silêncio. Ele estava de bom humor, dava para ver. Desde que Shin ganhara uma bolsa de estudos para estudar medicina, meu padrasto exibia um orgulho feroz do filho. Ser parabenizado por ter um filho tão inteligente deve ter lhe subido à cabeça.

Era estranho que Shin trabalhasse num hospital menor como Batu Gajah, quando poderia facilmente ter conseguido trabalho como assistente no Hospital Geral de Singapura, como fizera no Natal. Eu nunca tinha ido à Singapura, embora tenha observado com atenção os cartões-postais da Catedral de St. Andrew e do famoso Raffles Hotel com seu Long Bar, onde mulheres não deveriam ir.

Minha mãe lançou outro olhar aflito para o frango intocado. "Com quem Shin saiu hoje à noite?"

"Ming e outro amigo. Robert, ele disse." Meu padrasto se serviu de um pedaço de frango e, com um suspiro, minha mãe fez o mesmo, colocando a comida no meu prato.

Olhei para baixo, constrangida. Ming era filho do relojoeiro, o melhor amigo de Shin. Ele era um ano mais velho que nós, sério e maduro, e usava óculos de armação de metal fino. Eu era apaixonada por ele desde os doze anos — uma paixão irremediável e desajeitada que eu esperava que ninguém notasse, embora o olhar solidário de minha mãe parecesse perspicaz. Ming tinha se saído bem na escola, e todos esperávamos que continuasse os estudos, mas, inesperadamente, ele assumiu o negócio de seu pai. Alguns meses atrás, soube que estava noivo de uma garota de Tapah.

Bom para ele, disse a mim mesma, espetando o frango com meus palitinhos. Ming era uma pessoa sincera; conheci sua noiva, e ela parecia ser uma garota simpática, quieta e reservada. Além disso, apesar de Ming me tratar com gentileza quando éramos menores, ele nunca se interessou por mim. Eu sabia muito bem disso e tinha desistido dele. Ainda assim, ouvir seu nome me enchia com uma escuridão soturna e sombria.

As dívidas de minha mãe, o casamento de Ming e minha falta de perspectiva para o futuro eram pesos em uma corrente de azar. Isso sem contar o dedo mumificado dentro de um vidrinho, no fundo da minha cesta de viagem.

• • •

Meu padrasto sempre ia para a cama cedo. Minha mãe também adotou esse hábito e, em pouco tempo, eles se retiraram para o quarto no andar de cima. Lavei a louça e coloquei as sobras no armário telado para comida, para manter os lagartos e as baratas afastados. Cada pé do armário ficava sobre um pratinho cheio de água, para que as formigas não subissem. Por fim, peguei os restos de comida e levei para a viela nos fundos, para os gatos de rua.

Tinha esfriado, embora as laterais dos edifícios ainda emanassem o calor do dia. O céu estava salpicado de estrelas, e um distante ruído de música flutuava pelo ar noturno. Em algum lugar, alguém estava ouvindo rádio. Era foxtrote, um estilo que eu conseguia dançar de olhos fechados agora, cantarolando baixinho.

Quando a música terminou, ouvi um aplauso. Assustada, eu me virei.
"Desde quando você sabe dançar?"
Era uma sombra na escuridão da viela, encostado no muro, mas eu o reconheceria em qualquer lugar.
"Há quanto tempo você está aí?", perguntei, indignada.
"Tempo suficiente." Ao se afastar do muro, seu vulto pareceu mais alto, seus ombros, mais largos que antes. Não pude ver a expressão em seu rosto e de repente fiquei tímida. Fazia quase um ano que eu não via Shin.
"Por que você não ficou em Singapura?", continuei.
"Ah, então você não queria que eu voltasse?" Ele estava rindo, e senti uma onda de alívio. Era o velho Shin, meu amigo de infância.
"Quem iria querer você? Bem, talvez Ah Kum."
"A garota nova da loja?" Ele balançou a cabeça. "Meu coração pertence à medicina."

A janela do vizinho se fechou com um estrondo. Estávamos fazendo muito barulho na viela. Dirigi-me para a fresta de luz que escapava pela porta da cozinha.
"Você cortou o cabelo", disse ele, surpreso.
Minha mão foi direto para a nuca. *Que comecem as piadas*, pensei com desânimo. Mas, para minha surpresa, Shin não disse mais nada. Ele se sentou à mesa e observou enquanto eu, afobada, limpava um balcão já limpo. A lamparina a óleo tinha uma chama fraca, e a cozinha estava cheia de sombras. Eu me apressei em fazer uma pergunta após a outra sobre como era Singapura.
"Mas o que você tem feito?", perguntou ele. "É provável que algumas pobres mulheres tenham um vestido costurado do avesso."
Joguei o pano de prato nele. "Eu costuro muito bem. Sou extremamente talentosa, de acordo com a sra. Bicuda Tham."

"O nome dela é mesmo Bicuda?"

"Não, mas deveria ser. Ela parece um corvo minúsculo e gosta de entrar no meu quarto e abrir todas as gavetas sempre que estou fora."

"Sinto muito", disse Shin, rindo. E então, ficou sério.

"Pelo quê?"

"Porque quem deveria estar na faculdade de medicina é você."

"Não teria sido possível." Eu me virei. Ainda era uma questão dolorosa para mim. Fui eu que quis ser médica primeiro, ou trabalhar na área de alguma forma. Qualquer coisa para curar as contusões nos braços da minha mãe, as distensões que ela desenvolvia de forma misteriosa. "Ouvi falar que você se encontrou com Ming hoje à noite."

"E Robert." Robert Chiu era amigo de Ming. Seu pai era um advogado que tinha estudado na Inglaterra. Todos os seus filhos tinham nomes ingleses — Robert, Emily, Mary e Eunice — e tinham um piano e um gramofone em sua grande casa, repleta de empregados. Robert e Shin nunca se deram bem. Achei curioso que os três tivessem saído juntos.

"Ming perguntou de você — você vai almoçar com a gente amanhã?", Shin comentou. Era pena nos olhos dele? Eu não queria compaixão.

"Preciso ir a um funeral."

"De quem?"

Fiquei aborrecida comigo mesma por não ter inventado outra desculpa. "Ninguém que você conhece. É só um conhecido."

Shin franziu a testa, mas não me perguntou mais nada. À luz da lamparina, os ângulos de suas maçãs do rosto e da mandíbula eram os mesmos, embora ainda mais acentuados, mais maduros.

"Preciso da sua ajuda", falei. Era um ótimo momento para mostrar o dedo a ele, sem que minha mãe ou meu padrasto interferissem. "É uma questão de anatomia. Você pode dar uma olhada?"

Suas sobrancelhas se levantaram. "Você não acha que deveria pedir a outra pessoa?"

"É segredo. Não posso pedir a mais ninguém."

O rosto de Shin se ruborizou, ou talvez fosse apenas a luz fraca. "Talvez você devesse perguntar a uma enfermeira. Não sou qualificado, e é melhor se uma mulher examinar você."

Revirei os olhos. "Não tem a ver comigo, bobo."

"Bom, como eu ia saber?" Shin esfregou o rosto, agora ainda mais corado.

"Espere aqui", eu disse. "Está no meu quarto."

Subi correndo para o andar de cima, pisando com delicadeza para evitar as tábuas do assoalho rangessem, e atravessei em silêncio o corredor até meu quarto nos fundos da casa. O luar inundava as janelas como água opaca. Nada ali havia mudado, nem a posição da cama, ainda encostada na parede que separava o quarto de Shin do meu.

Quando eu tinha catorze anos, meu padrasto cogitou mudar Shin para o andar de baixo, trocando o quarto dele por seu escritório, mas a mudança seria muito inconveniente. Ele tinha medo de que Shin e eu pudéssemos nos esgueirar para o quarto um do outro, o que era ridículo. Shin nunca veio ao meu quarto. Se quiséssemos conversar baixinho, nos movíamos em silêncio pelo corredor ou nos sentávamos no chão do quarto dele, mas o meu quarto era só meu. Foi a única concessão ao fato de eu ser uma garota.

Enfiando o braço na cesta de ratã que eu usava como mala de viagem, peguei o frasco de vidro, que estava envolto em um lenço porque não eu gostava de olhar para ele.

Desci as escadas e o coloquei ao lado da lamparina a óleo. "Me diga o que acha."

Shin desembrulhou o frasco, os dedos longos e hábeis desamarrando o nó. Quando viu o dedo, parou.

"Onde você conseguiu isso?"

Olhando para as sobrancelhas escuras agora unidas, percebi que não poderia contar a Shin que eu pegara aquilo do bolso de um estranho enquanto trabalhava como instrutora em um salão de dança. Por mais que eu tentasse racionalizar o requinte desbotado do May Flower ou das meninas que trabalhavam duro, soava péssimo. Pior ainda, revelaria as dívidas de jogo da minha mãe.

"Eu achei. Caiu do bolso de alguém."

Shin virou o frasco de um lado para o outro, estreitando os olhos.

"E?" Apertei as mãos debaixo da mesa.

"Eu diria que são as falanges distal e média de um dedo. Possivelmente, o mindinho, pelo tamanho."

"Poderia ser de um orangotango?"

"As proporções parecem humanas para mim. Além disso, olhe para a unha. Não parece cortada?"

Eu tinha notado isso. "Por que parece mumificado?"

"Está seco, então talvez tenha acontecido naturalmente, como carne seca."

"Não fale de carne seca", pedi, em tom de lástima.

"Então, como foi que você conseguiu isso?"

"Já falei para você, eu achei." Empurrando minha cadeira de volta, eu disse apressadamente: "Não se preocupe, vou devolvê-lo. Obrigada por dar uma olhada. Boa noite".

Quando me esquivei para a escada, senti seu olhar opaco me seguindo.

A Noite do Tigre
Yangsze Choo

7

Batu Gajah
SEXTA-FEIRA, 5 DE JUNHO

Desde sua chegada, Ren aprendeu duas coisas importantes sobre seu novo mestre. Primeiro, Ah Long lhe explicou que William era um cirurgião e, portanto, devia ser chamado de "senhor" ou *Tuan* Acton, e não de "doutor".

"Por quê?", pergunta Ren.

"Não faço ideia. É uma coisa britânica." Ah Long está descascando camarões gigantes. "Mas é assim que você deve se dirigir a ele."

A segunda coisa que aprendeu é que seu novo patrão preferia um ambiente arrumado, bem diferente da atmosfera caótica e vivaz que Ren tinha deixado em Kamunting. O dr. MacFarlane muitas vezes abandonava sanduíches comidos pela metade e cascas de banana em meio à confusão de papéis sobre a mesa. O novo médico, William Acton, colocava os talheres com cuidado na borda do prato. A superfície brilhante de sua mesa só era interrompida pelo arquipélago do tinteiro, pelo papel mata-borrão e pela caneta-tinteiro.

Ren já tinha memorizado a posição exata de cada objeto e os recoloca no lugar certo toda vez que tira o pó. Talvez seja uma perda de tempo, pois não sabe até quando ficará aqui. Até sua tarefa ser concluída — apesar de não ter ideia do que vai acontecer depois que encontrar o dedo e devolvê-lo ao túmulo. O dr. MacFarlane não tinha deixado mais instruções. Uma onda de saudade o invade, tão intensa que as lágrimas chegam de forma constrangedora a seus olhos. Ren diz a si mesmo que está velho demais para chorar. Vinte e seis dias tinham se passado desde a morte de seu antigo mestre, e ele sente um pânico crescente. No entanto, ninguém mais morreu. A não ser que se considerem os cães.

Ontem Ah Long disse que o vizinho que morava duas casas adiante tinha perdido um terrier com pedigree: uma criatura esganiçada e briguenta que valia mais de um mês de salário. Um tufo de pelo preso a um toco de cauda branca foi a única coisa a ser descartada. "Leopardo", resmungou Ah Long. Ren assim espera. Que não tenha sido um tigre.

Ele olha pela janela para a extensão de grama aparada e para a entrada de cascalho. O bangalô branco fica em uma pequena elevação, o gramado o envolve como se fosse uma poça. A floresta se impõe de todos os lados e é mantida à distância por dois jardineiros indianos. Bandos de macacos se exibem mais adiante, e galinhas e aves selvagens ciscam a vegetação rasteira. Ren, fascinado, observa-os da janela aberta, onde descasca legumes e lava o arroz.

Yi, ele move os lábios em silêncio, *você teria gostado deste lugar*. Ao ver o próprio reflexo em uma bandeja de aço que está polindo, ele assente. É difícil, mesmo depois de três anos, ficar sem o irmão.

A pior parte da morte é esquecer a imagem da pessoa amada. É o último roubo, a última traição. Ainda assim, é impossível esquecer o rosto de Yi, pois é o mesmo que o dele próprio. Esse é o único conforto de Ren diante da perda do irmão gêmeo.

Quando chegaram ao orfanato, ninguém sabia qual era a criança mais velha. A supervisora decidiu que era Ren e lhe deu esse nome a partir disso, sendo *ren* a maior das Cinco Virtudes do Confucionismo. Significa ser benevolente: a benevolência que distingue o homem do animal selvagem. O homem perfeito, de acordo com Confúcio, deve estar disposto a morrer para preservar isso. Ren acha que, se tivesse escolha, preferiria ter morrido para salvar Yi.

Ele tem o sonho recorrente de estar em uma plataforma ferroviária, como a plataforma de Taiping, onde costumava ver o dr. MacFarlane partir para suas viagens, só que desta vez é Yi que está no trem. Ele se inclina para fora da janela, os braços finos acenando freneticamente. Quando sorri, há uma lacuna onde um dente da frente ainda não cresceu. Tem a mesmíssima aparência de quando morreu.

Ren quer correr atrás do rosto sorridente de Yi, mas seus pés estão inexplicavelmente presos à plataforma. Ele é obrigado a assistir ao trem ganhando velocidade, as rodas girando mais rápido, enquanto Yi fica cada vez menor até sumir, e Ren acorda banhado em suor ou lágrimas.

Apesar de tudo, é um sonho feliz. Ele está contente em ver o irmão de novo, assim como Yi. Ele pode ver nos gestos de Yi, em seus olhos brilhantes. Às vezes ele fala, a boca se movimenta enquanto gesticula, embora nunca saia som. Ren acha estranho que seja Yi quem sempre parte para uma jornada, sendo que é ele próprio que está envelhecendo e deixando o irmão para trás.

• • •

Ren está esfregando o chão. Ele está fazendo força, enxaguando o esfregão com frequência e trocando o balde de água, como ensinado pela tia Kwan. A área lustrosa do piso vai aumentando com os movimentos em forma de folha, como uma planta brilhante que se espalha sobre as largas tábuas de teca.

"Bom", a voz de Ah Long irrompe.

Surpreso, Ren olha para cima. Ah Long tem a incrível habilidade de se materializar em todos os cantos da casa, o que dificulta a busca de Ren pelo dedo. Ele é como um gato velho e desconfiado, apertando os olhos sob a luz do sol.

"Há criados mais velhos que você que não fazem um trabalho tão bom", diz Ah Long. "Tivemos um há alguns meses. Vinte e três anos e não conseguia passar uma camisa. Queria usar uniforme e servir bebidas em festas."

O dr. MacFarlane raramente recebia convidados. Apesar disso, o velho médico tinha a reputação de colecionar espécimes, e era comum haver uma fila de caçadores locais aguardando pacientemente seu retorno — seus prêmios saindo de sacos ou rosnando na ponta de uma corda.

"O mestre é casado?", pergunta Ren. Ele sabe que muitos estrangeiros deixam esposas e filhos na Inglaterra, Escócia ou de onde quer que venham. O clima tropical daqui não era considerado saudável para crianças europeias.

"Não. Seria melhor se ele fosse."

"Por quê?" Ren quer aproveitar o bom humor de Ah Long. Normalmente é difícil conseguir mais do que algumas palavras dele.

"Porque ele pararia de aprontar. *Aiya*, como se todos nós não soubéssemos o que ele anda fazendo!"

Ren tem uma vaga compreensão de que tem a ver com assuntos adultos. Coisas como casamento ou não casamento e relacionamentos entre homens e mulheres que são muito difíceis de entender. Mas o fato de William não ter esposa nem família para interferir aumenta a chance de Ren recuperar o dedo. Ele se preocupa, pois ainda não o encontrou, apesar de dois dias de busca silenciosa.

• • •

Eles trazem a mulher ferida para dentro pouco antes do meio-dia. Ren ouve gritos, lamentos aflitos e a recusa determinada de Ah Long.

"*Tak boleh! Tuan tak ada di sini!*"

Ren sai correndo. Um carrinho de mão está parado na entrada e, nele, uma jovem cingalesa. Há um corte profundo na parte de trás de sua panturrilha esquerda. Manchas escuras de sangue encharcam seu sári.

Ah Long está tentando persuadir os parentes a levá-la ao hospital em Batu Gajah, pois *Tuan* Acton não está em casa, mas eles insistem que é longe demais. Ren sabe que Ah Long é bastante supersticioso e teme que a mulher morra nesta casa. Ele abre caminho.

"Tragam a garota para dentro!"

"Você está maluco?", grita Ah Long.

Ignorando-o, Ren diz aos homens para levá-la para a varanda enquanto corre para o escritório. O médico guarda uma bolsa de emergência atrás da mesa e tem uma gaveta cheia de instrumentos de primeiros socorros.

"Preciso de uma bacia com água fervida", ele pede a Ah Long.

"E se ela morrer aqui?"

Ren o ignora enquanto lava cuidadosamente as mãos com sabão, obrigando-se a contar devagar até quinze. Em seguida, examina o torniquete improvisado, uma faixa estreita de pano apertada ao redor da perna. A mulher desmaiou, e ele agradece por isso. Ele lava a perna da melhor forma possível com a água fervida, depois faz um torniquete acima do original. Sua cabeça dá voltas; ele sente um bolo na garganta. Em sua mente, visualiza as mãos quadradas do dr. MacFarlane de novo, repetindo os passos. Um graveto passando pelo nó, servindo de molinete para apertar, se necessário. Ren corta o torniquete original.

"O que está fazendo? Se você tirar isso, ela vai sangrar até a morte!"

"Está muito apertado e muito perto da ferida. Ela vai perder a perna."

Ren cerra os dentes, desejando que o novo torniquete se mantenha. Ao redor do garoto as pessoas murmuram, mas ninguém mais parece assumir o controle. Ren verifica a pulsação no tornozelo. Ainda há um leve sangramento. Torcendo o graveto atado ao pano, ele aumenta a pressão devagar até estancar o sangue.

Gemendo, a mulher começa a se mexer de novo enquanto a seguram e, com uma seringa, ele aplica água oxigenada na ferida. É tudo o que tem em mãos, mas quando a ferida aberta borbulha e espuma, percebe os espectadores se afastarem. O sangue o deixa tonto. *Respire*, diz a si mesmo. *Se você não respirar, vai desmaiar.*

Pelo menos acabou. O curativo que ele coloca por cima logo se encharca, mas é melhor do que ver o osso.

"Vocês precisam levá-la para o hospital agora", diz ele em meio ao burburinho de alívio. "Ela precisa de pontos."

Eles a colocam de volta no carrinho de mão, e Ren se preocupa com seu estado durante o trajeto. Se tivesse um pouco de morfina, daria a ela uma quantidade mínima. Ele não deveria fazer isso. O velho médico sempre o advertiu, trancando o armário de remédios, mas o garoto já o vira administrar morfina várias vezes.

Ren começa a limpar a sujeira deixada pelos curativos. Suas pernas estão fracas; suas mãos tremem descontroladamente. Ele sequer perguntou o nome da mulher ou o que havia causado a lesão, embora tivesse uma vaga lembrança de alguém ter dado uma explicação. Estancar o sangue o havia esgotado.

Ele está prestes a buscar água para esfregar a varanda quando Ah Long diz: "Deixe isso. Vá trocar de roupa". Então ele percebe que seu novo uniforme branco de criado doméstico está salpicado de sangue.

"Coloque as roupas de molho em água fria", instrui Ah Long. "Se as manchas não saírem, você vai ter de fazer um uniforme novo com seu próprio salário." Ele tem uma expressão curiosa no rosto, carrancuda e, ao mesmo tempo, relutantemente respeitosa.

Ren se lava na pequena sala de banho atrás do alojamento dos criados, retirando água de um grande pote de cerâmica com uma caneca e jogando-a sobre o corpo. Quando fecha os olhos, ainda consegue ver o sangue se infiltrando nas tábuas de madeira. Como o sangue de Yi, pensa, se esvaindo por entre seus dedos. Ele colocou as mãos no peito do irmão, tentando estancar o fluxo. Mas foi inútil. O corpo de Yi esfriou, seus olhos se reviraram. Seu pequeno peito ressoou pela última vez.

Quando Ren volta para a casa principal, Ah Long está preparando o almoço para os criados. Ren descobre que existem outros: uma mulher que ajuda a lavar a roupa, o motorista malaio, Harun, e dois jardineiros tâmeis. No entanto, ele e Ah Long são os únicos que vivem no alojamento dos criados atrás do grande bangalô.

Como William está no hospital, Ah Long preparou um macarrão simples com caldo. Frango desfiado e verduras cozidas estão amontoados por cima, com um brilho de óleo de chalota frita. Ren percebe que Ah Long lhe deu uma porção maior que o normal, com carne extra. Todos comem em silêncio. Quando terminam, Ah Long diz: "Você não deveria ter feito aquilo. Se ela morrer depois de tê-la tratado, será sua desgraça".

"O mestre vai ficar bravo?" Ren se lembra dos curativos que usou, do frasco de água oxigenada pela metade. Ele vai ferver a seringa de vidro; felizmente não usou uma agulha. Nunca precisou pedir permissão ao dr. MacFarlane.

"Ele não gosta de ninguém mexendo em suas coisas."

Ren está em silêncio. Onde estava com a cabeça? Nem sequer havia terminado a tarefa dada pelo velho médico. Com uma sensação de pânico, ele conta o tempo desde a morte do dr. MacFarlane. Restam apenas vinte e três dias.

"O que acontece durante os quarenta e nove dias depois que alguém morre?", Ren pergunta.

Ah Long, pensando que Ren ainda está preocupado com a jovem cingalesa, diz: "Ela não vai morrer. Pelo menos, espero que não".

"Mas o que acontece, afinal?"

"*Aiya*, a alma vagueia por aí. Perambula e olha as pessoas e os lugares que conhece. Então, se estiver satisfeita, vai embora."

"E se não estiver satisfeita?"

"Ela não segue adiante. É assim que surgem as assombrações."

Os olhos de Ren se arregalam, e Ah Long diz: "Não se preocupe, isso é apenas superstição".

"Um espírito errante pode se transformar em um animal?"

"*O quê?* Não, existem histórias, mas não é verdade."

Ah Long é tão desdenhoso em relação à ideia que Ren se sente reconfortado, de certa maneira. Sob o sol brilhante, não há nada com que se preocupar. Hoje, ele salvou uma vida. Não havia valor nisso?

A Noite do Tigre
Yangsze Choo

8

Falim
DOMINGO, 7 DE JUNHO

Apesar da dor de cabeça, caí num sono profundo assim que me entoquei em minha cama estreita. Um sono tão profundo que senti um torpor agradável, flutuando na água fria de um rio de sonhos.

As margens luminosas do rio tremeluziam enquanto imagens minúsculas e claras passavam preguiçosamente, como se fossem vistas pelo lado errado de um telescópio. Bambuzais e vegetação rasteira, capim-elefante iluminado pelo sol. Era o tipo de paisagem com figuras minúsculas que você poderia ver de um trem, e, no momento em que esse pensamento me ocorreu, vi uma locomotiva. Estava parada, soltando vapor numa pequena estação ferroviária.

Estranhamente, os trilhos do trem começavam embaixo d'água, os dormentes submersos vindo à tona do fundo de areia branca e chegando à margem. Não havia ninguém no trem, exceto um garotinho de uns oito anos. Ele sorriu e acenou da janela, mostrando uma lacuna onde faltava um dos dentes da frente. Acenei de volta. Depois eu estava flutuando de novo, levada pela correnteza até acordar sob o alvorecer cinzento.

Uma luz pálida se infiltrou pelas persianas de madeira, e a dor de cabeça que me incomodara na noite anterior havia desaparecido. O quarto de Shin estava silencioso, mas, pelos ruídos fracos lá embaixo, soube que minha mãe estava acordada. Eu me vesti depressa.

"Foi você que fez esse vestido?", ela perguntou quando desci as escadas.

Tinha ficado na dúvida sobre o que vestir hoje, no funeral do vendedor; algo formal, mas que não chamasse atenção a ponto de minha família se perguntar aonde eu estava indo. O único vestido adequado que eu tinha era um *cheongsam* cinza-claro de gola mandarim que fiz durante meu treinamento. *Cheongsam* é um vestido chinês formal e implacável de costurar. Cometi um erro ao fazer a gola alta, que não ficou tão plana, mas era suficientemente decente. Eu já sabia o que minha mãe ia dizer.

"Esse tecido é tão sério — uma garota como você deveria escolher cores alegres."

Minha mãe amava roupas e tinha um gosto requintado. Em ocasiões especiais, ela se vestia com bastante cuidado, tirando o par de sapatos bons que guardava em uma caixa de papelão na parte de cima do guarda-roupa. Na verdade, toda essa história de me tornar aprendiz de costureira era dela, embora também tivesse sido aprovada pelo meu padrasto. Mas eu não via vantagem em nos arrumar para agradar a ele, que só queria nos ver bem vestidas para se sentir bem consigo mesmo. Nossa família era como uma caixa de chocolates, pensei. Lindamente decorada por fora, mas com uma escuridão pegajosa por dentro.

"Estou indo para o mercado, mas você está tão arrumada que dá pena pedir para me acompanhar", disse minha mãe.

"Eu vou." Ir ao mercado de carnes e produtos frescos sempre foi uma das minhas incumbências favoritas. Era possível para comprar quase qualquer coisa lá: montes de pimentões vermelhos e verdes, pintinhos e codornas vivos, vagens de sementes de lótus verdes que pareciam chuveiros. Havia cortes de carne de porco fresca, ovos de pato salgados e cestas de lustrosos peixes de água doce. Também dava para tomar café da manhã em pequenas barracas que serviam tigelas fumegantes de macarrão e bolinhos fritos crocantes.

Enquanto minha mãe estava ocupada fazendo compras, fui andando entre as barracas lotadas à procura de flores. Flores brancas, a cor dos funerais e da morte na China. Eu as embrulhei em jornal para escondê-las. Era difícil manter segredos num lugar como Falim, e qualquer um que me visse andando com um monte de crisântemos brancos logo adivinharia que eram uma oferenda para um morto.

Quando estava voltando, carregando as várias compras da minha mãe, ouvi o barulho metálico de uma campainha de bicicleta. Era Ming. Eu não o via fazia algum tempo, mas continuava o mesmo, com seus óculos de armação fina, empurrando uma pesada bicicleta preta.

"Ji Lin!" Ele parecia satisfeito. "Encontrei seu irmão ontem à noite."

Eu estava tão melancólica com o noivado de Ming, evitando-o, e agora aqui estava ele, limpando os óculos com um lenço do jeito distraído de sempre. Meu coração não pode conter um sobressalto involuntário.

"Fiquei sabendo", respondi. "Vocês saíram para comer, mesmo depois de minha mãe ter matado uma galinha para o Shin."

Ming sorriu. "Não sabíamos que você tinha voltado. Nem sobre o frango, caso contrário eu teria vindo para ajudar a comê-lo." Pegando minha cesta de compras, ele a pendurou no guidão da bicicleta com seu jeito discreto. Diferentemente do que acontecia com meu padrasto, eu nunca o vi perder a paciência. Se Ming fazia ideia da minha paixão do passado, sempre fora muito educado para fazer qualquer comentário. Eu estava contente por ainda sermos amigos, pensei, enquanto Ming me ajudava a levar a cesta para casa.

Shin estava encostado na mesa, conversando com Ah Kum, que estava na loja mesmo sendo seu dia de folga. Rindo encabulada, ela disse que tinha trazido um pouco de picles caseiros, embora, pelos olhares, fosse óbvio que ela só estava aqui por causa de Shin. Admirei a rapidez com que ela decidiu entrar em ação.

Mas Ah Kum estava certa: Shin era muito bonito. Quando éramos mais novos, nos acostumamos com a beleza dele e às vezes eu me esquecia de como era impressionante. Ele herdara as maças do rosto salientes e o nariz de sua mãe, uma mulher do extremo norte da China. Pelo menos, era o que todo mundo dizia, embora eu nunca tivesse visto uma foto dela. *Shin sortudo*, pensei com inveja, como sempre pensara durante a infância. Nascer menino e ganhar uma bolsa de estudos para a faculdade de medicina. Ter uma boa aparência era só a cereja do bolo. No entanto, ele não parecia satisfeito. Na verdade, parecia visivelmente irritado quando Ming e eu entramos com os rostos corados e rindo.

"Você chegou cedo", disse ele a Ming. "Pensei que íamos nos encontrar para o almoço."

"Encontrei Ji Lin no mercado, então decidi trazê-la para casa."

"Ela não precisa de babá", disse ele com desdém.

Lancei um olhar de reprovação, mas Shin me ignorou. Ming abriu seu sorriso gentil enquanto ajudava a tirar o melão da cesta. Estava faltando um botão na parte de cima de sua camisa, embora, com seu habitual ar de dignidade confusa, ele não parecesse se dar conta disso. Se Ming tivesse se apaixonado por mim, e não por uma garota de Tapah, eu teria consertado sua camisa com prazer.

Subi para preparar a cesta de viagem. Era melhor sair antes que minha mãe chegasse em casa e me obrigasse a ficar para o almoço.

"Você não vai com a gente?" Ming pareceu surpreso quando passei pela frente da loja. O buquê de crisântemos embrulhado em jornal estava enfiado em minha cesta. Uma única flor branca como a neve despontou, e Shin claramente percebeu, mas não disse nada enquanto eu me despedia. Embaixo das flores, o dedo era um fardo de culpa em minha cesta. Senti a obrigação de devolvê-lo. E qual seria um lugar melhor para deixá-lo do que em um funeral?

• • •

De acordo com o obituário do jornal, o funeral do vendedor seria realizado em Papan, uma cidade próxima. O sol tórrido surgiu num céu azul sem nuvens; meu único consolo era a gigantesca árvore da chuva que lançava sombra no ponto de ônibus. Usei um pouco de pó de arroz no rosto e apliquei um pouco de batom, mas temi que logo derreteria.

O ônibus chegou com um arfar ruidoso. Tinha o corpo de um caminhão, as laterais eram circundadas por um gradil de madeira, e era sempre um pouco difícil embarcar de vestido, particularmente um *cheongsam* estreito como um lápis. Entrei por último para evitar mostrar muito as pernas para quem estivesse atrás de mim. Ainda assim, me movi com esforço, amaldiçoando em silêncio as modestas fendas laterais que não me deixavam dar passos maiores. Para o meu horror, alguém me deu uma mão por trás. A mão de um homem, a julgar pela sensação, deslizou de um jeito atrevido pela minha lombar e me empurrou para dentro do ônibus. Eu me virei e dei um tapa nele.

Era Shin.

"Por que você fez isso?" Ele parecia irritado.

"Ninguém pediu para você ajudar. O que está fazendo aqui?"

O motorista do ônibus buzinou, e me sentei rapidamente no banco de madeira. Shin embarcou e se espremeu ao meu lado. Com um solavanco, o ônibus saiu.

"E o almoço com Ming?", perguntei em tom de censura.

Ignorando a pergunta, Shin olhou diretamente para a cesta de ratã que eu levava abraçada no colo. "Está aí?"

Eu sabia que ele estava falando do dedo, mas não respondi. Que descaramento, depois de ter sido tão hostil mais cedo!

"Você me deu um belo de um tapa."

"Como eu ia saber que era você?"

Reagi sem pensar, uma lição aprendida ao dançar com estranhos. Arrependida, espiei o rosto dele para ver se tinha deixado alguma marca.

"Então, você vai me contar sobre esse dedo?"

Não fazia sentido negar, visto que Shin tinha evidente intenção de me seguir. Então dei a ele uma versão editada dos acontecimentos. Falei que o vendedor foi ao meu (não identificado) local de trabalho, derrubou o frasco com o dedo e morreu no dia seguinte.

"E isso é tudo", falei. "Agora, por favor, volta para casa? É grosseiro da sua parte abandonar Ming sozinho."

"Eu não o deixei sozinho. Ou você está preocupada que Ah Kum se jogue para cima dele?"

"Ele está noivo!", respondi com rispidez. "E, além disso, Ah Kum está interessada em você, não em Ming."

Ele virou a cabeça para olhar pela janela. Senti um pouco de culpa. Shin estava, à sua maneira, cuidando de mim.

"Estamos de bem?", eu disse, estendendo a mão depois de um tempo. Shin era capaz de ficar quieto por dias, mas eu nunca conseguia guardar rancor dele. Não haveria ninguém com quem conversar naquela casa se não fizéssemos as pazes. Ele não olhou para mim, mas estendeu a mão direita, e demos um aperto de mão, com bastante entusiasmo, para mostrar que tudo estava bem de verdade entre nós.

O ônibus nos deixou na estrada principal em Papan e partiu em uma nuvem de poeira. Tive um ataque violento de tosse. O pó facial que apliquei já não tinha importância — agora eu estava coberta de poeira branca. Os lábios de Shin se contraíram, mas, ainda bem, ele não riu. Tivemos que pedir informação, pois Papan tinha várias ruas com casinhas.

"Essa é a casa de Chan", disse uma senhora. Ela observou atentamente meu *cheongsam* cinza e o ramalhete de flores brancas. "Você pretendia vir para o funeral?"

"Sim", respondi.

"Você está muito atrasada. Foi ontem." Vendo a decepção em meu rosto, ela disse: "O jornal imprimiu a data errada, mas eles avisaram toda a família a tempo. Você não sabia?".

"Nós ainda gostaríamos de dar nossas condolências." Shin sorriu para a senhora, que cedeu e nos deu instruções detalhadas. Desviando de suas perguntas, apressamos nossa retirada.

A casa era uma pequena construção térrea de madeira com um pé de goiaba no quintal da frente e um cachorro amarelo e magro amarrado a ele. Ainda havia vestígios do funeral, embora as duas grandes lanternas de papel branco com o nome do falecido não estivessem mais penduradas nas laterais da porta. Cinzas e fragmentos de papel colorido parcialmente queimado voavam pelo local — os restos das oferendas fúnebres de papel queimadas para a pessoa morta. Fiquei imaginando se tinham queimado muitas dançarinas e arroz de frango com alho para o vendedor no Além, então senti remorso por ter pensamentos tão irreverentes.

Quando nos aproximamos, o cachorro se lançou contra nós, latindo loucamente. A goiabeira balançou e, nervosa, olhei para a corda que prendia o animal.

"Com licença!", chamei.

Uma mulher mais velha saiu, fazendo o cachorro ficar quieto. Ela olhou intrigada para nós. "Ah, minha cara, eu disse a Ah Yoke que a data estava errada no jornal! Você veio vê-la?"

Eu não tinha ideia de quem era Ah Yoke, mas confirmei com um meneio de cabeça. Tiramos nossos sapatos enquanto a mulher nos conduzia para a sala de estar da pequena casa, dominada por um altar familiar enfeitado com varetas de incenso e oferendas. Coloquei o buquê de crisântemos brancos no altar. Fizemos uma reverência, prestamos homenagem ao falecido, o retrato era o mesmo usado no obituário do jornal. Na foto, o vendedor tinha um olhar fixo, estava rígido e formal. Chan Yew Cheung tinha vinte e oito anos, aos quais haviam sido acrescentados, como era costume, mais três anos para aumentar seu tempo de vida. Um ano da terra, um ano do céu e outro do homem. Solenemente, pensei que mesmo com os anos emprestados, o tempo dele aqui não tinha sido muito longo.

Servindo duas xícaras de chá, a mulher disse: "Sou a tia dele. Vocês eram amigos de Yew Cheung? Foi um choque. Ele sempre foi tão forte, nunca pensei que viveria mais que ele". Ela franziu o rosto, e temi que ela começasse a chorar. Eu estava cada vez mais desconfortável.

"O que aconteceu com ele?", perguntou Shin.

"Ele foi ver um amigo em Batu Gajah, mas ficou tarde, e ele não voltou para casa. Ah Yoke estava chateada. Vocês sabem como ela é. Na manhã seguinte, um passante o encontrou. Ele deve ter escorregado e caído numa vala de escoamento de chuva. Disseram que ele quebrou o pescoço."

"Sinto muito", eu disse. E sentia mesmo. Eu não gostava muito do vendedor, mas, estando ali, na casa onde ele havia morado, sentada em uma poltrona de ratã que ele deve ter usado, senti uma sombra gélida pousar em mim.

"Na verdade, eu não conhecia bem o sr. Chan", falei. "Ele era um cliente em nossa loja e esqueceu algo. Então li sobre seu falecimento e pensei que deveria devolver."

"Nesse caso, é melhor você falar com a esposa dele." Ela se levantou e abriu a cortina de contas de madeira na parte de trás da casa. "Ah Yoke!", chamou ela. "Esta jovem tem algo de Yew Cheung."

Houve uma longa pausa. Shin e eu, desconfortáveis, nos ajeitamos em nossos lugares. A tia tinha começado a falar: "Ela está muito abalada, como é de se esperar...", quando uma mulher entrou correndo na sala. O cabelo estava desarrumado, e o rosto, inchado de tanto chorar. Ela voou em minha direção.

"Biscate!", gritou ela. "Como você se atreve a vir aqui?"

Chocada, eu mal conseguia me proteger usando os braços, enquanto ela, histérica, me estapeava e me arranhava. Shin foi para cima dela e a afastou de mim. A mulher caiu estatelada no chão e começou a gritar. Era um barulho horrível, como um porco sendo abatido.

A tia disse: "Ah Yoke, o que está acontecendo com você? Eu sinto muito! Ela está assim desde ontem. Você se machucou?".

Abalada, coloquei a mão na garganta. Ah Yoke ainda estava no chão. Seus gritos haviam se transformado em gemidos. "Devolva", disse ela. "Devolva para mim."

"O que ela quer?", perguntei, horrorizada.

"Ah Yoke", disse a tia, "você está enganada. Esta jovem trabalha numa loja. Ela não é uma das garotas de Yew Cheung." Lançando um rápido olhar para mim, ela disse: "Você não é, é?".

Balancei a cabeça. "Eu só o encontrei uma vez."

"Viu?" A tia acariciava a cabeça de Ah Yoke. "Ela não o conhecia. E, olhe, ela veio com o namorado."

Ah Yoke continuou a soluçar e se retorcer no chão, apertando e soltando as mãos. Seu corpo se contorcia de forma anormal, seus movimentos como os de uma cobra. Ela não parecia mais humana. Fiquei zonza; se Shin não estivesse me segurando, eu teria caído de joelhos.

"É melhor vocês irem", disse a tia em voz baixa. "Yew Cheung era meu sobrinho, mas não era um santo. Ele tinha uns casos por aí. E ontem, bom, havia algumas garotas aqui. Garotas de bar e prostitutas. Elas queriam prestar homenagem, mas não deviam ter vindo. Acho que ela confundiu você com uma delas."

A vergonha fez meu rosto corar. Ser dançarina também não era motivo de orgulho. Eu tinha criado meus próprios problemas ao pegar o dedo, e agora tinha que resolvê-los sozinha. Peguei o frasco de vidro e o coloquei no chão.

"Você reconhece isso?", perguntei a Ah Yoke.

Ela se sentou devagar, com os longos cabelos pretos espalhados pelo rosto, como se fossem fios de plantas aquáticas. "É dele", disse ela, soturna.

"Era isso que você estava procurando?", perguntei.

Balançando a cabeça, ela começou a chorar, e nem sequer tentava limpar as lágrimas que escorriam por seu rosto branco e inchado. Parecia indecente observá-la; seu rosto estava muito vulnerável e exposto. Eu me levantei, mas ela agarrou a barra da minha saia.

"Ele deu mais alguma coisa para você? Um pingente de ouro?"

"Não."

Estranhamente, ela pareceu ficar feliz com isso. "Na semana passada ele comprou um pingente para outra mulher. É sobre isso que eu queria saber. Não aquilo." Ela virou a cabeça para o dedo. Não havia tocado nele ainda. Seus olhos estavam inchados, as pálpebras dolorosamente rosadas. "Era o amuleto de sorte dele. Desde que o conseguiu, suas vendas melhoraram muito."

"Quando ele conseguiu isso?", perguntou Shin. Ela olhou para meu meio-irmão como se notasse sua presença pela primeira vez.

"Três... talvez quatro meses atrás. Pegou de um amigo. Na verdade, acho que ele o roubou." Ah Yoke fez uma careta como se tivesse um gosto ruim na boca.

"Eu gostaria de devolvê-lo para você", eu disse. Naquela casa de madeira pequena e asseada, em meio à mobília comum e aos objetos do dia a dia — uma toalhinha de crochê sobre a mesa, uma cobertura feita de folhas de palmeira para manter as moscas longe dos alimentos —, o dedo ressecado parecia ainda mais repugnante e deslocado. Olhei para a tia e percebi que ela não parecia surpresa. *Ela já viu isso antes*, pensei.

Ah Yoke balançou a cabeça de um jeito descontrolado. "Não deixe comigo!" Eu estava com medo de que ela começasse a gritar de novo.

A tia nos empurrou para a porta. "É melhor vocês irem agora."

"Mas... e o dedo?"

Ela o enfiou com firmeza em minha cesta de novo. "Faça o que quiser. Ou devolva à pessoa de quem ele pegou."

"E quem é essa pessoa?", perguntou Shin.

"Ele me disse que era uma enfermeira do hospital Batu Gajah", a tia respondeu em voz baixa. As orelhas de Shin se aguçaram ao ouvir isso. "É tudo o que sei. Agora, por favor, saiam."

Voltamos para o ponto de ônibus em silêncio. Já passava do meio-dia, e o brilho da estrada estava tão ofuscante que eu quis tapar os olhos.

Meu rosto estava dolorido onde Ah Yoke tinha me atacado. Shin parou debaixo de uma grande árvore.

"Espere aqui." Depois de atravessar a estrada em direção a uma lojinha, ele voltou com uma caneca esmaltada contendo água e um frasco de iodo. Ele inclinou meu rosto para examiná-lo. Fechei os olhos. Suas mãos eram geladas e hábeis.

"Você vai ficar com um olho roxo e alguns arranhões espetaculares."

Estremeci. Um dos cotovelos de Ah Yoke deve ter acertado meu olho. "Deve ser castigo, pelo tapa que te dei no ônibus."

Shin não riu, mas continuou a estudar meu rosto. Eu me afastei.

"Não olhe para mim", falei. "Está muito feio?"

"Esses arranhões precisam ser desinfetados."

Obedientemente, fiquei quieta quando ele molhou o lenço e limpou meu rosto. Como eu explicaria isso para a sra. Tham, quanto mais aparecer para trabalhar no May Flower? Se eu faltasse no trabalho, não ia conseguir fazer o próximo pagamento para minha mãe; meu padrasto nos esfolaria vivas se um cobrador de dívidas aparecesse em casa. Fiz os cálculos depressa. Com cinco centavos por dança, será que eu conseguiria compensar o que faltava?

"Pare de pensar tanto", disse Shin. "Você vai esgotar seu cérebro minúsculo."

Abri os olhos, indignada. "Que grosseria! Sendo que fui melhor do que você em quase todas as provas da escola!"

Em resposta, ele apenas limpou com mais força.

"Você está tirando todo o meu pó facial", reclamei.

"Maquiagem não vai melhorar alguém como você, se é isso que a preocupa."

Ele aplicou iodo nos arranhões, e doeu. Ou talvez tenha sido meu orgulho.

"Sou bem popular, se quer saber." Pensei em alguns dos meus clientes regulares no May Flower — aqueles que pelo menos faziam um esforço crível de dançar. O sr. Wong, o optometrista de Tiger Lane, que só gostava de valsas; o velho sr. Khoo, que me disse que seu médico o aconselhara a fazer um pouco de exercício; Nirman Singh, o sikh alto e magro — que eu tinha certeza de que era um estudante, embora ele negasse com veemência. Todos eles encontrariam outras garotas para dançar essa semana. Talvez as preferissem.

"Com o que você está preocupada?" Shin molhou o lenço com a última gota de água.

Balancei a cabeça, não querendo envolvê-lo ainda mais. "Preciso voltar para o trabalho."

"Você não vai para casa?"

"Só vou deixar a mamãe preocupada se aparecer assim." Levantaria perguntas desconfortáveis em Falim, com sua rede de fofocas. Todo mundo conhecia o temperamento do meu padrasto.

Shin devolveu a caneca para a loja, e pegamos o ônibus de volta, calados. De qualquer forma, havia pessoas demais ao redor para conversarmos sobre os acontecimentos bizarros daquela manhã. Ciente do meu rosto arranhado, mantive a cabeça baixa. Shin desceu em Falim, mas antes colocou o frasco de vidro com o dedo ressecado no bolso.

"Vou cuidar disso", disse ele, rechaçando minhas objeções. E, assim, Shin desembarcou.

Uma sensação de desconforto recaiu sobre mim; estremeci quando uma mulher gorda, carregando um galo, se espremeu ao meu lado. Era um galo branco com olhos amarelos, as pupilas furiosas. Nos funerais chineses, um galo branco era solto no cemitério no fim da cerimônia. Claro, essa senhora poderia estar levando-o para casa para o jantar, mas a imagem da ave branca no lugar recentemente desocupado de Shin me encheu de angústia. Como se a sombra fria e líquida que me assombrava tivesse passado para meu meio-irmão.

A Noite do Tigre
Yangsze Choo

9

Batu Gajah
SEXTA-FEIRA, 5 DE JUNHO

Em dias chuvosos, o novo médico, William Acton, escrevia cartas. Todas eram para sua noiva, Iris, mesmo sabendo que ela não tinha lido nenhuma.

Querida Iris, penso em você todos os dias. Aos poucos a chuva cessa, e um sol fraco aparece. William para de escrever.

Nos dias em que não chove, ele faz longas caminhadas de manhã bem cedo com um par de binóculos, notadamente para observar pássaros. William hesita antes de pegar o familiar desvio pelo seringal vizinho. Ele está se encontrando às escondidas com uma mulher local, a esposa de um trabalhador da plantação. Ela se chama Ambika e é tâmil, tem a pele macia e morena e longos cabelos ondulados que cheiram a óleo de coco. Há uma cicatriz em relevo — um queloide — em forma de borboleta no seu seio esquerdo. Quantas vezes ele pressionou seus lábios contra essa cicatriz? Ele acha a cicatriz linda, embora Ambika a encubra.

Ele sempre paga Ambika, mesmo assim acha que ela gosta dele. Pelo menos, o sorriso dela era afetuoso, embora ela nunca recusasse o dinheiro. Ele acha que os encontros são segredo, e talvez sejam para a comunidade europeia e até para o marido dela, que bebe demais.

Apesar disso, pelo menos mais uma pessoa sabia. Um dos antigos pacientes de apendicectomia de William — um vendedor chinês. Por puro azar, ele tinha flagrado Ambika e William juntos algumas semanas atrás, quando seu carro quebrou perto do seringal, o que o fez entrar no local para pedir ajuda. Os dois se afastaram assim que viram o intruso, e o vendedor não disse nada, mas ficou encarando

William. Foi a pior parte: ver no olhar do vendedor que ele sabia. Diferentemente dos outros moradores locais, ele sabia o nome de William e onde ele trabalha. Para William, fofoca é algo negativo, sobretudo depois do que aconteceu na Inglaterra. Para piorar a situação, recentemente Ambika tinha pedido mais dinheiro. Quando William hesitou, ela lançou um olhar sombrio, uma expressão nunca revelada antes.

Ao andar pelo seringal, ele admira as fileiras de árvores delgadas, importadas da América do Sul. Cada árvore tem cortes finos no tronco e um pequeno copo para o qual a seiva leitosa de látex escorre. Antes do amanhecer, os seringueiros fazem suas rondas, esvaziando cada copo em um balde. Ambika é uma dessas pessoas, mas é seu marido quem leva os baldes para o centro de processamento depois, tornando esse momento conveniente para o encontro. Verificando o relógio, William aperta o passo.

Mas a construção familiar, com seu telhado de metal ondulado, está vazia. Aconteceu o mesmo quando ele passou por ali alguns dias atrás. Para onde ela foi? Sem ter a quem perguntar, não resta escolha além de continuar o trajeto rumo ao trabalho no Hospital Distrital de Batu Gajah, onde a equipe acha que ele às vezes faz essa longa caminhada para se exercitar.

• • •

Em seu escritório, William não se sente bem. Ele pega a carta que tinha começado pela manhã.

Prezada Iris,
Herdei um novo criado doméstico chinês. O nome dele é Ren, e eu arriscaria dizer que tem dez anos, se não tivesse me garantido que tem quase treze. O garoto chegou até mim pelo pobre MacFarlane. Difícil acreditar que ele se foi — ainda lembro quando fomos a Korinchi procurar homens-tigre, harimau jadian, *como os nativos os chamam.*
A Malaia, com sua mistura de malaios, chineses e indianos, é repleta de espíritos: um mundo alternativo governado por regras inquietantes. O lobisomem europeu é um homem que, quando a lua está cheia, se vira do avesso e se torna uma fera. Então ele deixa o vilarejo e vai para a floresta para matar. Mas, para os nativos daqui, o homem-tigre não é um homem, e sim uma fera que, quando decide, coloca uma pele humana e vai da selva para o vilarejo para atacar os humanos. É quase a situação inversa e, de certa forma, mais perturbadora.

Há um boato de que quando nós, colonos, chegamos a esta parte do mundo, os nativos também nos consideravam homens-feras, embora ninguém tenha me falado isso diretamente.

William coça a ponte nasal.

De todas as coisas que MacFarlane me ofereceu ao longo dos anos, esse garoto é uma das mais estranhas. Afinal, um menino não é um bicho de estimação nem um animal. Ele parece grato pelo trabalho e arrumou meu escritório de forma meticulosa, abrindo todos os armários...

Uma batida na porta. Hora de fazer a ronda nas alas e, depois, uma cirurgia de hérnia incisional.

• • •

Naquela tarde, William encontra uma visita-surpresa esperando em seu escritório. Ela se senta na beirada da mesa dele balançando a sandália no pé. William conhece Lydia Thomson, a filha de um agricultor de seringueiras, apenas superficialmente, embora tenha a sensação de que ela gostaria que fossem mais íntimos.

Os papéis sobre a mesa estão desarrumados, seja pelo lugar onde ela escolheu se sentar, seja porque estava mexendo neles. Cansado depois de passar horas de pé na cirurgia, William tem dificuldade em ajustar sua expressão de irritada para agradavelmente neutra.

"O que posso fazer por você, Lydia?", ele pergunta, puxando uma cadeira para ela.

Eles estão se tratando pelo primeiro nome, como fazem quase todos os estrangeiros nesta pequena cidade. Batu Gajah — na verdade, toda a Malaia colonial — está cheia de europeus que atravessaram meio mundo fugindo por alguma razão pessoal ou outra qualquer. Muitas pessoas estão solitárias, e Lydia é claramente uma delas. Pelas fofocas, ela está aqui para arrumar um marido. Ela não é muito velha, talvez vinte e cinco ou vinte e seis anos, embora esteja entrando nos anos perigosos. Ainda assim, é uma das beldades locais e com frequência faz trabalho voluntário no hospital.

"Você esqueceu suas anotações do painel", diz ela.

Os dois estão em um comitê local para combater o beribéri, uma doença indefinível que acomete os trabalhadores chineses nas minas de estanho, inchando seus membros e causando insuficiência cardíaca, embora menos prevalente, como Lydia apontou, entre trabalhadores malaios ou tâmeis. Ela se dedica com afã a educá-los, tentando fazer com que comam menos arroz branco. "É a falta de vitamina B que provoca isso", explicou ela com seriedade no último encontro que tiveram. Olhando para os rostos estoicos dos habitantes locais, William se perguntara se Lydia conseguia entender quanto o arroz branco é um símbolo de status. Depois, um chinês mais velho o cumprimentou com um movimento de cabeça e disse: "Sua esposa se preocupa bastante".

"Ela não é minha esposa", disse William, sorrindo.

"Então você deveria se casar com ela. Uma mulher tão boa."

É um equívoco comum, considerando que os dois tinham sido colocados juntos recentemente. Ele acompanhara Lydia a um leilão beneficente. Dera carona a ela depois de alguns jantares, embora devesse tomar cuidado para não flertar demais. É sua fraqueza; velhos hábitos nunca morrem. Naquele momento, olhando para ela em seu escritório, William imagina o que Iris pensaria de tudo isso.

"Não preciso das anotações." Ele tem sido muito informal com ela, percebe tardiamente.

"Ah, não tem problema! Passei para pegar o remédio do meu pai", diz ela.

"E como ele está?"

"Muito melhor, graças a você."

William é escrupuloso demais para não explicar para ela que a operação de rotina da vesícula biliar realizada em seu pai provavelmente teria um bom resultado em quaisquer circunstâncias, mas Lydia continua sorrindo, não importa o que ele diga. A faxineira aparece com duas xícaras de chá em uma bandeja, um biscoito digestivo em cada pires. Contendo um suspiro, William entrega uma xícara a Lydia.

"Você estava muito ocupado hoje?", pergunta ela, animado.

"Na verdade, não. Mas algo misterioso aconteceu."

"O quê?"

"Parece que uma paciente veio à minha casa esta manhã e recebeu tratamento médico de um assistente. No entanto, eu não tenho nenhum assistente em casa."

"Oh." Lydia franze a testa.

William ficou surpreso ao ver a jovem, uma atraente garota cingalesa, em sua ronda da tarde no hospital. Ela explicou em uma mistura de malaio titubeante e inglês que recebera tratamento médico na casa dele naquela manhã. Não, ela não conseguia lembrar quem a atendeu, pois tinha desmaiado. Alguém de uniforme branco. Seu tio, que a levou, saberia dizer, mas já tinha ido embora. William examinou o ferimento, resultante de um pesado *cangkul* de ferro, ou enxada, que escorregou e cortou a parte de trás da panturrilha da mulher. O ferimento foi profundo e deve ter sangrado muito, ela poderia ter morrido se a hemorragia não tivesse sido estancada.

A voz de Lydia o traz de volta ao presente. "Você resolveu seu quebra-cabeça, então?"

"Não. Eu não estava em casa nessa hora."

William não tem nada contra ela. Na verdade, ela mostrou ser diligente e prática, fazendo campanha pela distribuição de leite em pó para as crianças locais. Mas, por algum motivo, ela sempre o fazia se sentir culpado. Talvez fosse sua aparência. Tinha o mesmo cabelo claro, a mesma pele fina que Iris, embora os olhos de Iris fossem cinzentos, e os de Lydia, azuis, brilhantes e frenéticos.

"Na verdade, vi você hoje de manhã, andando no seringal. Parecia estar procurando alguém."

O sangue sobe, uma marca de culpa fervendo no pescoço de William. Ela não poderia ter visto nada. Não nesta manhã, pelo menos. Ele espera que Lydia termine seu chá e vá embora, mas ela diz: "Ouvi dizer que você tem um novo criado, que era da casa do dr. MacFarlane". Notando ter despertado o interesse dele, Lydia continua. "Ao que parece, o velho médico o acolheu porque os moradores achavam que ele estava amaldiçoado."

"Amaldiçoado?"

"Alguma superstição. E depois aconteceram todas aquelas mortes em Kamunting."

"Que tipo de mortes?"

"No ano passado, pelo menos três pessoas foram mortas por tigres. E algumas pessoas dizem que deve ter sido o mesmo animal."

"Um devorador de homens." William se recosta na cadeira. Ele não tem certeza se Lydia está de fato interessada nele ou se apenas o considera um desafio. Às vezes, o flerte dela parece quase mal-intencionado.

"Dizem que é um tigre fantasma, que não pode ser morto por balas e desaparece como um espírito. Todas as vítimas eram mulheres. Mulheres jovens, com cabelos longos." Ciente do olhar inquisidor de William, duas manchas rosadas aparecem nas bochechas dela, um inesperado rubor típico de meninas. "Você deve achar que sou muito boba", diz ela. "Seja como for, é tudo superstição."

"Fantasmas não existem, Lydia."

Como eu bem deveria saber, pensa ele consigo mesmo.

• • •

A manhã seguinte é um sábado, e William chama Ren em seu escritório. Nervoso, o garoto leva na bandeja do meio da manhã uma xícara de porcelana e um prato com bolachas Maria.

"Ren", diz William. "Você se importaria de colocar isso em ordem para mim?"

Apavorado, Ren vê o kit médico usado na véspera espalhado sobre a mesa. Rolos de bandagem, frascos de iodo, clorodina e tinturas, além de uma confusão de instrumentos de metal. O frasco de água oxigenada pela metade fica de lado como uma reprimenda. Com rapidez, ele enrola as bandagens e organiza os frascos de acordo com seu uso, como o dr. MacFarlane tinha lhe ensinado. Venenos e eméticos são colocados no compartimento interno, para reduzir acidentes. Bisturis e tesouras que precisam de esterilização frequente são colocados em outro compartimento. As agulhas de injeção grossas já estão em um frasco com álcool. Sua mão treme ao pegar a seringa de vidro que tinha sido fervida no dia anterior.

Quando o garoto está quase terminando, William diz: "Vejo que você sabe o que está fazendo".

Ren ergue os olhos, mas, como de costume, o rosto do médico é inescrutável. No entanto, ele não parece zangado.

"Foi você que tratou aquela mulher ontem?"

"Sim, *Tuan*."

"Você fez um trabalho excelente. Acho que a perna dela vai ficar boa."

Ren, desconfortável, muda de posição.

"Já havia um torniquete?"

"Sim, mas estava muito apertado e perto do ferimento."

"Então, o que você fez?"

Ren descreve suas ações, esquecendo o nervosismo, enquanto William ouve com atenção. É uma sensação rara que ele não vivenciava desde a morte do antigo médico.

"Da próxima vez", diz William, "você precisa me contar se tratar alguém. E acho melhor eu supervisionar. Você sabe ler?"

Ren assente.

William levanta uma sobrancelha. "É mesmo? Amanhã é domingo. Se você quiser gastar sua meia folga para aprender noções básicas, estarei livre à tarde."

• • •

Depois que o garoto se retira, William vai até a varanda e se apoia no parapeito de madeira. Galhos balançam quando um bando de macacos passa, seus gritos atravessando a manhã tranquila. Um lampejo de preto e branco surge quando um calau indignado levanta voo. William coloca o binóculo em volta do pescoço, desce os degraus, passa pelo gramado aparado, o orgulho do jardineiro, e vai em direção à vegetação rasteira. Ele se lembra da carta de MacFarlane, a caligrafia trêmula prometendo que ele acharia o garoto interessante, e se pergunta o que mais há para descobrir sobre Ren.

William poderia ter encontrado uma casa mais próxima ao bairro europeu, em Changkat, mas não se importa com a localização isolada do bangalô. Há uma antiga trilha de elefantes não muito longe da casa, embora ele nunca tenha visto nenhum. Choveu na noite anterior, e o barro vermelho está macio sob os pés.

William para de repente. No barro há uma pegada de tigre. Ele nunca tinha visto uma tão perto da casa. Está tão fresca que uma folha de grama, pisoteada na marca, ainda está verde. Tigres são raros perto da cidade, embora ainda existam muitos no meio da selva. Um mateiro habilidoso provavelmente poderia estimar a idade e a saúde física do animal, mas, pelo tamanho e pelo formato quadrado da pegada, William acha que é um macho.

Um agrimensor das Ferrovias dos Estados Federados Malaios uma vez lhe contou como um tigre havia levado um de seus melhores *cules*[1]. Os trabalhadores, doze homens, dormiam no abrigo de um acampamento, com as roupas de cama estendidas no chão. Esse homem em particular, forte e bem constituído para um nativo, estava dormindo no meio da passagem. Deixaram a porta aberta para a brisa entrar. De manhã, ele havia desaparecido. Foram encontradas pegadas e, quando as rastrearam por um quilômetro e meio, recuperaram a cabeça, o braço esquerdo e as pernas. O torso e as entranhas haviam sido devorados. De noite, o tigre havia entrado em silêncio, andado entre os homens que dormiam e escolhido a melhor presa.

• • •

---

[1] Em inglês, *coolie*: trabalhador assalariado não especializado, em geral de origem hindu ou chinesa. Hoje, nos países de língua inglesa, é considerado um termo pejorativo para pessoas de origem asiática. [N. T.]

William não tem um cachorro para alertá-lo de qualquer aproximação e agora se arrepende. Existe uma velha espingarda Purdey na casa, mas não está carregada. Ele precisa avisar Ah Long e o garoto para não saírem da casa à noite. Ao virar para trás, vê Ah Long na varanda.

"*Tuan!*", grita ele. "Hospital!"

William é o médico responsável pelo plantão neste fim de semana. Ele sobe os degraus às pressas. "O que é?"

O malaio de Ah Long é ruim, e o inglês, ainda pior. Ele deveria pedir para o garoto pegar os recados no futuro, mas, naquele momento, é Ah Long quem porta notícias que até mesmo ele é capaz de expressar com clareza. "Alguém está morto."

De canto do olho, William nota Ren, pálido, o encarando. O garoto parece apavorado.

• • •

Harun está de folga, então é o próprio William que dirige. O incidente ocorreu na mesma plantação por onde ele tinha andado na manhã de sexta-feira; o recado foi breve e apenas mencionava que um corpo fora encontrado. A maioria das mortes locais era causada por malária ou tuberculose, embora picadas de cobra e acidentes também fossem comuns.

O administrador da propriedade é Henry Thomson, pai de Lydia. Ao parar o carro, William vê um pequeno grupo de pessoas. Thomson está parado perto do robusto oficial de polícia, que é sikh, e de seu subordinado malaio. O oficial se apresenta como capitão Jagjit Singh, inspetor da Polícia dos Estados Federados Malaios. Seu inglês é excelente, e William supõe que ele, assim como muitos policiais na Malaia, tenha sido recrutado do exército indiano para suplementar a escassez de oficiais treinados.

"O corpo foi encontrado depois do meio-dia", diz ele. "Parece um ataque de animal, mas não podemos descartar a possibilidade de um crime. Não conseguimos encontrar o dr. Rawlings, e eu gostaria de estabelecer a causa da morte antes de removê-lo."

Eles prosseguem e adentram o seringal. Distraído com a mesmice das árvores, William se pergunta se já passou por essa parte da propriedade.

"Quem encontrou?", pergunta ele.

"Um dos seringueiros."

Thomson está em silêncio, seu rosto magro e preocupado observa as folhas secas em que pisam. De repente, ele diz: "Não tenho certeza se é um dos meus trabalhadores. Precisamos reunir todos, para ver quem está presente".

"Por que acha que pode ser um crime?", pergunta William.

O capitão Singh hesita. "É difícil dizer. Não sobrou muito do corpo."

• • •

Ao chegar ao local, um declive coberto por vegetação rasteira, eles veem um policial malaio agachado, em guarda. Apressado, ele se levanta com uma expressão de alívio. Thomson se afasta. "Não preciso ver de novo", diz ele.

William se aproxima. Um braço magro emerge de um arbusto. Tem uma palidez acinzentada; uma fileira de formigas rasteja sobre ele. Adentrando o mato, William levanta os galhos baixos que lembram chicotes, tirando-os do caminho.

"Alguém mexeu no corpo?", grita ele por cima do ombro.

"Não."

William encara o que um dia foi uma mulher. Dois braços estendidos ainda estão presos a um torso. Parte de uma blusa verde envolve um ombro. Sob o algodão fino, a caixa torácica perfurada mostra as extremidades brancas dos ossos quebrados e uma escuridão oca e sangrenta. A pele de aparência emborrachada está começando a descascar nas bordas dos ferimentos. Da pélvis para baixo, não há nada.

"Onde está a cabeça?", pergunta William, contendo a náusea. Há um cheiro adocicado e repugnante de carne putrefata exalando do corpo e a imagem ondulante de vermes. O tamanho deles, e o fato de levar de oito a vinte horas para eclodirem nesse clima tropical, situa a hora da morte entre quinta-feira à noite e sexta de manhã.

"Ainda não a encontramos." O capitão Singh se posiciona cautelosamente na direção contrária do vento que passa pelo corpo. "Continuamos fazendo uma busca num raio de quatrocentos metros."

William se força a olhar para o corpo mais uma vez, embora já tenha uma opinião formada. "É um animal. Aqueles furos profundos no torso parecem marcas de dente. A coluna cervical foi partida. Os ombros também estão marcados. Ele provavelmente a pegou pelo pescoço e a sufocou primeiro."

"O que você acha — leopardo ou tigre?"

Leopardos eram muito mais comuns na Malaia do que tigres, superando-os na proporção de, pelo menos, dez para um. William conhece vários moradores cujos cães foram devorados por leopardos.

"Tigre, talvez. O espaçamento das marcas de mordida parece um pouco grande para um leopardo. Além disso, é preciso ter muita força na mandíbula para quebrar a espinha. Você deveria perguntar para Rawlings — imagino que ele fará a autópsia..."

Rawlings, o patologista do hospital, também estava trabalhando como médico-legista; ele pesaria e mediria os tristes segredos desse corpo. William tira um lenço do bolso e o coloca sobre a boca. A pressão alivia sua náusea.

"Nenhuma pista", diz o capitão Singh.

William olha para o chão coberto por um denso tapete de folhas secas. Sem terra exposta, será difícil encontrar pegadas.

"Acho que ela foi morta em outro lugar", diz ele. "Não há tanto sangue... talvez essa parte do corpo tenha sido trazida para uma segunda refeição."

Os tigres, ele sabe, retornam para uma carcaça várias vezes, mesmo quando a carne está em decomposição. Pode ser difícil encontrar as outras partes do corpo, pois o alcance de um tigre pode cobrir muitos quilômetros. Os pensamentos de William viajam até as pegadas frescas perto de seu bangalô.

"Vou conseguir um mateiro e alguns cães", diz o capitão Singh. "Mas tem uma coisa que não parece comum. Você não acha impressionante que quase nada tenha sido devorado, de fato? Tigres tendem a atacar o abdômen primeiro, não os membros. Mas aqui o tronco está praticamente intacto." Como muitos sikhs, ele é um homem alto e esguio, e o turbante branco o torna ainda mais imponente. Seus sagazes olhos âmbar estão fixos no cadáver.

William dá uma olhada final e enrijece. No seio esquerdo, a pele acinzentada ainda está intacta e ali, sem dúvida nenhuma, há um queloide em forma de borboleta. Ele conhece intimamente essa marca, pagou para acariciá-la, e nem mesmo o lenço pressionado desesperadamente contra o rosto pode salvá-lo agora.

William se afasta cambaleando da vegetação rasteira e vomita ao lado de uma árvore.

A Noite do Tigre
Yangsze Choo

10

Ipoh
DOMINGO, 7 DE JUNHO

Voltei para a oficina de costura com o rosto arranhado e o começo de um olho roxo. Eu esperava entrar em silêncio, mas a sra. Tham abriu a porta ao ouvir o barulho da minha chave.

"Seu rosto! Ji Lin, o que aconteceu com você? Você entrou numa briga? Já foi ver um médico?"

Eu contei a ela que escorreguei e caí. Não foi uma história muito boa, e, prendendo a respiração, esperei o interrogatório começar de novo, porém, para minha surpresa, ela se calou. Enquanto me observava, a sra. Tham disse: "Você esteve em casa, em Falim, não foi?".

"Estive."

"Você viu seu padrasto?"

Um olhar de pena atravessou seu rosto, e entendi que ela também ouvira os boatos sobre o temperamento do meu padrasto. Tive vontade de rir. De todas as coisas que aconteceram no fim de semana, pela primeira vez, ele foi o menos culpado. E a verdade era que ele nunca tinha encostado um dedo em mim. Não era necessário.

Desde o começo, descobri que disciplinar uma garota não estava à altura do meu padrasto. Esse era o trabalho da minha mãe e, ao menor sinal de descontentamento, bastava um olhar do meu padrasto para que ela mordesse os lábios e me repreendesse com suavidade. No começo, eu não entendia o custo disso. Cantar alto ou assobiar eram ofensas. Assim como contestá-lo. Fazer essas coisas resultava em minha mãe sair de discussões com o rosto pálido e com hematomas nos antebraços, onde dedos firmes a tinham apertado. No entanto, nada disso se comparava às punições dadas a Shin, e minha mãe nunca tocava no assunto. Mas nós duas aprendemos a temer a linha vertical que surgia na testa do meu padrasto, exatamente entre as sobrancelhas, e o empalidecimento do rosto.

Alguém diria que ele acreditava estar fazendo o que era certo e justo; os meninos precisavam ser moldados, e as esposas deviam aprender o lugar delas. Eu não tinha certeza e, sendo sincera, nunca me dei ao trabalho de tentar entender meu padrasto. Eu só sabia que o odiava.

• • •

Ao olhar-me em meu espelhinho, desanimei. Minha bochecha esquerda estava inchada, e havia vários arranhões no meu rosto. E, como imaginava, eu estava ficando com um belo olho roxo. Chateada, refiz as contas mentalmente. Com cinco centavos por cada tíquete de dança, o que significava três centavos para mim, ainda faltavam 75 centavos este mês para a dívida da minha mãe. Mas eu não tinha como trabalhar daquele jeito, apesar do embrulho de ansiedade no estômago. Em vez de entrar e enfrentar os olhares, seria melhor pedir para Hui dizer à Mama que eu não conseguiria ir na quarta-feira. Então, no dia seguinte, depois do trabalho, fui visitá-la.

Hui às vezes trabalhava à noite em outro lugar, mas eu tinha certeza de que a encontraria em casa. Ela não morava muito longe e, principalmente por isso, nos tornamos amigas. Hui tinha levado um vestido para a oficina da sra. Tham, e recebi a tarefa de ajustá-lo. Era um vestido bonito — de um turquesa suave que lembrava espuma do mar. Perguntei onde ela o usava.

"Chás-dançantes. Já foi a um?", perguntou ela.

Eu nunca tinha ido, apesar de ter tido aulas de dança.

"Acho que você seria boa nisso", disse ela, e em meio à nossa conversa fiada, cometi o erro de deixar o vestido um pouco curto demais para as diretrizes conservadoras da sra. Tham. Rindo, Hui disse que não tinha importância e que mais curto era melhor. Mais tarde descobri o porquê, quando já éramos boas amigas.

Hui morava na alameda Panglima, a rua mais estreita de Ipoh. Casas apertadas se comprimiam umas nas outras, e cordas de varais pendiam acima de nós como bandeiras alegremente tremulantes. Trinta anos atrás, era famosa por seus bordéis, jogos de azar e casas de ópio, mas agora era formada, em sua maioria, por imóveis residenciais. Em cantonês, chamava-se alameda Segunda Concubina. Sempre achei que seria um lugar terrível para um encontro porque as casas eram muito próximas umas das outras. Dava praticamente para enxergar os andares superiores.

"Hui!", chamei assim que cheguei.

"Aqui em cima." Seu senhorio, um velho que mastigava nozes de betel e parecia um vampiro por causa da boca manchada de carmesim, gesticulou em direção ao cômodo da frente. Encontrei Hui deitada de bruços na cama, folheando um jornal. Ela estava usando uma combinação fina de algodão, o rosto sem maquiagem brilhava com creme facial.

Seus olhos se arregalaram ao ver meu rosto. "Com quem você brigou?"

"Como você sabe?" Coloquei duas porções de *nasi lemak*, arroz de coco embrulhado em folha de bananeira com frango ao curry e pimenta sambal, na mesa. O quarto de Hui era maior que o meu na oficina da sra. Tham e estava cheio de potes de rouge, pó facial e revistas.

"Esses arranhões... já vi brigas de garotas. O que aconteceu?"

Expliquei os acontecimentos do dia anterior quando começamos a comer.

"Então foi a viúva que fez isso", disse ela, abrindo o pacote de *nasi lemak* satisfeita.

Suspirei. "Bem, não posso culpá-la, ela estava tão perturbada."

"Eu disse para você não ir! Espero que não tenha ido sozinha."

"Meu irmão foi comigo."

"Eu não sabia que você tinha um irmão. Ele se parece com você? Porque, se for parecido, quero conhecê-lo." Hui tinha ficado encantada com meu cabelo curto, na última moda, enquanto me ajudava a aplicar a pomada desconhecida que o mantinha macio e elegante.

"Não somos parecidos. Ele é meu meio-irmão, então não somos parentes de sangue."

"Oh", disse ela, franzindo o nariz. Hui sabia um pouco sobre meu padrasto, embora eu evitasse falar sobre a minha situação em casa. "Ele é horrível?"

"Não, aparentemente é um bom partido. Pelo menos de acordo com as mulheres em Falim." Revirei os olhos, e ela explodiu em risos.

"Mas, escute", Hui continuou, "acho melhor você não vir trabalhar por um tempo, de qualquer forma. No domingo havia um homem perguntando por você, pelo nome. Não Louise, seu nome verdadeiro."

Meu bom humor desapareceu. O vendedor foi o único cliente para quem inadvertidamente revelei meu nome verdadeiro. "Como ele era?"

"Chinês. Comum. Eu disse a ele que não havia ninguém ali com esse nome."

Senti vontade de abraçá-la. "E depois?"

"Ele foi embora. Talvez estivesse procurando o dedo. Você o deixou com a viúva?"

"Ela não aceitou." Ao me lembrar da cena na pequena casa de madeira, com Ah Yoke se contorcendo e soluçando no chão como uma cobra com rosto de mulher, fiquei profundamente apreensiva.

"Então, com quem está?"

"Com meu irmão." O que será que Shin estava planejando fazer com ele?

Hui suspirou. O ar quente da noite entrava pela janela aberta, e dava para ouvir a campainha das bicicletas e o barulho dos transeuntes passando. "Onde você encontra homens tão confiáveis? Quero morrer só de pensar nos que conheço."

Eu não tinha parado para refletir sobre o assunto, mas talvez ela tivesse razão. "Éramos próximos quando mais jovens, mas não tanto agora. Ele se tornou um mulherengo."

Hui soltou uma gargalhada. "Tenho certeza de que ele não deve ser tão ruim assim."

Tive que sorrir. "Ele vai trabalhar em Batu Gajah nos próximos meses."

"Batu Gajah?" Hui mostrou o jornal para mim. "Você ouviu essa história? Encontraram um corpo no sábado. Há um tigre devorador de homens à solta."

Era um artigo pequeno: um ou dois parágrafos que devem ter sido escritos às pressas para impressão. *Corpo encontrado no seringal de Batu Gajah. Torso feminino sem cabeça encontrado por trabalhador rural.*

Um tigre. De tempos em tempos, os jornais publicavam matérias horríveis de pessoas estranguladas por pítons, levadas por crocodilos ou pisoteadas por elefantes. Mas os tigres eram diferentes. Eram conhecidos como *datuk*[1], um título honorífico, e quando alguém se aventurava na selva, proferiam encantamentos para apaziguá-los. Dizia-se que um tigre que tivesse devorado muitos humanos seria capaz de assumir a forma de um homem e caminhar entre nós.

Não tinha nada a ver com Shin nem comigo, mas senti de novo o toque frio daquela sombra, a que vasculhava as profundezas aquáticas dos meus medos, como se procurasse alguma coisa.

---

1   Título honorífico malaio concedido por um dos sultões a cidadãos da Malásia que tenham se destacado em alguma atividade no país. [N. T.]

• • •

Na sexta-feira, restava apenas meu olho roxo, que ficou com uma cor amarelo-esverdeada. Felizmente, não estava mais inchado, e decidi que, com uma maquiagem bem aplicada, eu poderia fazer meu turno da tarde no salão de dança. Além disso, eu precisava muito do dinheiro. Os números continuavam rolando para cima e para baixo, em tinta vermelha, na minha cabeça — um déficit horrível. A falta de um pagamento pode fazer o agiota enviar um lembrete desagradável para a casa do meu padrasto. Eu me convenci de que o risco de algum homem me procurar por causa do dedo era mínimo e, de qualquer forma, talvez ele já tivesse riscado o May Flower de sua lista.

Foi uma tarde lenta. O sol estava fervendo lá fora e, na frieza sombria do salão de dança, bebidas geladas estavam rendendo um bom dinheiro. Fiquei sentada durante algumas danças, conversando com as outras garotas. Hui não trabalhava às sextas-feiras, mas fiz amizade com Rose e Pearl. Rose era viúva, e Pearl nunca disse, mas eu suspeitava de que tivesse fugido do marido. Claro, esses não eram seus nomes verdadeiros também. Se eu tivesse escolha, preferiria ser chamada de May ou Lily, algo bonito e leve, diferente do meu nome chinês sério, mas eu tinha ficado com Louise. Na verdade, os clientes me chamavam pelo meu penteado. "Quero aquela que se parece com a Louise Brooks", diziam, apontando para mim, e eu me levantava e sorria como se fosse meu aniversário.

Era o meu quinquagésimo terceiro dia como Louise. Em cantonês, cinquenta e três era uma palavra homófona de "não pode viver". Mais um dia com um número de azar, e nove dias desde que eu dançara com o malfadado vendedor Chan Yew Cheung. Rose tinha acabado de nos contar que tinha passado a noite toda acordada porque sua filhinha teve uma tosse forte, quando, de repente, exclamou: "Oh, ele está de volta!".

Um cliente estava nos observando. Tinha um rosto estreito, com um queixo torto, como se a cabeça tivesse sido presa em um torno. Imaginando que fosse o homem sobre o qual Hui havia me alertado, eu me levantei com um sobressalto, mas ele foi mais rápido.

"Me concede essa dança?"

Hesitei, mas o olhar de lince da Mama estava em mim. Eu não tinha motivo para recusar, embora meu estômago se contorcesse de desânimo. Surpreendentemente, ele era um bom dançarino. Demos algumas voltas pelo salão; eu estava começando a pensar que minhas suspeitas eram infundadas quando ele disse: "Você deve ser Ji Lin".

"Posso ser, se você quiser", forcei um sorriso. "Mas sinto em informar que meu nome é Louise."

"Estou procurando uma garota que pegou uma coisa na semana passada. Uma herança minha de família."

Por um instante, fiquei tentada a confessar. Eu já tinha cumprido minha obrigação com a família do vendedor. No entanto, eu não tinha mais o dedo; se Shin tivesse dado fim nele, esse homem poderia ficar furioso. Para me esquivar, falei: "Que coisa é essa?".

"É o dedo do meu antepassado da China, que está em nossa família há gerações. Meu amigo pegou emprestado na semana passada. Ele disse que perdeu aqui."

"Um dedo?", tentei parecer surpresa, e até horrorizada. Ele me observou com cuidado. Fiquei me perguntando se ele estava mentindo. Segundo a esposa do vendedor, seu marido esteve com o dedo nos últimos três meses. "Vou me informar para você."

"Depois me avise", respondeu ele, atento. "Você pode deixar um recado para mim aqui." Ele rabiscou o endereço de um café na rua Leech e um nome: sr. Y. K. Wong.

"Se encontrar, eu lhe darei uma recompensa. Por razões sentimentais." Ele sorriu revelando dentes afiados.

Em seguida, o homem dançou com várias outras garotas, que depois confirmaram que ele havia feito as mesmas perguntas para elas: se se chamavam Ji Lin, e se tinham achado alguma coisa, mas nada sobre dedos perdidos. Eu me lembrei de como ele veio direto em minha direção assim que entrou, e um arrepio percorreu minha nuca.

"Estou surpresa por você ter vindo hoje", disse Rose, abanando-se vigorosamente durante um intervalo, enquanto a banda bebia água com gás e enxugava a testa. Apesar do pó facial, sua testa estava quase tão brilhante quanto a pista de dança de parquê, e eu tinha certeza de que eu não estava melhor.

"Preciso do dinheiro."

"Se esse é o caso", disse Rose, "quer ganhar um extra?"

Balancei a cabeça. "Não atendo solicitações."

Solicitação era quando um homem agendava um encontro com uma garota fora do salão de dança, aparentemente para levá-la às compras ou para uma refeição. Solicitações eram lucrativas, mas tudo tinha, claro, um preço. Expliquei para a Mama desde o início que eu não faria isso. O incidente do dia com o sr. Y. K. Wong, se é que esse era mesmo seu nome, me lembrou da vulnerabilidade que eu sentia na presença de um estranho. E nem tínhamos ficado sozinhos — estávamos dançando na frente de dezenas de pessoas.

"Não é uma solicitação. Tenho um cliente que me perguntou se eu poderia chamar algumas meninas para dançar em uma festa particular. E prometeu que não haveria segundas intenções."

"Não existe festa particular sem segundas intenções."

Rose sorriu. "Você parece uma vovó! Eu também não estava muito interessada, então eu disse a ele que precisaríamos de permissão da Mama... para ver se ele desistia, sabe. Mas ele foi perguntar, e ela concordou!"

"Sério?" Para mim foi difícil acreditar.

"Bem, ela vai receber uma boa comissão, e disse que mandaria um dos seguranças conosco e alugaria um carro. Eles querem quatro ou cinco garotas porque são muitos rapazes solteiros, e eles querem dançar. Será em Batu Gajah."

Interrompi. "No hospital?" Se fosse, eu não poderia ir. Eu não pretendia revelar meu trabalho indecente de meio período para Shin.

"Não, numa residência particular em Changkat."

Eu tinha ouvido falar de Changkat, uma excelente área residencial situada na colina de Batu Gajah. "Isso significa que são estrangeiros?"

"Você se importa?"

A maioria dos clientes da May Flower era composta por moradores locais, embora sempre houvesse alguns europeus. Não tantos quanto no glamouroso Celestial Hotel, mas uma boa porção deles em qualquer uma das tardes. Eram principalmente fazendeiros ou funcionários públicos, militares e policiais. Já havia dançado com alguns, embora, para ser honesta, eles me deixassem nervosa.

No entanto, isso explicava a rápida aprovação da Mama, assim como os serviços especiais, como segurança e carro alugado.

"Hui também vai, e o pagamento será dobrado."

Seria suficiente para cobrir o que faltava. E se Hui, que sempre foi tão boa em cuidar de si mesma, estava disposta a ir, eu também iria.

• • •

Quando terminei o trabalho, o sol alaranjado estava baixo no horizonte. Pearl e Rose faziam o turno da noite, então eu estava sozinha quando saí pela porta dos fundos do May Flower. Eu não sabia como elas conseguiam ficar de pé por tantas horas, mas dançavam até depois da meia-noite.

Pearl tinha um filho, e Rose, duas menininhas. Será que as crianças as esperavam voltar para casa, observando a lamparina queimar na escuridão? Se minha mãe não tivesse se casado de novo, esse poderia ter sido o meu destino também, embora eu não conseguisse imaginá-la trabalhando em um salão de dança. Ela era tímida demais, ingênua demais. Mesmo agora, minha mãe tinha conseguido acumular dívidas apenas jogando mahjong. Fiquei imaginando, pela centésima vez, se ela realmente tinha perdido todos aqueles jogos ou se tinha sido enganada.

Quando estivesse tudo pago, eu economizaria e estudaria para ser professora. Não importava o que meu padrasto pensava. Eu tinha certeza de que, no fim, ele preferiria se livrar de mim do que lidar com uma solteirona em casa. Além disso, eu tinha dito que não ia me casar, mesmo que minha mãe tivesse começado a me empurrar para as casamenteiras. A promessa que fiz com Shin, muito tempo atrás, quando éramos crianças sussurrando em seu quarto, ainda valia. Eu não via vantagem alguma no casamento, especialmente quando a pessoa que eu queria estava prestes a se casar com outra pessoa.

Entretanto, não fazia mais sentido esperar por Ming, embora em meus momentos mais perversos eu tenha imaginado sua noiva abandonando-o. Ou talvez ele, de repente, percebesse que tinha cometido um erro terrível e me pedisse em casamento. Imaginei-o subindo a rua empoeirada em sua pesada bicicleta preta, o cabelo rebelde todo arrepiado. "Ji Lin", diria ele, parecendo envergonhado, mas sério com seu jeito intelectual, "preciso falar com você." E eu iria correndo — não, descendo as escadas despretensiosamente — e o escutaria com o coração palpitante. Mas, nesse momento, eu sempre perdia a animação, mesmo conseguindo pensar em muitas coisas boas para Ming dizer. Simplesmente não ia acontecer. Ele nunca olhou para mim do jeito que eu o vi olhar para sua noiva.

O May Flower ficava nos arredores de Ipoh, bem longe da casa da sra. Tham. Como perdi o ônibus, decidi caminhar uma parte do caminho, apesar do crepúsculo que caía. Estava na hora do jantar, e eu podia sentir o cheiro de peixe frito, ouvir o som arranhado de um rádio tocando ópera chinesa. Ao atravessar a rua, desviei por pouco de uma bicicleta que passou sibilando. De canto do olho, vi um homem atravessando, embora a luz estivesse fraca demais para distinguir seu rosto.

Hui e as outras garotas tinham me avisado para ficar de olho nos eventuais clientes que costumavam esperar do lado de fora. Pearl contou que uma vez um homem a perseguiu durante todo o caminho para casa, e sua mãe o ameaçou com uma faca de cozinha.

"E ele foi embora?", perguntei.

"Ela o enxotou, gritando que meu marido era um açougueiro de porcos!"

Rimos disso na ocasião, mas agora eu desejava fervorosamente ter meus próprios parentes açougueiros. Quem quer que estivesse me seguindo mantinha uma distância cautelosa. Quando eu andava mais rápido, ele também apertava o passo. Quando eu parava, ele se escondia atrás de uma pilastra. Eu me abaixei sob um *chik* — ou persiana — de bambu em uma mercearia, com prateleiras repletas de potes de vidro com doces, woks de ferro fundido e tamancos de madeira. Já era quase hora de fechar, como o lojista, um idoso de regata branca, me informou.

"Por favor", eu disse, "este lugar tem uma porta dos fundos? Um homem está me seguindo."

Acho que pareci assustada porque ele assentiu. "Vá, passe pela cozinha."

Corri pelo comprido armazém, me desculpando para a assustada família do homem, que estava sentada para tomar sopa de peixe e comer tofu frito. A porta dos fundos dava em um beco estreito entre as *shophouses*. O mais sensato, claro, seria sair o mais rápido possível, mas era uma oportunidade boa demais para deixar passar. Em silêncio, espiei ao virar da esquina.

Meu perseguidor estava parado, encarando a mercearia. Fechavam as persianas, e ele estava visivelmente confuso por eu ainda não ter saído. Eu o reconheci de imediato. Como eu temia, era o jovem de rosto estreito que tinha me perguntado sobre o dedo: Y. K. Wong. Meus ombros ficaram tensos. De um jeito ou de outro, era melhor eu não voltar para o May Flower por algum tempo.

Peguei um atalho para a poeirenta rua de trás, chamei um riquixá, deixando meu perseguidor esperando inutilmente em frente à loja. Eu esperava que ele passasse um bom tempo lá. Ouvindo a manivela dos pedais, as rodas zunindo no crepúsculo aveludado que caía, fechei os olhos e desejei ferozmente poder ir embora deste lugar. Deixar tudo e começar de novo em algum outro local.

• • •

Para minha surpresa, quando cheguei em casa, a sra. Tham estava me esperando na sala de estar. Ela parecia ao mesmo tempo aflita e um pouco contrariada, uma expressão que reconheci com um sentimento de desânimo.

"Onde você estava?", perguntou ela.

"Acabei de chegar." Não passava da minha hora habitual na sexta-feira.

"Uma das regras desta casa", disse ela, seu pequeno rosto de pássaro exaltado com indignação, "é não trazer nenhum visitante do sexo masculino. Não faço ideia do que você tinha na cabeça, Ji Lin, para dizer a um homem para vir esperar você aqui!"

Tive um sobressalto. Eu havia deixado o misterioso sr. Y. K. Wong parado na rua do outro lado da cidade. Como era possível que ele tivesse encontrado a oficina de costura? Era algum tipo de feitiçaria; o homem era um demônio. Ou talvez ele tivesse um gêmeo, um *doppelgänger* que anunciava a morte.

"Ele ficou parado do lado de fora um tempo. Pensei que estava esperando um cliente, pelo jeito como olhava para dentro da loja, mas, por fim, entrou e perguntou por você. Quando eu disse que você estava fora, ele foi embora. Mas tenho que admitir que era muito bonito."

"Oh", disse eu, começando a entender. "Era meu irmão?"

"Seu irmão? Vocês não são nada parecidos."

Sem querer explicar mais nada, já que a sra. Tham obviamente tinha ouvido fragmentos da minha história familiar e estava ansiosa para descobrir mais, eu disse apenas: "É o que todos dizem".

"Se era o seu irmão, por que ele não disse?", perguntou ela, indignada. "Me deixar preocupada desse jeito!"

Para ser honesta, eu não fazia ideia. Será que minha mãe tinha dado a Shin esse endereço? E por que ele estava aqui tão tarde da noite? Tinha sido um dia repleto de mistérios.

A Noite do Tigre
Yangsze Choo

11
Batu Gajah
SÁBADO 6 DE JUNHO

Ren está esperando ansiosamente à porta quando William retorna. *"Selamat datang"*, diz ele. *Bem-vindo à casa*. Essa é a maneira correta de cumprimentar seu mestre; os criados devem estar alinhados à porta para as chegadas e partidas. Ren sempre o fizera para o dr. MacFarlane. O velho médico costumava brincar que não se sentia bem em sair de casa sem a calma despedida de Ren. Hoje, Ah Long se juntou a ele, seu rosto normalmente taciturno se animou ao pegar a maleta médica de William.

"*Tuan*, é um tigre?"

"Provavelmente", responde William. "Quero as portas trancadas à noite. E não saia à noite ou de manhã cedo sozinho. Vale para você também, Ren."

Ren aquiesce com a cabeça. Ele acha que o novo médico parece doente. Seu rosto está pálido feito barriga de peixe, e seus olhos, por trás dos óculos de armação fina de metal, estão vermelhos. Há tantas perguntas que Ren quer fazer, mas ele hesita, pensando em como abordar o assunto.

Ah Long pergunta: "Quem morreu?".

"Uma trabalhadora do seringal." William passa a mão sobre os olhos. "Preciso de um banho e uma bebida. Um *stengah*, por favor."

William vai até o banheiro azulejado, onde se lava com um balde mergulhado em um vaso de cerâmica. Ah Long vira para Ren.

"Sabe como preparar um?"

Ren parece incerto. O dr. MacFarlane bebia de garrafas, mas nunca pediu a Ren para preparar drinques para ele.

"Agora é um bom momento para aprender. Observe."

Stengah vem da palavra malaia *setengah*, que significa "metade". Ah Long pega um bloco de gelo da caixa térmica na cozinha, onde fica enterrada em serragem. Triturando-o com um picador de gelo, ele enche um copo alto.

"Não pique demais o gelo", ele avisa. "Senão derrete muito rápido."

Em seguida, ele preenche um terço do copo com um líquido cor de chá medicinal, entornando-o de uma garrafa quadrada. Nela, a imagem de um homem de chapéu alto e preto, e calça branca. É possível ler *Johnnie Walker Blended Scotch Whisky* no rótulo, que parece ter sido colocado de qualquer jeito no vidro.

"Por que o rótulo está torto?", pergunta Ren.

"Não está torto. É assim mesmo. Agora preste atenção!"

Usando o sifão, uma garrafa de vidro envolvida por fios de metal que Ren nunca tinha ousado tocar, Ah Long faz jorrar um fluxo de água com gás no copo gelado. O forte cheiro de carbonatação faz Ren enrugar o nariz.

"A água e o uísque devem estar mais ou menos na mesma quantidade." Ah Long inclina a cabeça, ouvindo. "Ele já deve ter saído do banho. Leve a bebida para a varanda."

A ampla varanda feita de tábuas de teca percorre toda a extensão do bangalô e é protegida do sol por *chiks* de bambu. Em dias extremamente quentes, Ren as molha com água para que a evaporação refresque a varanda. William se senta em uma poltrona de ratã. Está vestindo uma regata de algodão e um sarongue, um pedaço de tecido xadrez costurado em formato de tubo e usado preso à cintura — roupas malaias que muitos europeus adotaram para usar em casa, embora nunca sonhassem em aparecer assim em público.

Assim como Ah Long, Ren não usava sapatos dentro da casa, e sua aproximação é tão silenciosa que William não ouve. Ele está absorto nos próprios pensamentos, uma expressão de tristeza no rosto. Ren nunca tinha visto o novo mestre demonstrar muita emoção e se pergunta se isso é um sinal de que ele é um médico de fato compassivo. Uma centelha de esperança se acende em Ren. Talvez ele possa perguntar sobre o dedo — embora o dr. MacFarlane tenha lhe pedido para não contar a ninguém.

"Uísque, *Tuan*", diz ele.

William pega o copo e bebe metade, fazendo uma careta.

"Posso perguntar por que acha que a morte foi provocada por um tigre?" Ren é tão educado, tão quieto, que William não consegue se irritar com ele.

"Leopardo é uma possibilidade, mas é provável que tenha sido um tigre. Não vamos saber com certeza até que a autópsia seja realizada."

"O tigre vai voltar?"

"Não se preocupe." Com esforço, William se concentra no garoto. "Devoradores de homens são raros. A maioria dos tigres evita pessoas — em geral só os que estão velhos ou doentes que atacam humanos." O gelo na bebida faz um tinido conforme ele inclina o copo.

"Os tigres que matam pessoas podem ser divididos em dois tipos: os matadores de homens, que matam uma vez ou outra porque são perturbados ou ameaçados, e os devoradores de homens, que têm o hábito de caçar humanos como suas presas. É muito cedo para saber com que tipo de animal estamos lidando, então não devemos entrar em pânico." Ele fala com cuidado, como se estivesse defendendo um argumento para uma plateia invisível.

"Vai haver uma caçada ao tigre?", pergunta Ren.

"Sempre há pessoas que querem caçar tigres. Reynolds e Price, no Clube, provavelmente. Idiotas que não conseguem atirar nem que sua vida dependesse disso. A última recompensa paga por um tigre por aqui foi 78 dólares."

Setenta e oito dólares dos Estreitos — o dinheiro usado nos territórios britânicos no Sudeste Asiático — são uma soma enorme para Ren, mais do que ele jamais sonhou em poupar. Ele se questiona como William é tão instruído, e lhe pergunta isso timidamente.

"Ah, eu era fissurado por tigres quando cheguei aqui." Afundando-se na poltrona de ratã, William está atipicamente falante hoje. "Foi assim que conheci MacFarlane; ele tinha algumas crenças interessantes."

Ren resolve ser ousado. "Ele acreditava em muitas coisas. Envolviam espíritos e homens que podiam se transformar em tigres."

"Ah, sim. Os famosos homens-tigre de Korinchi." William contempla um horizonte invisível, para além das árvores. "Ele e eu, na verdade, fomos procurá-los. Você sabia que os malaios costumam desconfiar dos homens de Korinchi, porque existe a crença de que se transformam em tigres? Houve um caso em Bentong anos atrás, quando um tigre estava matando búfalos. Colocaram jaulas com armadilhas, usando cães de rua como isca, mas não pegaram nada."

Ren muda a posição dos pés, ouvindo atento. As sombras da tarde estão se alongando, o silêncio verdejante é quebrado apenas pelo zumbido dos insetos.

"Uma noite, um velho mascate de Korinchi estava passando pela selva quando ouviu o rugido de um tigre atrás dele. Aterrorizado, ele correu até encontrar uma armadilha de tigre. Ele engatinhou para dentro e deixou a pesada porta cair se fechar. O tigre ficou rondando, mas, quando não conseguiu abri-la, foi embora.

"Na manhã seguinte, bem cedo, uma multidão ouviu os gritos pedindo ajuda. O mascate lhes pediu para soltá-lo, mas eles disseram: 'O tigre estava aqui ontem à noite, e agora você está na armadilha do tigre'. As pegadas deixadas até a gaiola tinham sido parcialmente apagadas pela multidão. Era impossível dizer se a besta havia se afastado ou entrado na armadilha e se transformado em homem. Desesperado, o velho implorou para que o identificassem como o comerciante que conheciam fazia muitos anos. Os aldeões, no entanto, não sabiam se ele era um homem ou um monstro que, se libertado, iria devorá-los."

"Então, o que aconteceu?", pergunta Ren.

"Eles atravessaram uma lança pela lateral da armadilha e o mataram."

William fica em silêncio. Ren, ainda segurando a bandeja, está cheio de perguntas. "Você acredita que um homem pode virar um tigre?"

William fecha os olhos e junta a ponta dos dedos das duas mãos em um triângulo. "As condições para um homem se tornar um tigre parecem contraditórias. Ele precisa ser um santo ou um malfeitor. Caso seja um santo, o tigre é considerado um *keramat* e atua como um espírito protetor, já os malfeitores reencarnam na forma de tigre como punição. E não vamos esquecer o *harimau jadian*, que nem são homens, mas feras que usam peles humanas. São todas crenças contraditórias, então eu as classifico como lendas folclóricas."

Ele volta a abrir os olhos desconcertantemente astutos, como se trazido de volta de onde quer que tivesse ido parar. "Você não devia se preocupar com o incidente de hoje. A última coisa de que precisamos por aqui é um pânico supersticioso. Esqueça. Só Deus sabe", acrescenta em voz baixa, "como eu gostaria de esquecer."

William se estica na cadeira de ratã e se levanta, tropeçando um pouco. Ren sente um alívio profundo. A faixa apertada de preocupação em torno de seu peito se dissipa; ele tenta não pensar que restam apenas vinte e dois dias da alma. Esse novo médico é tão ponderado, tão sensato. Tudo o que ele diz faz sentido. Obediente, Ren o segue para dentro da casa.

A Noite do Tigre
Yangsze Choo

12

Ipoh
SEXTA-FEIRA, 12 DE JUNHO

Não consegui dormir naquela noite. Quando pensava sobre o misterioso Y. K. Wong, com sua mandíbula fina e seus olhos estreitos, minha cabeça dava voltas. Quem era ele e por que tentou me seguir até em casa? A história sobre uma herança ancestral não me convenceu. Aquele dedo solitário me deixava inquieta, como uma peça perdida de um conjunto de cinco dígitos. Um lembrete de algo inacabado. Minha mente trabalhava sem parar, como um rato em uma roda, mas a roda se transformava em uma cobra gigante que vinha na minha direção para me engolir. Depois eu ficava ofegante, sofrendo e sem ar enquanto caía, escorregava e deslizava pelo túnel para o mundo dos sonhos.

• • •

Ao contrário do primeiro sonho, não desci boiando pelo rio gelado. Desta vez, apareci na margem, me debatendo entre arbustos e *lalang*, um tipo de planta com folhas afiadas, e notei que o rio que corria perto de mim. A água iluminada pelo sol, límpida e rasa na margem, se tornava cor de lama em direção ao centro.

E então eu a vi. A mesma estaçãozinha de trem com bancos desertos, a mesma locomotiva parada, só que desta vez o trem havia parado um pouco mais longe, como se estivesse prestes a sair da estação. Os vagões estavam vazios: não havia ninguém dentro deles, nem o garotinho que tinha acenado para mim, tão feliz, da última vez. No entanto, quando cheguei à estação, ele estava sentado num banco. O garoto sorriu, um lampejo rápido que revelou a falta do dente da frente.

"*Ah Jie*", disse ele, referindo-se educadamente a mim como "irmã mais velha". "Eu não achava que veria você de novo tão cedo."

"O que você está fazendo?" Sentei-me ao seu lado.

"Esperando."

Estava frio e tranquilo sob o telhado de palha da estação. "Pelo quê?"

Ele balançou as pernas curtas. "Por alguém que eu amo. Existe alguém que você ama, *Ah Jie*?"

Claro que havia. Minha mãe, Ming e Shin. Até Hui e minhas amigas da escola, embora eu as tivesse evitado recentemente por orgulho — muitas garotas da escola foram para o treinamento de professoras, enquanto outras se casaram, e eu fiquei tão amargamente desapontada com a minha vida que não conseguia encará-las.

"Porque, se existem pessoas que você ama de verdade mesmo", disse ele com um jeito sério, "tudo bem esperar por elas."

Sentada ao lado dele, minha ansiedade se dissipou. A brisa do rio era agradável, a luz do sol reluzia na água como escamas de peixe.

"Se você vir meu irmão, por favor, não diga a ele que me encontrou."

"Eu conheço seu irmão?" Minha cabeça parecia pesada. Eu mal conseguia manter os olhos abertos.

"Você vai conhecer quando o encontrar." O garotinho se virou, seus olhos se arregalaram, alarmados. "Por favor, não adormeça! Se fizer isso, você vai cair."

"Cair onde?" Eu estava tendo dificuldade para entendê-lo.

"Para o nível abaixo. Esta é a Estação Um, como pode ver. Oh, por favor, não! Acorde!"

Ele estava fazendo bastante barulho. As batidas ficaram cada vez mais altas até que me forcei a abrir os olhos cansados.

"Acorde! Ji Lin, acorde!" Era a sra. Tham, batendo à porta do meu quarto.

A luz entrava pelas ripas da persiana. Desorientada, me dei conta de que estava deitada na cama. A sra. Tham entrou, agitada. Estava acontecendo alguma coisa; ela estava praticamente vibrando de empolgação.

"Ele está lá embaixo. Seu irmão, quero dizer. Acho que veio levar você para casa, para Falim."

"Ele vai me levar?"

"Eu lhe disse que sabia que era seu irmão e perguntei por que ele não disse isso ontem. Ele está esperando você na sala de estar."

"Minha mãe está bem?" O medo me dominou. Algo deve ter acontecido, caso contrário, por que Shin viria me buscar?

Sempre tive medo de receber um recado como esse, e o terror deve ter transparecido nos meus olhos, porque a sra. Tham disse com gentileza: "Não, não há nada de errado. Foi a primeira coisa que perguntei a ele. É apenas uma reunião familiar de comemoração".

Nossa família quase nunca se reunia, muito menos para comemorar algo. Quando acontecia, eram eventos formais para os quais os amigos do meu padrasto eram convidados, e os homens se sentavam e conversavam por horas enquanto minha mãe e eu servíamos infindáveis xícaras de chá. Shin sabia perfeitamente como eu me sentia em relação a eles; eu não conseguia imaginar que tivesse vindo me buscar para esse purgatório.

"Se é uma ocasião especial", disse a sra. Tham, "por que você não veste algo bonito? Mostre à sua mãe o que está aprendendo."

Apesar de seu perfeccionismo (ou talvez por causa dele), a sra. Tham era uma costureira talentosa e uma empresária astuta. Mandar-me bem vestida era uma boa divulgação para a loja dela. Agora ela estava ocupada inspecionando as roupas que eu tinha feito, pegando-as dos cabides e murmurando: "Não, essa não. Talvez esta aqui. Aqui. Mostre às outras meninas em Falim como são as roupas de Ipoh".

Era um vestido em estilo ocidental, um molde aparentemente simples, mas elegante, que a sra. Tham havia copiado de uma foto de revista. Tinha bom gosto, eu precisava admitir.

"E se alguém perguntar sobre o seu vestido, não se esqueça de dar o nome da nossa loja!", disse a sra. Tham ao sair. "Ah, e ajeite esse rosto!", murmurou ela, apontando para o meu olho.

Eu me lavei e preparei uma mala simples para passar a noite. O que poderia estar acontecendo em casa? Puxando minha franja para trás, olhei sombriamente para o pequeno espelho redondo acima do lavatório. O hematoma do meu olho ainda estava um pouco roxo e amarelado. Eu não poderia mostrar isso para a minha mãe, então fiz o melhor que pude com um pouco de maquiagem, usando base e um pouco de kajal.

Eu conseguia ouvir a voz baixa de Shin na sala de estar. Ao pegar minha cesta de ratã, parei hesitante à porta. Era constrangedor estar tão arrumada de manhã cedinho, mas a sra. Tham se levantou em um pulo, desalojando sua cachorrinha, Dolly, do colo para me cumprimentar com uma exclamação de deleite.

"Não é adorável?", disse ela, me virando para um lado e depois para o outro. "Esse modelo caiu muito bem. E sua irmã não deixa nada a dever a uma manequim profissional. Sempre gosto que desfile usando meus vestidos."

Fiz um sinal para Shin com os olhos. *Hora de partir!* Mas ele estava se divertindo às minhas custas.

"Não sei o que dizer", disse ele. "Faça-a girar um pouco mais."

Para o meu horror, a sra. Tham de fato começou a me girar. Dolly latia histericamente.

"Não, não. Ele está só brincando. E nós precisamos ir agora."

"Mas o sr. Tham acabou de ir ao café para comprar *char siew bao*¹!", disse ela, me forçando a sentar. Olhei para Shin, que segurava o riso

"Me digam!", disse a sra. Tham, olhando fixamente para nós dois com um olhar malicioso. "Qual de vocês é mais velho?"

"Sou eu", respondi depressa.

"Nascemos no mesmo dia." Shin odiava ser meu irmão mais novo e o negaria em todas as oportunidades.

"Então vocês são gêmeos!" A sra. Tham parecia satisfeita. "Que bom para sua mãe." Eu estava prestes a dizer que Shin era meu meio-irmão, mas a sra. Tham falava de forma implacável. "Gêmeos são especiais, imagino. Especialmente casais de gêmeos, dragão e fênix. Sabiam que os chineses acreditam que casais de gêmeos eram marido e mulher numa vida anterior? E que não suportariam ser separados, por isso renascem juntos?"

Parecia ao mesmo tempo bobo e trágico para mim. Se eu amasse alguém, não gostaria de reencarnar como irmão dessa pessoa, mas não valeria a pena discutir. A sra. Tham tinha um talento excepcional de tragar as pessoas para sua própria órbita. Shin também parecia estar no seu limite. Sorrindo, ele disse que era hora de irmos, senão perderíamos o ônibus.

• • •

"Então, por que você está aqui?", perguntei a ele assim que saímos da loja. "Aconteceu alguma coisa em casa?"

"Não."

Precisei correr um pouco para alcançar os passos largos de Shin, pois de repente ele parecia estar com muita pressa, caminhando na direção oposta de onde o ônibus passava.

"Não vamos pegar o ônibus", disse ele. "Vamos pegar o trem. Não faça essa cara de preocupada — não tem nada a ver com nossos pais. Na verdade, eles acham que estou em Batu Gajah."

---

1 Pãozinho chinês recheado com carne de porco e cozido no vapor. [N. T.]

A estação de trem ficava a oitocentos metros da casa da sra. Tham, e Shin não deu nenhum sinal de que iria diminuir o passo quando chegamos a Belfield e viramos à esquerda na rua Hugh Low.

"Por que a pressa?", perguntei quando passamos na frente de um carro de boi, desviando por pouco de um ciclista que, furiosamente, tocou sua buzina para nós.

"É mais tarde do que eu pensava." Shin pegou minha cesta de viagem, e não havia nada a fazer além de apertar o passo atrás dele.

Embora eu tivesse pegado um trem apenas algumas vezes na vida, todos conheciam a estação. Conhecida como o Taj Mahal de Ipoh e projetada por um arquiteto do governo britânico que tinha vindo para a Malaia via Calcutá, era uma enorme construção branca que parecia um bolo de casamento ou um palácio do Império Mogol. Cúpulas e minaretes encimavam arcadas curvas que conduziam a corredores de mármore, um hotel para viajantes com um bar e café, além de túneis e escadas para cima e para baixo que levavam a plataformas ferroviárias.

Shin foi direto para a estação. Sem fôlego, consegui alcançá-lo na bilheteria.

"Duas passagens para Batu Gajah", pediu ele, deslizando o dinheiro pelo balcão.

Eu estava irracionalmente animada e alegre. Por que estávamos viajando? Não querendo fazer muitas perguntas na frente de estranhos, apertei o braço de Shin, meu rosto radiante.

"Casal em lua de mel?", perguntou o vendedor da bilheteria, olhando para o meu vestido elegante.

Soltei o braço de Shin como se estivesse queimando. Uma mancha carmesim apareceu na parte de trás de seu pescoço, até as orelhas, mas ele não disse nada.

"Plataforma Dois. O trem sai em dez minutos", disse o bilheteiro. Apressados, descemos as escadas de mármore sob os trilhos para o outro lado e então fomos para o trem, que já começava a soprar vapor.

"É um vagão de terceira classe, sinto dizer", disse Shin.

Não me importei. Eu estava tão animada que precisei conter minha vontade de ficar olhando tudo, dos bancos de madeira maciça até as janelas que deslizavam para cima e para baixo. Entretido, Shin colocou minha cesta no bagageiro acima do assento, e notei pela primeira vez que ele não estava levando nada.

"Você estava na cidade na noite passada?", perguntei. "A sra. Tham disse que viu você."

"Fiquei na casa de um amigo."

Eu me perguntei quem era — talvez uma mulher —, mas senti que não deveria me intrometer.

"Então, por que estamos indo para Batu Gajah?" Estive lá uma vez para visitar um dos parentes da minha mãe. Era uma cidadezinha bonita, sonolentamente satisfeita com a posição de centro da administração colonial do distrito de Kinta. "Não é por causa do dedo, é?" Fiquei desapontada.

O trem apitou pela última vez, ensurdecedor. "É claro que é por causa do dedo", disse Shin. "Você não quer descobrir de onde veio?"

Pensei em contar a ele sobre o sr. Y. K. Wong e seu rosto estreito, mas eu não conseguiria dar explicações sem mencionar o salão de dança. Então apenas assenti.

"De qualquer forma", disse Shin, "fui para Batu Gajah bem cedo na segunda-feira. Estão com pouco pessoal e ficaram felizes em me receber." Shin estava olhando pela janela, mas entendi, sem que ele dissesse nada, que meu meio irmão não suportava ficar na mesma casa que o pai. Sem dúvida foi por isso que ficou em Singapura durante o último feriado.

"Como é?", perguntei.

"Estou dividindo o dormitório com outro assistente hospitalar — ele é simpático. A primeira coisa que fiz foi procurar aquele vendedor, Chan Yew Cheung. A tia dele disse que ele era próximo de uma enfermeira do hospital, então tentei descobrir se ele tinha sido um paciente. Infelizmente, as fichas de pacientes estão trancadas no departamento de registros. Mas tive sorte com outra coisa."

"Com o quê? Com a enfermeira que deu isso a ele?" Conhecendo Shin, esse seria um trabalho bastante fácil.

"Não, o departamento de patologia, que é administrado por um médico chamado Rawlings. Eles estão reformando essa parte do hospital, e há caixas com registros e espécimes para serem transportados. Ele me pediu para fazer hora extra e terminar isso neste fim de semana. É só trabalho braçal, mas topei. Além disso, ele me pediu para arrumar ajuda. Eu disse que conhecia alguém que o faria por um preço baixo."

"Sou eu?", perguntei indignada.

"Você não precisa de um emprego de meio período?"

Por um momento, com muita tristeza, achei que ele tivesse descoberto tudo — as dívidas da minha mãe, meu trabalho no salão de dança —, mas ele só estava brincando.

Não que eu não confiasse nele. Eu sabia que ele gostava muito da minha mãe, mas tinha certeza, bem lá no fundo, de que envolver Shin seria um problema. Um dia desses, ele e meu padrasto acabariam matando um ao outro. Isso quase aconteceu alguns anos atrás.

• • •

Naquela noite, eu tinha ido a um jantar na casa de uma amiga. Quando voltei, fiquei surpresa ao encontrar todos os vizinhos parados na rua, em frente à *shophouse*. A luz desbotada tingia tudo com frias sombras azuis. Não era hora de estar na rua de conversa fiada, como observei, tensa. Alguém estava dizendo que deveriam chamar a polícia, mas minha mãe implorava para não fazerem isso. Tinha sido apenas um desentendimento familiar, ela disse, e não aconteceria mais.

Precipitei-me, procurando ansiosamente em seu rosto sinais que indicassem lesão. No entanto, ela parecia ilesa e, na verdade, quando entrei na *shophouse*, era meu padrasto quem pressionava uma toalha ensanguentada no rosto. Eu nunca o tinha visto com nenhum tipo de ferimento e, por um instante perverso, tive o prazer de ver uma marca nele, mesmo que fosse apenas um nariz sangrando.

O interior da *shophouse* estava completamente silencioso. Isso me assustou mais que tudo. "Onde está Shin?", perguntei, apesar de precisar de muita coragem para falar com meu padrasto. Ele não disse nada, apenas lançou um olhar furioso.

Tirando minha mochila, corri pela casa. Passei pelas balanças pendulares, pelas pilhas inclinadas e silenciosas de minério de estanho. Minha respiração vinha em arfadas curtas; a lateral do meu corpo doía. Eu queria chamar Shin, mas minha boca estava paralisada de terror. Se ele não respondesse, devia estar gravemente ferido. Ou morto. As surras do meu padrasto tinham diminuído ao longo dos anos: Shin aprendeu a observar os ânimos, a ter cuidado com o que dizia e fazia. Por isso, apenas algumas semanas antes, minha mãe comentara que estava feliz por Shin ter crescido tão bem, o que era seu jeito de dizer que ele não estava se metendo em confusão com o pai, mas tive minhas dúvidas. Nunca confiei nesse homem.

Percorri a comprida casa. Estava escuro, e ninguém tinha acendido nenhuma lâmpada. Eu mal podia enxergar alguns cantos; as sombras eram tão espessas que se juntavam como fuligem, foscas e embaçadas. Ou talvez fossem as lágrimas nos meus olhos. Nem sinal de Shin. Ofegando, subi as escadas de dois em dois degraus, abrindo as portas do quarto, embora não acreditasse que ele pudesse estar no andar de cima. Não se estivesse ferido. Ou talvez ele estivesse de fato morto. Não obstante, na sala de estar, meu padrasto continuava sentado como uma gárgula, sozinho.

Corri para os fundos de novo. Fiz todo o caminho até a cozinha, procurando Shin. Tínhamos nossos esconderijos favoritos para brincar — o armário embaixo da escada, o espaço estreito entre os jarros de água —, mas agora ele estava grande demais para caber na maioria. Por fim, atravessei a cozinha mais uma vez até o último pátio, aquele com o muro alto que levava ao beco na parte de trás. E lá estava ele, encolhido atrás do galinheiro.

Eu mal consegui distinguir sua silhueta no turvo crepúsculo azulado. Ele estava apoiado contra a parede do fundo. Suas pernas, muito mais longas do que quando éramos crianças, despontavam como se estivesse exausto.

"Shin!", eu não havia notado as lágrimas escorrendo pelo meu rosto até pingarem do meu queixo.

"Vá embora." Sua voz estava rouca.

"Você está machucado?" Tentei ajudá-lo a se levantar, mas ele se desvencilhou de mim.

"Não mexa no meu braço. Acho que está quebrado."

"Vou buscar um médico."

Levantei-me depressa, mas ele agarrou meu tornozelo com a mão boa. "Não!"

Sua voz falhou, num tom tão triste e desesperado que me fez estacar. Coloquei os braços ao redor dele, como se Shin fosse uma criança de novo. Seus ombros se moviam com a respiração ofegante enquanto eu o embalava. Ele enterrou o rosto em meu pescoço. Um calafrio percorreu seu corpo. Seu cabelo estava emaranhado e pegajoso, eu esperava que de suor e não de sangue. *Por favor, nada de sangue.*

Fazia anos que eu não via Shin chorar. Nós nos abraçamos por muito tempo atrás do galinheiro. Havia um cheiro pungente, montes de palha e outras coisas indistintas, moles e desagradáveis no chão, mas eu não conseguia vê-las, e talvez não tivessem importância ali no escuro. Ouvi minha mãe nos procurar duas vezes. Na segunda, eu respondi em voz baixa e disse que Shin estava bem, para deixá-lo sozinho por um tempo. Quando ela foi embora, ele se afastou.

"Vou matá-lo", ele disse baixinho.

"Não! Você vai ser preso."

"Quem se importa?"

"Bem, eu me importo!" Parte de mim acreditava que Shin seria capaz de matar o pai numa briga. Ele já era mais alto; me surpreendeu que ele tivesse levado a pior naquele dia. O que quer que tenha feito Shin se segurar, fiquei grata. Porque qualquer dia, eu voltaria para casa, e um deles estaria morto. *Mas, por favor, que não seja Shin.* Embora essa alternativa fosse tão ruim quanto a outra. Shin ficaria preso para sempre. Ou seria enforcado.

"Pare de chorar", disse ele, por fim. "Não vou matá-lo, tá?"

"Prometa para mim."

Ele suspirou. "Prometo. Não se apoie no meu braço. Está doendo."

Eu me levantei. Devagar, Shin saiu de trás do galinheiro e se arrastou para fora também. Meus olhos se ajustaram à escuridão, mas ainda era difícil enxergar. Tudo parecia estranho e errado, como se o pátio da cozinha fosse um país inteiramente novo. O braço esquerdo de Shin pendia em um ângulo estranho.

"Falei para você. Está quebrado." Seu tom era tão casual que me deu vontade de chorar de novo.

"O que aconteceu?"

"Ele me acertou com uma vara. A vara de transporte."

A haste de madeira era usada para transportar cargas pesadas. Forte e pesada, e plana para ser equilibrada sobre um ombro, era uma arma mortal quando clãs chineses rivais lutavam em gangues. Se o meu padrasto realmente tinha batido em Shin com a vara, devia ter perdido a cabeça. Ele poderia tê-lo desfigurado. Eu estava tão furiosa que queria gritar, denunciá-lo à polícia. Desejei que todas as portas e janelas se abrissem, e o teto saísse voando, para que os vizinhos pudessem ver o que acontecia em nossa casa.

"Você me disse para não matar ninguém", disse Shin, interpretando minha expressão.

"Eles não enforcam garotas", respondi, embora não tivesse certeza. Talvez enforcassem. Ou as afogassem, como bruxas. Eu não me importava. Estava tão zangada que minhas mãos tremiam. Mas fiquei apavorada. Não ousei levantar a voz para o meu padrasto nem mesmo quando estava desesperada procurando Shin pela casa.

"O que aconteceu? Por que ele fez isso?"

No entanto, Shin apenas balançou a cabeça.

• • •

Nunca descobri o que aconteceu naquela noite. Quanto mais eu perguntava, mais Shin se refugiava no silêncio. Minha mãe também não ajudava. Ela disse que os dois já estavam brigando quando ela chegou em casa e que era melhor esquecer o assunto.

Shin não foi para a escola por uma semana, para esconder os ferimentos, e disse ao médico que colocou uma tala em seu braço quebrado que tinha caído da escada. Meu padrasto também ficou ferido. Além da hemorragia no nariz, torceu o cotovelo e, minha mãe suspeitava, quebrara uma costela, embora ele também não dissesse nada. Acho que ele se arrependeu, a seu modo. Provavelmente tinha percebido que tinha ido longe demais, mas eu não o perdoei. Nunca o perdoaria.

Na verdade, passou pela minha cabeça envená-lo. Cheguei até a dar uma olhada em todos os romances policiais que encontrei em nossa biblioteca escolar, mas não adiantou muito. Só nos deixavam retirar dois livros por vez e, além disso, onde é que eu encontraria uma cobra treinada, como em *A faixa malhada*? De qualquer forma, se meu padrasto fosse envenenado, a suspeita mais provável seria minha mãe.

Estranhamente, depois daquele incidente, Shin e meu padrasto chegaram a um acordo do qual eu não estava a par. Um não interferia na vida do outro. Pensei que no começo meu padrasto estivesse se sentindo culpado pela história toda, e talvez estivesse, mas notei que ele deu mais liberdade para Shin. Da mesma forma, Shin começou a fazer um esforço notável na escola. Suas notas sempre foram boas, mas ele passou a estudar com afinco, me superando. Ele raramente tinha tempo para mim; foi nessa época que começamos a nos afastar.

A Noite do Tigre
Yangsze Choo

13

Batu Gajah
SEGUNDA-FEIRA, 8 DE JUNHO

Encontraram a cabeça. Era a maior novidade no Hospital de Batu Gajah na manhã de segunda-feira, como informa Leslie, o médico de aparência muito jovem que era o mais próximo de um colega que William tinha na cidade.

O horror inicial de William diante da morte de Ambika tinha se transformado em culpa e medo. A mulher que ele abraçara tantas vezes agora não passava de um pedaço de carne, descartada por um predador sob um arbusto. Cada vez mais, ele se questionava se não tê-la identificado fora a atitude correta. Sua consciência sussurra que ele era um covarde, um juízo com o qual se via obrigado a concordar.

Ele se pergunta se alguém espera ansiosamente que a mulher volte para casa. Seu marido, um bêbado costumaz, podia não sentir sua falta, mas talvez tivessem filhos, embora ela nunca tenha os mencionado. E depois havia a questão incômoda do vendedor chinês que flagrara ele e Ambika na propriedade seringueira. Que azar que um de seus próprios pacientes os tivesse visto. William respira fundo. Contanto que não precise identificar o corpo, ninguém fará a ligação entre eles.

"Acho que o nome dela era Amber alguma coisa", diz Leslie. Ele tem cabelos ruivos, descoloridos pelo sol tropical até ficar da cor de palha, e tantas sardas que seu rosto era coberto de pintas. Mas William olha para ele com alívio intenso, como se Leslie fosse a pessoa mais bonita que vira o dia todo. *Graças a Deus. Obrigado, obrigado.* A confirmação do próprio William não seria mais necessária. Que sorte terem encontrado a cabeça, caso contrário, quem sabe quanto tempo o torso teria ficado no necrotério sem ser identificado?

"Parece que há algo estranho no corpo."

Alarmado, William pergunta: "Rawlings fez a autópsia?".

"Fez. E, quando encontraram a cabeça no domingo, teve que fazer tudo de novo."

"Então, o que ele acha?"

Leslie ergue os olhos: "Por que você mesmo não pergunta a ele?".

Virando, William vê a figura curvada e familiar de Rawlings, o patologista. Rawlings é bastante alto e lembra uma cegonha; para compensar, agacha a cabeça sobre o pescoço magro quando fala.

William se apressa atrás dele, apesar do grito queixoso de Leslie: "Precisamos conversar sobre a festa na sua casa!".

"Mais tarde", responde William. Ele tinha se esquecido completamente da festa mensal, um evento muito esperado, em que as pessoas degustavam comida enlatada enviada da Europa — ervilhas, lagosta, língua —, bebiam demais e felicitam uns aos outros pelo tempo maravilhoso passado nas colônias. Era a sua vez de sediar o evento, e ele precisava lembrar Ah Long de estocar mais vinho e destilados e falar sobre o cardápio. William preferia comer comida local fresca a algo que morreu e foi colocado em uma lata, como um caixão de metal. Ele estremece ao pensar nisso e aperta o passo para alcançar Rawlings.

O refeitório do hospital era um espaço aberto e arejado, com telhado de palha e piso de concreto. O menu diário incluía tanto comida ocidental quanto local. Rawlings estava na fila do balcão e, com sua voz grave, pediu um *kopi-o* — café preto forte com açúcar — e uma fatia de mamão. Logo atrás dele na fila, William pediu o mesmo.

"Ouvi dizer que você identificou o corpo", William comenta ao se sentarem. Não era preciso dizer qual; não havia muitos cadáveres desconhecidos em Batu Gajah.

"Você foi o primeiro no local, não foi?", pergunta Rawlings. Pegando um canivete, ele o desliza pela fatia de mamão, retirando a casca. Rawlings é vegetariano, e William não podia culpá-lo. Ele também se tornaria vegetariano se tivesse que passar os dias examinando cadáveres.

"Bem, a polícia chegou primeiro", diz William. "Parece que um tigre ou um leopardo a pegou. O que você acha?"

Rawlings espreme meio limão sobre o mamão, William também. Ele leu em algum lugar que, quando se imita as pessoas, é mais provável que se abram para você.

"Vi suas anotações", Rawlings limpa a boca. "E, de início, eu estava inclinado a concordar com você. Considerando as marcas no corpo, eu diria que foi um tigre. As perfurações são muito espaçadas para as mandíbulas de um leopardo."

"Por que você diz 'de início'?"

"Me diga, havia muito sangue no local?"

A mente de William volta àquela clareira entre as seringueiras. A camada espessa e farfalhante de folhas secas no solo, o cheiro de cravo do cigarro do policial malaio. O pedaço de carne que tinha sido uma mulher atraente.

"Não. Presumi que ela tivesse sido morta em outro lugar."

"A pele nas bordas das perfurações não indicava hemorragia nem eritema marginal. Nenhum sangramento arterial, nem onde a coluna foi rompida, e o corpo, separado."

"Não havia sangramento", diz William, devagar. "Então ela já estava morta antes que o animal a pegasse."

"Sim, os tigres também são carniceiros. Quando encontramos a cabeça, surgiram outras questões."

"O que quer dizer?"

"Fizeram uma busca pelas outras partes do corpo num raio de quase um quilômetro. O oficial de polícia usou cães, e eles encontraram a cabeça e uma perna. O que é comum em ataques de animais grandes."

William luta para manter a compostura, fixando os olhos em um ponto atrás da orelha esquerda de Rawlings.

Rawlings continua: "Mas a cabeça era muito interessante. Você quer ver?". Ele faz menção de se levantar, mas William levanta a mão.

"Não antes do almoço, obrigado."

"Estava quase intocada. Na verdade, o corpo todo me deu a mesma impressão: de que o animal estava começando seu procedimento habitual — isto é, removendo membros, tirando as vísceras do tronco — e, de repente, parou."

William cobre a boca. A polpa madura do mamão alaranjado cedendo sob sua colher é tão carnuda e sensual que o vômito sobe. Ele pensa no sorriso generoso de Ambika, nos ombros macios deslizando sob suas mãos, e então tudo se dissolve em uma máscara de sangue e fluidos amarelos. Ele quer chorar.

"Você está bem?", Rawlings olha para ele, os olhos encobertos, apertados de preocupação.

"Não ando bem do estômago", William mente.

Rawlings continua: "Sem os cachorros, nunca teríamos encontrado a cabeça. O interessante é que parecia haver traços de vômito na boca".

"Então, o que isso significa?"

Rawlings junta a ponta dos dedos das mãos. "A primeira possibilidade é a de que a pobre mulher tenha sido morta por um tigre, talvez por ferimentos na garganta ou asfixia. É difícil dizer, porque não temos mais o pescoço. Mas o tigre deixou o corpo e voltou muito mais tarde — talvez depois de um dia ou mais —, a julgar pelas outras lesões *post-mortem*. Que tipo de animal faz isso?"

"Talvez ele tenha sido interrompido", diz William. Havia um aperto nauseante em seu intestino; um mau pressentimento de que ele ia ouvir algo que o faria se arrepender.

"Pouquíssimas coisas perturbam a alimentação de um tigre, exceto humanos ou outro tigre, que teria comido o corpo abatido. E não houve nenhum relato de pessoas afugentando um tigre. Poderíamos ter esperado para ver se o animal ia voltar."

"Ela era *humana*. Uma pessoa. Não poderíamos deixá-la como isca!" Sem perceber, William levantou a voz, e algumas cabeças se viraram em sua direção.

Rawlings olha para ele surpreso. "Não seria a primeira vez. Houve vários casos na Índia em que os devoradores de homens caíram em emboscadas quando voltaram ao cadáver."

William era frequentemente acusado de ser frio e insensível, mas achava que, em comparação com Rawlings, era um poço de emoções. Se não fosse cuidadoso, as pessoas ficariam desconfiadas. Engolindo em seco, ele baixa o olhar para sua xícara de café.

"De qualquer forma, essa teoria não me convence. É muito mais provável que ela tenha morrido na propriedade seringueira e tenha sido levada por um tigre. A morte pode ter acontecido por causas naturais. Outra possibilidade é a de que alguém a tenha matado."

"As probabilidades de assassinato são remotas", diz William, assustado. "Ela pode ter sido picada por uma cobra. Ou várias outras coisas podem ter ocorrido."

Rawlings faz um meneio com a mão, indicando não dar importância, e depois se inclina para a frente. "Sabe o que eu acho?"

"O quê?"

No entanto, Rawlings muda de ideia, recuando. "Não posso confirmar ainda, mas estou relatando como morte suspeita. Vai para o tribunal de legistas."

Não era a novidade que William queria ouvir — seria muito melhor se Ambika fosse simplesmente a infeliz vítima de um tigre. Ele se lembrava de como Ambika tinha pedido mais dinheiro fazia pouco tempo e se perguntou se ela teria outros amantes. Seu peito se contrai. Se fosse o caso, iam começar a procurar todas as pessoas ligadas a ela.

"De todo modo", diz Rawlings, "o tigre nesse caso se comportou de maneira muito estranha. Os moradores locais vão vir cheios de conversa fiada sobre ter sido um tigre fantasma ou algo ridículo assim."

"*Keramat*", William deixa escapar. "Um animal sagrado."

Rawlings bufa. "Animal sagrado! Exato."

William olha para o outro lado, os pensamentos se desenrolando como fios soltos. Além do vendedor, quem mais o viu com Ambika?

Ele precisava ser cuidadoso.

• • •

Ren estava fazendo uma omelete. Era uma tarefa complexa e delicada, que exigia paciência com o fogo do carvão. Desde que encontrara o corpo no fim de semana, William se sentia nauseado e indisposto. Ele não conseguia comer alimentos muito pesados, como frango com molho de coco ou costeletas de porco fritas. Hoje, ao voltar cedo, tinha pedido uma omelete, e Ren se ofereceu para cozinhar.

Omelete era a comida preferida do dr. MacFarlane, e tia Kwan o ensinara a deixá-la leve e macia a ponto de derreter. Ren inclina a omelete com cuidado para um prato; o segredo era tirar os ovos do fogo antes que estivessem completamente prontos. Levantando o olhar, Ren abriu um sorriso e, para sua surpresa, Ah Long também.

"Pode servir", diz ele.

Ah Long salpica cebolinha bem picada sobre a omelete e espalha algumas fatias de tomate ao lado. Colocando o prato em uma bandeja com um guardanapo branco engomado, Ren sai depressa. Percorre o longo corredor de madeira polida e sobe para o andar de cima, onde bate à porta do quarto do mestre.

Como todos os outros cômodos da casa, o quarto arejado e de teto alto está pintado de branco e um tanto vazio, exceto pela cama com dossel no centro, coberta com mosquiteiro. O sol oblíquo da tarde, verde e dourado por entre as copas das árvores, dá a Ren uma súbita sensação de déjà vu. O lugar era como o quarto do velho médico, em Kamunting. Só que não era o dr. MacFarlane sentado à mesa perto da janela e, sim, William, que estava escrevendo uma carta.

"Obrigado", diz ele, com um sobressalto de culpa, quando Ren deposita a bandeja.

"Já encontraram o tigre?", pergunta Ren.

"Ainda não. Pode estar a quilômetros de distância agora." William come um pedaço. "Quem fez isso?"

O olhar preocupado retorna ao rosto de Ren. "Fui eu, *Tuan*."

"Está muito boa. Eu gostaria que você fizesse todas as minhas omeletes a partir de agora."

"Sim, *Tuan*." Encorajado pelo elogio, Ren pergunta: "Eu poderia me ausentar em breve?".

"Aonde você quer ir?"

"Voltar a Kamunting. Apenas por alguns dias."

William pondera. Ren trabalhava ali fazia pouco tempo. Por direito, ainda não tinha acumulado tempo de trabalho suficiente para obter licença e partir, mas ele parecia muito esperançoso. "Para ver seus velhos amigos?"

"Sim", Ren hesita. "E para prestar homenagem ao túmulo do dr. MacFarlane. Eu gostaria de ir antes que o período de luto termine, em vinte dias."

"Claro." A expressão de William se suaviza. "Você pode tirar três dias de folga se quiser. Verifique as datas com Ah Long — vai haver um jantar aqui. É melhor você esperar para ir depois. Precisa de dinheiro para a passagem de trem?"

Ren parece confuso com a oferta. William suspira. "Quero dizer, vou pagar a sua viagem. Coloque algumas flores no túmulo do pobre MacFarlane por mim."

• • •

Dispensado, Ren volta para a cozinha. Desde a horrível descoberta do corpo, Ren tinha intensificado freneticamente sua busca pelo dedo. Ele vasculhou todos os quartos e abriu todas as gavetas da casa. Às vezes, achava que Ah Long suspeitava dele, pois mais de uma vez o cozinheiro o surpreendera com sua aproximação silenciosa. Ele era como um gato velho e grisalho, semelhança ainda mais acentuada quando Ah Long se sentava nos degraus da cozinha, semicerrando os olhos contra o sol. Ainda assim, Ah Long não disse nada.

Ren tinha a incômoda sensação de que o dedo não estava nessa casa. Talvez nunca tivesse estado. Não dava para explicar, era apenas uma sensação, como o tremor dos bigodes de um gato. Quando

Yi estava vivo, ele tinha esse sexto sentido com frequência. As pessoas diziam que era magia, mas Ren sabia que isso acontecia porque eram um par. Os chineses diziam que coisas boas vinham em pares, como o caractere para "dupla felicidade", recortado em papel vermelho e colado nas portas quando havia casamentos, e os dois leões de pedra que guardam os templos. Quando crianças, Ren e Yi eram duplos perfeitos um do outro. Ao vê-los, as pessoas sorriam com deleite. Gêmeos e meninos — que sorte! Mas tudo isso chegou ao fim quando Yi morreu. Se um palitinho usado para comer quebrava, o outro era descartado. Afinal de contas, metade de um par quebrado era um: o número de azar da solidão.

Uma vez o dr. MacFarlane tinha explicado sinais de rádio para ele, dizendo que eram necessários um transmissor e um receptor para funcionar. Ren entendeu de imediato o que ele queria dizer. Ele e Yi sempre sabiam onde o outro estava, tanto que a supervisora do orfanato incumbia alguma tarefa a um dos meninos e mantinha o outro a seu lado. Em caso de atraso, ela perguntava ao gêmeo que havia ficado onde o irmão estava. Era uma habilidade útil, embora não mais extraordinária do que a de Pak Idris, o pescador malaio cego do rio Perak, que pegava peixes ouvindo-os embaixo d'água.

"Como é isso?" Ren perguntou.

"Como pedrinhas caindo", ele disse. "Como um espelho em que os peixes são refletidos."

Um espelho cheio de peixes. Ao longo dos anos, Ren pensava nessa frase com frequência. Como eram os peixes para Pak Idris, que não conseguia vê-los? Eram como estrelas, movendo-se num firmamento escuro, ou como um campo de flores oscilando com o vento? Com a morte de Yi, Ren perdera seu farol neste mundo. Ele já não tinha um bom senso de distância, nem sabia o que estava acontecendo em um local diferente. Em vez disso, sua capacidade tinha diminuído, de modo que Ren só conseguia sentir eventos iminentes, como o estalo de um galho que desmoronava tão logo ele saía do caminho. Houve muitos quase acidentes. Até demais, talvez.

Às vezes Ren achava que não tinha perdido por completo sua habilidade de longo alcance. O sinal era fraco porque Yi estava muito distante. Mas onde ficava esse lugar, ele não sabia dizer. O irmão tinha cruzado as fronteiras para outro país, a terra dos mortos. Enquanto Ren procurava o dedo perdido, seus invisíveis bigodes de gato só vibraram uma vez naquela casa — diante do tapete de pele de tigre no escritório. Entretanto, isso não o surpreendera, considerando a obsessão do velho médico por tigres, que, como Ren temia, William parecia compartilhar até certo ponto. Apressando-se pelo corredor, ocorreu a Ren que havia mais um lugar para procurar: o Hospital de Batu Gajah. O lugar onde William tinha um consultório.

O tempo estava se esgotando: faltavam apenas vinte dias para os quarenta e nove da alma do dr. MacFarlane terminarem. Se até lá ele não conseguisse encontrar o dedo, terá fracassado. Como seu velho mestre poderia descansar? Ren se lembrava dos últimos dias do dr. MacFarlane, a febre e os tremores. E depois os sonhos, os pesadelos em que o velho, desperto, chorava por misericórdia ou andava de quatro, babando. Se a tia Kwan ainda estivesse com eles, teria assumido o controle, mas, no fim, só havia Ren.

Uma rajada de vento atravessa a casa, batendo todas as portas ao mesmo tempo. Para Ren, que olha pela janela no topo da escada, as árvores são um oceano verde e ondulante ao redor do bangalô. Em um navio em meio a uma tempestade, Ren é o marujo espiando por uma escotilha. Agarrando o peitoril da janela como uma boia salva-vidas, Ren imagina quais segredos espreitam na selva que os rodeia, e se seu velho mestre está, na verdade, condenado a vagar para sempre por essa vasta extensão verde, preso na forma de um tigre.

A Noite do Tigre
Yangsze Choo

14

Ipoh/Batu Gajah
SÁBADO, 13 DE JUNHO

Um assobio estridente soou. Ao longo do trilho, as portas começaram a se fechar conforme o vapor se elevava da plataforma. Foi tão emocionante que olhei para Shin, rindo. Ele levantou as sobrancelhas e sorriu de volta. Houve uma sacudida, depois um solavanco maior quando o trem saiu lentamente da Estação de Ipoh. A plataforma ficou para trás. As pessoas acenaram para os passageiros que partiam e não pude resistir a acenar de volta.

Shin revirou os olhos. "Você nem os conhece."

"O que é que tem?", falei, na defensiva. "As crianças gostam."

Lembrei-me do sonho do menino na estação de trem. O lugar parecia tão real, embora não fosse nem de longe tão majestoso quanto a estação ferroviária palaciana e branca de Ipoh, que agora se afastava rapidamente atrás de nós.

A viagem para Batu Gajah tinha vinte e quatro quilômetros, ou mais ou menos vinte e cinco minutos, Shin me disse. Às vezes, porém, elefantes selvagens ou *seladang*, enormes bois da floresta que supostamente tinham um metro e oitenta de altura na parte do ombro, eram vistos na pista. O ar frio entrou pela janela aberta, e fechei os olhos, alegre.

"Isso é um sim, então?"

O olhar de Shin ardia através dos meus cílios, me deixando constrangida. Será que ele tinha notado a maquiagem que passei para esconder o olho roxo? Bem, não importava se meu cabelo parecesse um ninho de passarinho. Era só o Shin.

"Sim para o quê?"

"Para limpar o depósito de patologias neste fim de semana."

Abri os olhos. "Contanto que eu também seja paga. Mas por que acha que vamos encontrar alguma coisa?"

"Aquele dedo com certeza veio do hospital", disse Shin. "Se você abrir a tampa do frasco, verá que tem a mesma marca que os outros espécimes no laboratório de patologia do hospital. Precisamos olhar nos registros e ver se tem algo sobre dedos amputados."

"Onde está o dedo?"

Em resposta, ele deu uma batidinha no bolso. O gesto me lembrou do vendedor, e minha animação se dissipou. Essa sombra de novo, maculando o dia radiante. Aliás, por que Shin estava tão entusiasmado em descobrir seu dono? Talvez pudéssemos apenas devolver o dedo para o hospital. Ocorreu-me que eu também deveria investigar um pouco sozinha — dar uma volta pelo hospital, conversar com a equipe. Eu não queria admitir para Shin, mas se não conseguisse ir para a faculdade de medicina, talvez pudesse me tornar enfermeira ou atendente. Qualquer coisa era melhor do que minhas deprimentes perspectivas atuais.

"Você está tramando alguma coisa, não está?", perguntou Shin, bufando. "Eu sei — você é tão previsível."

"Ninguém mais diz isso", respondi, irritada, pensando nos estudantes de olhos arregalados e nos velhos que faziam fila para dançar comigo. Nirman Singh dissera que eu parecia "envolta em um mistério fatal", embora eu tivesse quase certeza de que ele estava falando sobre a verdadeira Louise Brooks, e não sobre mim — sem contar que ele tinha quinze anos e não deveria gastar seus trocados em um salão de dança.

"Com quem você tem saído?"

Tinha me esquecido de como Shin era perspicaz; essa era a desvantagem de estarmos próximos de novo.

"Com ninguém."

Shin me observava com uma expressão pensativa. "Você gosta de morar na casa da sra. Tham?"

"Bom, você viu como ela é", eu disse. "Mas não é tão ruim assim."

"Quanto ela paga a você?"

"Ela não me paga nada — eu tenho que pagá-la. Pelo meu aprendizado, você sabe."

Um músculo se contraiu em sua bochecha. "Isso é ridículo. Você está trabalhando lá de graça."

"Na verdade, ela deveria me pagar um pouco pela minha ajuda, mas também tem o quarto, a estadia e as taxas de ensino, então uma mão lava a outra."

"E você está feliz com isso?"

Pensei em responder a ele que, claro, eu não estava feliz. Dois anos atrás eu teria dito isso sem reservas, mas agora o pensamento ficou na ponta da língua, como uma bolinha de gude que poderia cair e se espatifar no chão. Por que arruinar o primeiro dia agradável que estávamos tendo em muito tempo? Então eu não disse nada.

• • •

A estação de trem em Batu Gajah era modesta: um retângulo simples com telhado feito com folhas de palmeira *attap* e alguns bancos de madeira virados de frente para os trilhos dos dois lados. Observei tudo com um desconfortável déjà vu. Tinha certeza de ter me sentado em um desses bancos ontem à noite no sonho. Não havia rio à vista, embora, de acordo com o senhor malaio idoso do outro lado do corredor, a linha do trem cruzasse o rio Kinta.

"Mas você não vai ver o rio até passar por esta estação." Ele estava indo para Lumut, no sul.

"Vamos descer aqui", eu disse com pesar.

"Adeus", disse o velho. E, depois, para Shin: "Sua esposa é linda. Muito moderna e elegante".

"Nós somos irmãos!", me apressei em dizer.

Shin estava quieto quando descemos do trem. Era a segunda vez que alguém nos confundia, e eu temia que ele achasse isso irritante.

"Claro que estou aborrecido", disse ele. "Quem quer ser parente seu?"

Aliviada, comecei a rir. Shin revirou os olhos. "Você deveria se ofender, como as outras garotas. Não achar graça desse jeito."

Fiquei quieta. Uma das razões pelas quais eu era popular no May Flower era porque não tinha medo de brincar com os clientes, mas será que era assim que as jovens decentes se comportavam? A noiva de Ming era tão delicada, tão gentil — o tipo de garota que não seria vista fazendo piadas idiotas à beira da estrada.

A caminhada até o Hospital de Batu Gajah era uma subida até o bairro europeu de Changkat. Arbustos de oleandro, com suas delicadas flores cor-de-rosa e brancas e folhas ovais e pontiagudas, estavam por toda parte, assim como as perfumadas árvores de jasmim-manga, a flor de cemitério dos malaios. Os ingleses eram loucos por jardinagem — todos sabíamos disso por causa dos livros de história — e levaram sua paixão para todos os cantos do Império.

Quando chegamos ao hospital, eram quase onze da manhã, e fazia muito calor. O hospital era composto por uma série de construções de madeira em preto e branco, ao estilo Tudor, ligadas por varandas cobertas e gramados aparados. Ao olhar para cima, notei que as telhas de terracota das passagens cobertas vinham da França, e os nomes de seus fabricantes estavam gravados no lado interno: SACCOMAN FRÈRES, ST. HENRI MARSEILLE.

Shin me conduziu pelos escritórios administrativos e depois para a parte de trás de um dos anexos. Tirando uma chave, ele destrancou uma porta. "Aqui vamos nós. Precisamos dar um jeito de colocar tudo em ordem."

Era uma sala grande, arejada e com pé-direito alto. As janelas altas deixavam entrar a luz por trás de pilhas de caixas e armários de arquivo. Os frascos com espécimes estavam amontoados ao lado de caixas de papelão cheias de papéis, enquanto garrafões de vidro de dezenove litros ficavam no chão em meio a uma pilha de revistas médicas antigas. Quando olhei para para essa montanha, entendi por que o dr. Rawlings, quem quer que ele fosse, tinha sugerido que Shin arrumasse um ajudante.

"Precisamos fazer tudo isso hoje?"

"Bem, é uma boa oportunidade para verificar se tem algum dedo faltando", disse Shin. "Eles queriam mudar tudo de lugar, e eu já fiz a maior parte do trabalho. Só precisamos organizar os espécimes. Quer almoçar primeiro?"

Olhei para os repulsivos frascos de espécimes. Pedaços de vísceras flutuavam em líquidos escuros, junto a frascos com vértebras ruidosas.

"Não", respondi. "Vamos começar logo."

De todo modo, qual era o propósito dessa coleção? Shin disse que não tinha ideia. Apesar de fazer todo o trabalho pesado, ele estava de bom humor. Percebi pela forma como ele assobiava no corredor enquanto empurrava as caixas em carrinhos de transporte. Nós nos dávamos muito bem quando havia um trabalho a ser feito, exatamente como fazíamos as tarefas domésticas de um jeito rápido e eficiente quando éramos mais jovens. Se fôssemos contratados como zeladores, pensei, não haveria desentendimentos entre nós.

• • •

Minha mãe era uma dona de casa exemplar; em relação a isso, meu padrasto nunca poderia botar defeito nela. Obsessivamente limpa, ela levava as estruturas de madeira das camas para fora para derramar água fervente sobre cada fenda, para que nunca tivéssemos percevejos.

Quando nos mudamos para a *shophouse*, ela relutou em pedir a Shin para fazer o trabalho doméstico. Afinal de contas, ele era um menino, embora tivesse disposição. Ela derramou seu afeto sobre nós, foi compassiva até o ponto de ser tola. Cães de rua e mendigos iam direto até ela e, mais de uma vez, ela lhes deu nosso jantar e teve que implorar para não contarmos ao meu padrasto. Eu resistia, barganhando algo melhor, mas Shin sempre se rendia. Eu conseguia decifrá-lo facilmente; o meneio rápido com a cabeça, a expressão esperançosa. Ele tinha fome de afeto.

Acho que minha mãe gostaria de ter tido mais filhos. Com certeza meu padrasto ficou desapontado nesse aspecto. A parteira local fora chamada várias vezes porque minha mãe havia sofrido um aborto. Mas ninguém nunca me dizia exatamente o que havia acontecido nem por quê.

A casamenteira tinha feito tanto barulho sobre Shin e eu estarmos destinados a ser irmãos, sobre como éramos praticamente gêmeos, uma vez que nascemos no mesmo dia e recebemos o nome de duas das Cinco Virtudes do Confucionismo, que eu tinha certeza de que as outras três crianças — Ren, Yi e Li, para nomeá-las da forma certa — deviam estar esperando impacientemente para nascer. Imaginei-as empurrando umas às outras no escuro, esperando para serem soltas no mundo. Mas elas nunca vieram. E a cada episódio sangrento aumentava meu medo de que levassem minha mãe.

Uma noite, falei com Shin sobre isso quando estávamos conversando baixinho. Ele estava deitado no chão de seu quarto, e eu estava sentada no corredor estreito, a porta aberta entre nós. Isso era apenas para o caso de meu padrasto sair de repente do quarto. Devíamos ter uns treze anos na época, e ele estava ficando cada vez mais severo. Eu não podia mais pôr os pés no quarto de Shin, e ele, é claro, nunca pôde entrar no meu.

A lua estava muito brilhante naquela noite, uma fatia branca e pontuda. Estava quente demais para ficar na cama, e o único alívio eram as tábuas frias do assoalho de madeira.

"Você acha que eles vão ter mais filhos?", perguntei.

"Não. É mais difícil quando você fica mais velho." De tempos em tempos, Shin demonstrava uma espécie de racionalidade tranquila que eu invejava.

"Mas estou com medo."

Shin virou e se apoiou nos cotovelos. "De quê?"

Contei a ele sobre meu medo de perder minha mãe e como não conseguia deixar de pensar que deveria haver mais três de nós, como a casamenteira tinha dito.

Ele ficou quieto por um tempo. "Isso é uma bobagem."

"Por quê?", respondi, magoada. "É uma bobagem maior do que o que você disse sobre o *mo* e os devoradores de sonhos?"

Imediatamente, lamentei minhas palavras, porque eu sabia como Shin apreciava aquele pedaço de papel deixado por sua mãe. No entanto, ele só respondeu: "Não tenho pesadelos há muito tempo. Na verdade, acho que nem sonho. Além disso, toda essa conversa sobre mais três irmãos é idiota. Por que deveria haver mais de nós?".

"Porque somos apenas dois agora."

Shin sentou-se abruptamente. "Não me inclua nisso. Eu não sou seu irmão de verdade, você sabe."

Ele subiu na cama e virou as costas para mim. Rejeitada, me retirei para o meu quarto. Às vezes eu achava que talvez Shin só me aturasse por obrigação. Que quisesse outro tipo de irmã, não alguém que discutisse com ele o tempo todo e fosse melhor que ele nas provas. Sempre que me sentia mal, eu pensava em números. Em cantonês, dois era um bom número porque fazia um par. Três também era bom porque era uma palavra homófona de *sang*, ou "vida". Quatro, claro, era ruim, porque soava como "morte". Cinco era bom porque formava um conjunto completo, não apenas das Virtudes do Confucionismo, mas também dos elementos: madeira, fogo, água, metal e terra. De qualquer forma, não importava quão espinhoso Shin fosse. Gostando dele ou não, ainda era o único irmão que eu tinha.

• • •

A porta do depósito de patologias se abriu de forma abrupta. Pensando que era Shin voltando com outro carregamento, eu disse sem me virar: "Não deixe isso aí. Ponha do outro lado".

Silêncio. Um formigamento estranho me advertiu de que algo estava errado. Eu me virei e vi um estranho à porta. Um estrangeiro. Alto e com ossos proeminentes, ele usava óculos. O restante — rosto pálido, cabelos claros, braços pálidos queimados de forma desigual pelo sol — parecia igual a todos os outros europeus para mim.

"Estou procurando o dr. Rawlings."

Shin contou que Rawlings era o patologista residente, mas eu não tinha ideia se ele estaria no hospital num sábado tranquilo ou não. O homem me lançou um olhar penetrante. Seus olhos sem cor perfuravam como agulhas por trás das lentes de vidro. Temi que percebessem que eu não fazia parte da equipe.

"Se ele voltar, por favor, diga a ele que passei aqui. Meu nome é William Acton."

A Noite do Tigre
Yangsze Choo

15

Batu Gajah
SÁBADO, 13 DE JUNHO

Ren tem a chance de procurar o dedo na hora do almoço no sábado, quando William diz que vai para a cidade e vai passar no hospital. Ah Long pergunta imediatamente se ele vai pegar suprimentos: enlatados, sabão em pó e cera marrom para calçados.

Olhando para Ren, que está segurando a porta do carro aberta, William diz: "Suba. Você pode levar uma lista para a loja, não pode?".

Os olhos de Ren se arregalam com essa oportunidade inesperada. William olha para trás e grita por cima do ombro para Ah Long: "Estou levando o menino. Você precisa de mais alguma coisa?".

Há uma breve confusão quando as listas são feitas. Ah Long coloca um centavo na mão de Ren. "Compre algo para você", diz ele rispidamente. "Às vezes ele bebe no Clube. Se ficar tarde, fique junto ao carro. Ele voltará para casa de manhã, de um jeito ou de outro." Sua figura magra, em rígida censura, espera na entrada de cascalho.

"*Selamat jalan*", diz ele a William. Boa viagem.

Harun, o motorista malaio, é um homem rechonchudo, de aparência agradável, com três filhos, e sorri quando Ren senta animadamente no banco do passageiro, na frente, segurando uma cesta de compras de ratã repleta de jornal velho, caso algum produto derrame. William se senta atrás. Ren fica quieto, mesmo tendo vontade de perguntar a Harun sobre o carro. Há um conjunto intimidador de chaves e indicadores no painel do Austin, e Ren observa com atenção enquanto ele troca as marchas.

"Passe pelo hospital primeiro", diz William. "Preciso deixar uma papelada."

O hospital. Ren aperta a alça da cesta.

À medida que se aproximam da cidade, surgem os gramados aparados e as entradas de cascalho de outros bangalôs. Ren conhece algumas das casas agora, mas estão tão distantes, tão isoladas pela selva exuberante, que ele nunca ouve os vizinhos. Ren é capaz de identificar quais casas têm esposas europeias: elas possuem graciosos canteiros de canáceas e bastões-do-imperador, e estão cercadas por hibiscos e arbustos de oleandro. Há oleandros atrás da casa de William também, mas Ah Long sempre pede ao jardineiro para cortá-los. Os ramos flexíveis soltam uma seiva leitosa que pode cegá-lo, diz ele de um jeito sombrio, e a decocção das folhas envenena os cães de rua.

Quando fazem uma curva, a brisa que entrou pelas janelas abertas arranca uma folha de jornal amassado da cesta de Ren, que vai parar no banco de trás, onde William a apanha com a mão.

"Desculpe, *Tuan*!" Ren olha para trás, mas seu mestre, fitando o papel indaga de forma brusca.

"Este jornal é da semana passada?"

Sentindo-se culpado, Ren assente. Eles não estão autorizados a usá-lo? William tem uma expressão estranha no rosto. A folha de jornal que o transfigurou é a seção de obituários, com fileiras de fotografias em preto e branco. Ren pergunta: "Alguém que o senhor conhece morreu?".

William morde o lábio. "Um paciente meu."

"Ele era velho?"

"Não, muito jovem. Pobre rapaz."

Depois de um longo momento, William passa o papel amassado de volta para Ren, que o coloca de novo na cesta, mas não antes de olhar com curiosidade para a página. O único jovem da lista é o sr. Chan Yew Cheung, vendedor. Vinte e oito anos.

William fecha os olhos, os dedos frouxamente entrelaçados sobre o colo. Dedos brancos e longos, capazes de costurar um ferimento ou amputar um membro. Ele cantarola em voz baixa. Ren se pergunta por que seu mestre parece aliviado, até feliz.

Quando o carro chega ao hospital, Ren sente uma animação elétrica, como se um sinal de rádio distante estivesse se conectando. O tremor percorre seu corpo da mesma forma como ele e Yi costumavam se conectar. O dedo está aqui. De repente, ele tem certeza disso. William pega uma pasta de couro e sai. Rápido, Ren também desembarca.

"Posso levar sua pasta, *Tuan*?"

William se detém para olhá-lo. "Você quer ver o hospital?"

Existem duas seções, explica William. Esta parte é o hospital distrital para os habitantes locais, enquanto a ala europeia, exclusiva para estrangeiros, fica do outro lado da rua. William acena com a cabeça para a recepcionista. As portas se abrem, as pessoas sorriem. Seguindo os passos de William, Ren se pergunta se todos os europeus são tratados assim ou se é porque ele também é cirurgião.

Existe uma rígida hierarquia médica, o dr. MacFarlane costumava brincar, sendo que os clínicos gerais, como ele, estavam na base da pirâmide. Mas o dr. MacFarlane era muito habilidoso, pensa Ren. Tratava os pacientes de que todos haviam desistido, como o caçador *orang asli* que chegara com um braço infeccionado, e o bebê do comerciante chinês, que estava tendo convulsões. Cuidava de todos eles, muitas vezes com resultados surpreendentes.

"Já que estou aqui, vou passar nas enfermarias", diz William. Os longos corredores, cobertos com telhas de cor marrom e creme em um padrão axadrezado, cheiram a desinfetante. "Quer ver sua paciente?"

Ren está confuso. Que paciente?

"A mulher cuja perna você tratou. Por acaso, ela veio de novo."

Claro que Ren quer vê-la, embora tenha começado a ficar tímido de repente. A enfermaria está vazia, exceto por um velho dormindo com a boca aberta e a jovem que está sentada na cama ao lado. Ren fica surpreso com sua aparência. Ela não parece a mesma mulher que estava deitada em um carrinho de mão com a perna pingando sangue por toda a entrada da casa. Agora, a pele cor de mel exibe frescor, e o cabelo está cuidadosamente trançado. Ela tem covinhas no rosto em forma de coração, e, quando William pede para ver sua perna, fica ruborizada.

"Este é Ren", diz ele. "A pessoa que tratou você na minha casa."

Ren percebe que ele não diz "meu criado" nem "meu empregado" e se sente levemente orgulhoso.

"Tão jovem!", diz ela. Seu nome, de acordo com a ficha médica, é Nandani Wijedasa, ela tem dezoito anos e é solteira. Seu pai é funcionário da propriedade seringueira perto da casa deles, e fora internada de novo nesta manhã por febre e dor na perna.

Com gentileza, William levanta o largo pijama do hospital com um sorriso tranquilizador. O ferimento é menor do que Ren se lembrava, mas, mesmo assim, revela um corte impressionante e profundo na parte de trás da panturrilha lisa. Suturada com linha preta, parece dolorida e inchada.

"Vamos precisar abrir o ferimento mais uma vez e irrigá-lo, talvez desbridar o tecido e depois fechá-lo. Quando você for para casa, mantenha uma compressa de gaze embebida em ácido carbólico para evitar infecções. Você precisa manter o ferimento limpo, caso contrário, pode ter septicemia. Entendeu?"

Ele olha diretamente para a garota, e uma faísca surge entre os dois. O senso felino de Ren nunca esteve tão forte desde a morte de Yi. O que isso significa? Ele sabe, sem sequer levantar a cabeça, que algo está acontecendo entre William e a jovem Nandani. Algum tipo de atração que faz com que o médico se demore enquanto Nandani pisca seus longos cílios.

Ren não é a única pessoa a notar nisso. Uma dama estrangeira entra, empurrando um carrinho com romances e edições anteriores das revistas *Punch* e *The Lady* para os pacientes lerem. Seus olhos, de um surpreendente azul elétrico, se fixam nas costas de William.

"William... o que o traz aqui hoje?"

Virando-se, William diz: "Oi, Lydia".

A luz do sol que chega ao interior da enfermaria capta o dourado em seus belos cachos, e Ren se pergunta se o cabelo dela é macio o tempo todo ou se precisa ser enformado e assado no vapor, como um pão de ló chinês.

"Uma de suas pacientes?" Lydia olha de soslaio para a garota cingalesa na cama.

"Não é minha." Ele olha para Ren, que encara timidamente a rachadura nas tábuas do piso ao lado da cama de Nandani.

Puxando William de lado, Lydia toma seu braço. "Leslie disse que você será o anfitrião do próximo encontro para os médicos mais jovens."

"É só um grupo de solteiros que se reúne para conversar. Não é muito interessante, creio eu." Ele usa todo o seu charme.

Lydia parece esperançosa e melancólica. "Posso ir?"

"Só se você não se importar em ficar ouvindo sobre doenças tropicais."

"De jeito nenhum! Quero ajudar o máximo possível... Às vezes as pessoas não sabem o que é melhor para elas."

Enquanto eles conversam, Nandani toca na manga de Ren. "Obrigada." Seu sorriso é afetuoso, e Ren está muito feliz por ela estar viva, e não morta em um carrinho de mão cheio de sangue. "Você está estudando para ser médico?"

"É o que eu gostaria de fazer."

"Você vai ser um bom médico." Seus olhos se voltam para William. "Seu mestre é gentil com você?"

Surpreso, Ren percebe que sim, William tem sido bom para ele.

"Ele é bondoso", diz ela. E ali está outra vez, aquela faísca invisível entre Nandani e William. Ela sai voando com um pequeno chiado, de modo que Ren quase espera vê-la cintilar no ar.

William vira para Nandani de novo. "Onde você mora?", pergunta ele.

Tímida, a moça lhe diz seu endereço.

Ele escreve no caderninho que carrega no bolso do peito. "Você mora bem perto da minha casa. Se for até lá, dou uma olhada na sua perna de novo na semana que vem. Não precisa vir ao hospital."

Atrás de William, Lydia arruma o carrinho de livros com diligência.

Ren não consegue captar nada vindo dela. Talvez porque seja uma figura desconhecida — uma estrangeira e uma dama —, e ele quase não tenha experiência com essa combinação. Ela e William formam um bom par. Os dois são bem altos, têm olhos claros e a pele queimada de forma desigual pelo sol forte, diferente da cor suave e uniforme da pele de Nandani. Ren sente pena da mulher estrangeira; ela está se esforçando tanto. Por que William não gosta dela?

• • •

Depois de passar pelas enfermarias, Ren caminha ao lado de William. Ele está aturdido com seu senso felino, aquela sensação há muito tempo perdida de sentir o invisível, como se recuperasse um membro ou um par extra de olhos e ouvidos. O que há de tão especial no hospital? William diz que vai passar na patologia para ver seu colega, o dr. Rawlings. Quer perguntar algo sobre um relatório de autópsia. Ren sabe que patologia significa órgãos, pedaços de pessoas e animais mortos, um bom sinal de que é ali que o dedo está. Vibrando de empolgação, ele está confiante de que, mesmo de olhos fechados, finalmente conseguirá localizá-lo.

Enquanto percorrem as passagens cobertas, alinhadas com os canteiros de lírios de um lado, Ren descobre que agora é capaz decifrar o médico de uma forma que não conseguia antes. O interesse de William é como uma corda esticada, que estala para todos os lados, mas, principalmente, na direção das mulheres. Enfermeiras passando, uma visitante se debruçando sobre uma cama. William sem dúvida não presta atenção nas coisas que Ren percebe, como a aranha atrás da porta ou a pedrinha redonda sob os lírios que Ren gostaria de colocar no bolso, mas não ousa fazê-lo porque, provavelmente, é propriedade do hospital.

À medida que se aproximam do departamento de patologia, a contração dos filamentos invisíveis aumenta tanto que Ren fica tenso de empolgação. Nunca havia sentido isso, nem mesmo com Yi. Eles dobram o corredor. William dá uma batidinha no bolso do peito do paletó e depois revira a calça com irritação. "Ren, volte e pegue minha caneta-tinteiro. Está com a enfermeira-chefe."

Virando-se de repente, Ren observa William atravessar para o outro prédio, abrir a porta e entrar. Algo naquela sala está chamando Ren, atraindo-o, mesmo a quinze metros de distância, como um imã. Ele precisa entrar naquela sala.

No entanto, pegar a caneta-tinteiro de William é uma ordem que ele não pode desobedecer. O nome da caneta, explicou William, é o da montanha mais alta da Europa, Mont Blanc. A estrela branca e arredondada representa o pico coberto de neve, e a ponta entalhada é feita de ouro de verdade. É a caneta que ele usa para escrever cartas todos os dias. Se ele não a encontrar, William ficará muito infeliz.

Voltando apressado, Ren se confunde e erra o caminho. É difícil filtrar o fluxo de sinais que o atingem. *Como um espelho cheio de peixes*, ele se lembra do que o pescador cego Pak Idris diz. *Você precisa conhecer a música deles.* Embora o que ele esteja sentindo agora esteja mais para vaga-lumes voando bruscamente na escuridão. Eles se movem formando padrões estranhos e aleatórios de acordo com os interesses e as emoções das pessoas, e Ren acha que, se ao menos puder encontrar um lugar calmo e silencioso, conseguirá colocá-los em ordem. Mas, primeiro, precisa pegar a caneta. A enfermeira-chefe de plantão diz a ele que a entregou para a supervisora.

A supervisora, como a maioria dos funcionários mais experientes, é estrangeira. Uma australiana com traços faciais bem definidos, desajeitada e vivaz, que olha para Ren com hesitação quando ele finalmente chega em sua sala. "Esta é uma caneta cara. É melhor você não a derrubar." Sua touca branca e engomada se destaca como asas rígidas. Ren pega a caneta e se apressa em voltar para o depósito de patologias. A certa altura ele começa a correr e recebe olhares furiosos dos adultos. Não é preciso pedir informação sobre o caminho. Os filamentos estão zumbindo em sua cabeça, cantando. Ao virar o corredor, às pressas, ele esbarra em William.

"Encontrou?", pergunta ele.

Atordoado, Ren olha para o mestre. A caneta. Ele a estende de forma triunfante.

"Esplêndido!" William parece satisfeito, mas Ren não sabe dizer se é porque recuperou sua caneta ou porque algo de bom aconteceu naquele lugar. Na verdade, William está com um humor muito melhor do que durante toda a semana. Ren o observa. A porta está entreaberta, mas a ofuscante luz do sol dificulta a visão do interior escuro. Há uma sombra esguia à porta. Um homem, talvez — parece alto demais para uma mulher. Será que é o dr. Rawlings, de quem William falou?

A eletricidade o percorre. Os pensamentos de Ren ficam confusos, incoerentes. Seus bigodes de gato se contraem. Ele precisa voltar para a sala de onde William acabou de sair, mas, em vez disso, perde o equilíbrio.

"Calma", diz William, conduzindo Ren em direção a um banco. "Você não almoçou?"

Ren balança a cabeça. Nem ele nem Ah Long planejaram esse passeio-surpresa para a cidade.

"Vamos pegar algo para você, então. Conheço uma cafeteria na cidade onde fazem um café decente."

Lágrimas de frustração pungem os olhos de Ren enquanto ele é conduzido de volta para a entrada do hospital, onde Harun está esperando por eles agachado próximo ao carro estacionado à sombra. Quando o carro se afasta, ele olha para o hospital. Não é tão longe do Clube Kinta, onde William planeja ir mais tarde. Talvez Ren consiga voltar sozinho às escondidas. Na verdade, ele precisa fazer isso.

A Noite do Tigre
Yangsze Choo

16
Hospital Distrital de Batu Gajah
SÁBADO, 13 DE JUNHO

O estrangeiro, William Acton, estava parado à porta aberta do depósito de patologias. "Nunca vi você. Você não é enfermeira, é?"

"Não, estou só ajudando." Reconheci a centelha de avidez em seus olhos. Isso me deixou nervosa. Onde estava Shin?

"Entendi", mas ele não se moveu da porta.

Fiquei lá, sem jeito, segurando um frasco com parte de um intestino. Ele tirou os óculos e esfregou o rosto, um gesto que o fez parecer estranhamente desprotegido e doente. Sob o bronzeado, sua pele era cinza, e ele tinha olheiras. Poderia ter qualquer idade entre vinte e cinco e trinta e cinco anos, embora seus movimentos parecessem bastante ágeis.

"Você trabalha para Rawlings, então?"

Confirmei com a cabeça. Ele sorriu em seguida, de modo completamente inesperado, trazendo ao seu rosto um encanto fatigado.

"Não vai me dizer seu nome?"

"Louise." Pelo menos essa pergunta eu sabia responder.

"Bem, Louise, você não parece se abalar muito diante desses espécimes."

"Não me abalo", respondi com frieza.

"Alguns deles foram contribuições minhas."

Apesar de tudo, eu estava curiosa. "Você doou seus próprios órgãos para a ciência?" Eu pensava que as pessoas só faziam isso depois de morrer.

O médico estrangeiro sorriu de novo. "Quis dizer que são de pacientes meus. Vamos ver... acho que doei um cálculo biliar extraordinariamente grande e dois dedos."

"Dedos?" Fiquei em alerta num instante.

"Um deles foi um sexto dedo vestigial removido de um paciente indiano. O outro, na verdade, pertencia a um amigo meu. Temos uma coleção e tanto de dedos aqui, pelo menos uma dúzia, que eu me lembre."

Ele atravessou a sala, apontando um grande pote de líquido escuro. "Isso deveria ser descartado. Muitos dos espécimes mais antigos são preservados em álcool, que deveria ser trocado uma vez por ano. Nós só os mantemos se forem interessantes do ponto de vista médico. E, claro, algumas pessoas pegam seus membros de volta para serem enterradas com eles."

Ele se inclinou e dei um passo para o lado. Desconfiava da proximidade dos homens. Trabalhar no May Flower tinha me ensinado o longo alcance e a força surpreendente deles, e como era difícil para garotas se afastarem se fossem agarradas pela cintura. Mas nesse momento não havia seguranças ameaçadores, nem a Mama com seu olho de lince. Éramos só nós dois, sozinhos nessa sala. Se eu gritasse, alguém viria?

Mas talvez eu estivesse sendo desconfiada demais, pois o médico continuava falando sobre os vários espécimes. Ele parecia conhecê-los muito bem.

"Por quanto tempo vocês os guardam?"

"Não tenho ideia. Na maior parte das vezes, são só curiosidades — os assistentes hospitalares gostam de trazer as estagiárias de enfermagem aqui depois que escurece para impressioná-las."

"É difícil se tornar enfermeira neste hospital?", não resisti em perguntar.

"Você se formou? Parece que sim."

Contei a ele, resumidamente, que tinha conseguido meu diploma do ensino secundário e que queria fazer alguma outra coisa.

"Entendo." Ele esfregou o queixo, me avaliando novamente. "Não há um sistema muito padronizado, nada parecido com o que temos na Grã-Bretanha. Aqui depende do hospital. O Hospital Distrital de Batu Gajah treina garotas locais para preencher as vagas. Palestras sobre enfermagem são dadas pela equipe mais experiente e alguns médicos, e há um exame do governo."

"Ainda há vagas para estagiários?" A nota esperançosa em minha voz me envergonhou, mas ele parecia satisfeito com meu interesse.

"Você precisaria checar com o pessoal do hospital. Se não for possível este ano, sempre existe o próximo processo seletivo."

"E as mensalidades?" Não me sobrava dinheiro depois dos pagamentos da dívida da minha mãe e, enquanto meu padrasto se recusasse a me ajudar financeiramente, as portas estavam fechadas.

"Acredito que tenham bolsas de estudo. Você precisaria de uma recomendação pessoal, é claro."

Havia algo em seus olhos, uma espécie de solidão voraz que reconheci de todas aquelas longas tardes dançando com estranhos.

"Aqui está o meu cartão." Ele me entregou um retângulo de papel com bordas pontiagudas. "Entregue ao diretor clínico e diga que você está interessada em enfermagem. Ou você pode preencher um formulário, e eu o entrego para a supervisora."

No cartão estava escrito: *William Acton, cirurgião geral*, seguido por uma série de letras que não significavam nada para mim, mas, aparentemente, eram suficientes para exercer influência com as autoridades do hospital.

Talvez eu o tenha julgado mal. Eu não deveria ser tão desconfiada; esse comportamento fechava portas e afastava pessoas. Em meu último ano na escola, minha antiga professora, angustiada por eu não continuar os estudos para conseguir o diploma do colegial, se ofereceu para ir à minha casa para convencer meus pais. Apenas algumas garotas fariam a prova, talvez quatro ou cinco em todo o país, e ela estava certa de que eu poderia ser uma delas. Recusei. Não suportaria trazê-la para a casa do meu padrasto para testemunhar sua recusa e minha humilhação. Mas talvez eu devesse ter batalhado mais.

Então, desta vez, eu disse "obrigada" com genuína gratidão. Enfiando o cartão no bolso, senti o nome gravado deslizar sob a ponta dos meus dedos.

Talvez minha sorte tenha mudado. Ouvi pessoas dizerem que a sorte — boa e má — vinha em fases, como a história de José na Bíblia. Minha mãe me mandou para uma escola fundada por pregadores metodistas, e o canto silencioso, o levantar e o sentar, e a abertura dos hinários foram um consolo para mim, mesmo quando eu pensava em coisas terríveis e malignas, como envenenar meu padrasto.

Mas o vendedor, Chan Yew Cheung, também havia falado sobre sorte. Na verdade, ele tinha dito que estava prestes a ter muita sorte, apesar de ter acabado morto numa vala.

...

Houve um no corredor, e Shin, carregando mais uma caixa de arquivos, entrou. Ele parou de repente, surpreso.

"Bem, vou indo", disse o cirurgião, de repente.

Shin entrou com cuidado na sala. Olhou para William Acton, depois para meu rosto corado e animado.

"Precisa de alguma coisa, senhor?", perguntou Shin.

"Você é um dos assistentes hospitalares. Estudante de medicina, certo?"

"Sim, senhor."

Eles pareciam dois cachorros se medindo, mas não dei muita atenção. Uma porta para uma carreira que eu pensava estar fechada tinha se aberto, e talvez eu pudesse me espremer para entrar.

"Diga a Rawlings que estive aqui", e, com um breve meneio de cabeça, o médico foi embora.

Shin ficou na porta observando o médico por um momento.

"Você está bem?", perguntou ele.

Claro que e estava. Um ano atrás, eu teria ficado mais tímida, mas trabalhar no May Flower havia feito com que me habituasse a estranhos. E ele não tinha tentado nada. Não como os vários *buayas* cujas mãos-bobas eu afastava com tapas. Mas se, como Rose ou Pearl, eu tivesse um filho faminto esperando por mim em casa, não poderia ter me dado o luxo de recusar. Às vezes eu me perguntava se a decisão da minha mãe de se casar de novo era culpa minha. Será que ela, ao olhar para as minhas roupas pequenas demais e para o saco de arroz vazio no canto, decidira que o casamento era sua melhor opção? Mas, não, ela também tinha gostado do meu padrasto. Havia algo nele que a atraíra, eu não podia negar.

"Vamos fazer uma pausa para o almoço", disse Shin. "O refeitório ainda está aberto."

Ele trancou a sala, e atravessamos o gramado para o outro prédio. A terra vermelha se desfazia em torrões quentes e grossos, e grandes formigas pretas, do tamanho da articulação superior do meu dedo, espalhavam-se freneticamente sob os pés. Shin estava muito quieto; seu bom humor parecia ter evaporado.

"Ele disse que há pelo menos uma dúzia de dedos na coleção da patologia", disse eu, satisfeita por ter algo para contar. "Precisamos cruzar os registros para ver se algum está faltando."

Foi um alívio chegar à passagem coberta, longe do brilho ardente. Um enfermeiro de uniforme branco, empurrando um idoso em uma cadeira de rodas, cumprimentou Shin com um sinal positivo quando passaram um pelo outro.

Shin assentiu, taciturno. "Foi só sobre isso que vocês conversaram?"

"Por quê?"

"Há rumores sobre esse médico."

"O que há de errado com ele?"

"Ele é um bom cirurgião, muito competente. Mas dizem que gosta de garotas locais."

"Isso não é surpresa — todos eles são assim."

Ele me lançou um rápido olhar. "Você mudou."

Claro que mudei. Coisas como casos amorosos, solicitações e amantes já não me chocavam; aprendi mais sobre isso em uma semana com as outras garotas do May Flower do que em todos os meus dias na escola, mesmo que Hui tivesse dito que eu ainda era irremediavelmente ingênua.

"E como você sabe coisas sobre ele?", perguntei.

"Meu colega de quarto me contou."

O cartão que William Acton tinha me dado estava no meu bolso, como um bilhete de trem para um destino há muito esperado. Eu queria contar a Shin sobre a possibilidade de fazer o treinamento para ser enfermeira, mas ele não parecia exatamente encorajador. Não éramos mais iguais, pensei ressentida. Eu não tinha uma bolsa de estudos em uma faculdade de medicina nem o luxo de escolher trabalhos de verão.

No refeitório, eu queria experimentar a exótica comida ocidental — sanduíches de sardinha, coxas de frango desossadas e sopa *mulligatawny*, de origem indiana, mas popular na Inglaterra — listada na lousa. Shin disse, condescendente: "Você precisa ver o refeitório da nossa faculdade. As opções são muito melhores". Então ele parou, lembrando-se, imaginei, do quanto eu queria ir para a universidade. Estampei um sorriso no rosto para esconder minha irritação.

Já eram duas da tarde, e as mesas estavam praticamente desertas. Quando estávamos quase terminando, o assistente que passara empurrando o idoso na cadeira de rodas se juntou a nós. Ele tinha um rosto rechonchudo, como um leitão alegre. Gotas de suor tremulavam em seu lábio superior.

"Por que você está aqui no seu dia de folga?", perguntou a Shin, fazendo barulho ao colocar uma tigela fumegante de macarrão com almôndegas de peixe na mesa. "*Uau!* Você até trouxe sua namorada. Que tipo de encontro barato é esse?"

Não consegui conter o sorriso; seus olhos pequenos eram muito engraçados. "Sou a irmã dele. Shin está me fazendo trabalhar para ele hoje."

"Eu não sabia que você tinha uma irmã tão bonita. Por que não nos apresentou antes? Sou Koh Beng e estou solteiro." Demos um aperto de mão sobre a mesa. Sua palma, como eu temia, estava suada. "Que tipo de trabalho vocês estão fazendo?"

"Limpando o depósito de patologias", respondeu Shin.

"Ninguém queria esse trabalho. Vocês não acham órgãos em conserva assustadores?"

"Organizar os arquivos pode ser pior", comentei.

"Vocês viram a cabeça preservada? Dizem que se você aguentar ficar até a meia-noite, ela fala."

Olhei para Koh Beng de um jeito cético, e ele piscou. "Há outras coisas estranhas trancadas naquela sala: um *pelesit* de um feiticeiro que parece um gafanhoto num frasco de vidro e precisa ser alimentado com sangue todos os meses, e um dedo de um homem-tigre — um dos *harimau jadian* que pode vestir uma pele humana e andar à luz do dia." Virando para Shin, ele perguntou: "E se eu ajudar sua irmã a fazer a limpeza?".

Shin parecia exasperado. Apressei-me em dizer: "Estamos quase terminando", embora não fosse verdade. "A que horas sai o último trem para Ipoh?"

"Vou levá-la de volta", disse o irreprimível Koh Beng. "Estou indo para lá esta noite. E, a propósito, sou solteiro."

"Você já disse isso."

"Só para deixar claro." Koh Beng podia parecer um leitão, mas eu o achei divertido. Além do mais, ele com certeza sabia disso.

"Eu mesmo vou levá-la para casa", disse Shin friamente. "Ou você pode ficar por aqui se quiser. Uma amiga disse que você poderia ficar na casa dela hoje à noite."

"Quem é essa amiga?", perguntou Koh Beng, tirando as palavras da minha boca.

"Uma enfermeira."

"Seu irmão está aqui há apenas uma semana, mas já causou alvoroço entre as enfermeiras."

"Não estou surpresa." Ainda sorrindo, fiquei vagamente irritada. Mas era verdade, não havia nada de surpreendente em relação a Shin arrumar mais uma amiga.

• • •

A primeira namorada de Shin, prima de uma das minhas amigas da escola, era dois anos mais velha que nós. Para ser sincera, eu não esperava que ele a escolhesse, apesar de ser uma garota simpática. No entanto, eu gostava dela porque parecia muito madura e equilibrada, embora eu não tivesse percebido que ele a estava namorando até se passar quase um mês.

"Shin está saindo muito, não?", comentei com minha mãe uma noite.

Estávamos sentadas à mesa da cozinha num silêncio amigável. A lamparina a óleo iluminava sua costura e meu livro emprestado da biblioteca. Eu tinha desistido do envenenamento e estava lendo Sherlock Holmes apenas para me entreter. Tudo estava calmo e corriqueiro. Mal dava para acreditar que Shin e meu padrasto tinham trocado golpes aqui, destruindo a velha mesa e depois continuado a briga no pátio dos fundos, ou o que quer que tenha acontecido naquela noite horrível. Mas é assim que as pessoas são, acho. Esquecemos todas as coisas ruins em prol do que é normal, do que parece seguro.

Minha mãe cortou a linha de costura com os dentes. "Provavelmente foi acompanhar Fong Lan até a casa dela." Fong Lan era a filha do carpinteiro que tinha feito a mesa nova da cozinha da minha mãe — a forma de meu padrasto se desculpar com ela depois da briga com Shin.

"Que gentil da parte dele."

Minha mãe me lançou um olhar estranho. "Ele está levando a garota a sério, sabe."

Fiquei surpresa, mas talvez não devesse ter ficado. Com o tempo, Shin ia acabar encontrando uma garota de quem gostasse.

Fong Lan tinha um rosto redondo e as sobrancelhas levemente oblíquas, e adorava Shin. As pessoas ficaram surpresas por ele tê-la escolhido dentre todas as garotas interessadas nele. Houve comentários depreciativos, como "as panturrilhas dela parecem *lo bak*", enormes rabanetes brancos; se Fong Lan ouviu, pareceu não se importar. Isso fazia parte de seu encanto, de sua sinceridade madura. Às vezes ela era tão bondosa que me dava vontade de gritar. No entanto, eu também gostava muito dela. Quando Fong Lan falava comigo com sua voz suave e séria, eu tinha vontade de ter uma irmã mais velha como ela para me confortar. Para me tratar com carinho e me amar.

Uma vez, ao chegar em casa inesperadamente cedo, eu a peguei com Shin. Era uma tarde tranquila e sem movimento, tão parada que pensei que ninguém estivesse em casa. Eu podia assobiar alto, me intrometer em tudo o que meu padrasto não queria que mexêssemos. Restrições estúpidas, como rasgar a página seguinte do calendário diário ou mudar a estação do rádio. Eu poderia fazer todas essas coisas, mas, em vez disso, muito comportada, fui para o andar de cima.

No alto da escada, deixei minha mochila de lado e deslizei em silêncio, de meias, pelo corredor. E então parei ao ouvir um som incomum — um suspiro e um gemido suave. A voz de uma garota, vindo do quarto de Shin. Congelei. Senti um formigamento, como se minha pele estivesse se contraindo, ficando pequena demais para o meu tamanho. E, pela porta aberta, eu os vi.

Os dois estavam no chão do quarto de Shin, aquele espaço onde eu não tinha mais permissão para entrar. Fong Lan estava apoiada na cama. A frente de sua blusa estava aberta, revelando o volume pálido e pesado de seus seios nus conforme ela se inclinava sobre Shin, seu cabelo se dividindo como uma cortina brilhante. A cabeça de Shin estava no colo dela. Uma das mãos de Fong Lan se estendia de modo possessivo no peito dele. O rosto de Shin estava virado, mas eu podia ver o dela. Ela parecia extasiada, como se nunca tivesse visto nada tão bonito como Shin. E ele era lindo. Era óbvio até para mim, naquele momento, o porte magro e despreocupado de seu corpo, o ângulo marcado de seu queixo.

Naquele instante, entendi muita coisa. Sobre Shin e sobre mim. E como havia algumas coisas que nunca poderíamos ter. Durante todos os anos que eu havia morado naquela casa, nunca vi Shin tão relaxado, sem a tensão vigilante que retesava seu corpo como uma mola. Quando o abracei na escuridão atrás do galinheiro, pude sentir a rigidez e a raiva que não sucumbiam. Mas ali, à luz suave e enevoada da tarde, estava um Shin diferente, que eu nunca tinha visto. E me senti terrível e repugnantemente inadequada. Não importava quão próximos fôssemos ou os segredos que compartilhássemos, eu nunca poderia lhe dar essa paz.

Deixei escapar um suspiro abafado. Fong Lan levantou a cabeça, mas eu já tinha ido embora, saí correndo pelo longo corredor. Nas minhas memórias, aquela *shophouse* é sempre um túnel escuro e interminável, tanto o andar de cima quanto o de baixo. Não sabendo o que fazer, fiquei vagando atordoada e só voltei quando tive certeza de que minha mãe e meu padrasto estavam em casa. Shin agiu como se nada tivesse acontecido. Ele não demonstrou nenhuma reação quando cheguei em casa, tão tarde que as lamparinas já estavam acesas, e minha mãe me repreendeu com medo e alívio. Mas Fong Lan conversou comigo alguns dias depois.

"Eu sei que você nos viu no outro dia", disse ela. "Deve ter sido estranho para você."

Sua suavidade e delicadeza eram como uma facada no coração.

Tentei dar de ombros. "Não se preocupe com isso."

Mas ela disse, séria: "Eu realmente amo o Shin, você sabe. Ainda não fizemos aquilo. Não quero prendê-lo se ficar grávida. Mas vou fazer, se ele quiser".

Eu queria sacudi-la. Que tipo de pensamento era esse? Minha mãe tinha me avisado, entalhado isso na minha cabeça. A castidade era uma das poucas moedas de barganha que as mulheres tinham. Por mais bonito que Shin fosse, Fong Lan era uma tola. E, ainda assim, parte de mim não podia deixar de admirá-la. Ela o ama de verdade, pensei.

Hesitante, tentei aconselhá-la, mesmo que fosse dois anos mais velha que eu. Ela escutou pacientemente e depois balançou a cabeça. "Eu sei como as coisas são na sua família", disse Fong Lan. *Então ele realmente contou tudo a ela*, pensei com ressentimento e surpresa. "Mas quero fazer Shin feliz. E se isso significa me entregar a ele, por mim tudo bem."

Era amor ou estupidez? Talvez fosse apenas meu lado mais pragmático, calculando minhas chances de sobrevivência. Eu não me entregaria a um homem, não me tornaria uma de suas posses. Não sem a garantia financeira de um anel de casamento. Mesmo assim, a julgar pela escolha da minha mãe, talvez o preço fosse alto demais.

• • •

Nunca descobri o que aconteceu com Fong Lan, porque, não muito tempo depois, Shin terminou com ela. E, estranhamente, quando tudo acabou, eu a defendi.

"Você deveria ser leal e fiel", falei, seis meses antes de Shin ir para Singapura. Estávamos estudando, sentados à mesa com tampo de mármore redondo. Pelo menos Shin estava. Eu não tinha nada para o que me preparar, nenhuma universidade para ir. "Você não é nem um pouco como o seu nome."

Ele mal tirou os olhos do livro. "Do que você está falando?"

"Por que você terminou com Fong Lan? Ela chorou horrores. Sei que chorou."

"Você está me dizendo para namorá-la de novo?" Ele parecia irritado.

"Ela parece muito mais séria do que qualquer uma com quem você esteja saindo agora", respondi, na defensiva.

"E você? Você acha que ser séria vai fazer Ming mudar de ideia?"

Foi um golpe baixo. Shin apertou os olhos e virou a página. "Fong Lan pediu para você falar comigo?"

"Não."

"Então não se intrometa no que não entende." Suas maçãs do rosto ardiam, como se alguém estivesse pressionando ferro em brasa nelas. "E pare de falar em nomes! Eu fui fiel. O máximo que pude!"

Furioso, ele fechou o livro com força e saiu.

. . .

Depois do almoço no refeitório, voltamos ao depósito e começamos a mexer nos arquivos. Não foi tão ruim quanto eu temia; a maioria era bastante simples. Mas separar as amostras de patologia era uma dor de cabeça porque não havia nenhum tipo de ordem.

A coleção era muito excêntrica; supus que, nesse canto longínquo do Império, quem quer que estivesse no comando do departamento de patologia provavelmente se sentiria Deus. Não encontramos a cabeça preservada nem o gafanhoto bebedor de sangue de que Koh Beng tinha falado, mas havia um rato de duas cabeças cujo rabo nu como um verme flutuava em um líquido âmbar. O antecessor do dr. Rawlings, um tal de dr. Merton, aparentemente prometeu a vários pacientes que poderiam recuperar as partes de seu corpo depois que ele as tivesse estudado. Esses espécimes foram marcados com um pequeno X vermelho no canto dos intrincados registros.

"Quem voltaria para buscar uma vesícula biliar?", perguntei.

"Algumas pessoas querem ser enterradas inteiras", respondeu Shin, sério.

Estremeci, lembrando-me do que o vendedor, Chan Yew Cheung, disse quando dancei com ele — sobre bruxaria, e como um corpo deve ser enterrado em sua forma original para descansar em paz.

"Aqui vamos nós", disse Shin, lendo um registro. "Dedo anelar esquerdo, trabalhador indiano infectado com parasita. Preservado em formaldeído."

Vasculhei as prateleiras dos espécimes. Quase tudo tinha sido desencaixotado, e eu ainda não tinha visto nenhum frasco com dedos amputados.

"Mais um: dedo indicador direito de uma mulher contorcionista com hipermobilidade articular."

"Também não está aqui", anunciei.

Na verdade, apesar de os registros indicarem pelo menos doze dígitos amputados na coleção do hospital, não conseguimos localizar nenhum.

"Como isso é possível?" Eu me debrucei sobre o livro de registros de novo. As pessoas faziam piadas sobre a caligrafia dos médicos, mas nesse caso não era engraçado. Os rabiscos do dr. Merton eram uma fila de formigas dançando conga, as letras apressadas de alguém que não se importava se o que escrevia acabasse nunca sendo transcrito.

"Tem mais alguma coisa faltando além dos dedos?"

"Eu verifiquei. Até agora, não está faltando mais nada." De onde eu estava, empoleirada numa caixa de papelão em meio a um mar de papéis, sacudi o livro de registros triunfantemente na direção ele.

"Você ainda é tão competitiva", reclamou. "Pensei nisso primeiro."

"Não pensou, não." Voltei para o arquivo.

"Aranha. No seu cabelo."

Congelei e fechei os olhos enquanto Shin a removeu. No passado, ele a teria tirado com um gesto rápido, picando minha testa de brincadeira. Agora, estava lidando com isso de modo delicado e impessoal, como um estranho.

"É bem decepcionante que você não grite em situações assim", murmurou ele.

"Por que eu deveria fazer isso?" Abri os olhos.

O rosto de Shin, aquele conjunto familiar composto de nariz e maçãs do rosto, estava tão perto que eu podia estender a mão e tocá-lo. O que tornava alguém bonito? A simetria dos traços, ou as sombras acentuadas de suas sobrancelhas e seus cílios, a curvatura expressiva de sua boca? No centro dos olhos dele, muito mais escuros que os meus, pude ver uma pequena luz, um lampejo. Então eles piscaram, e eu fui caindo, sendo tragada por um túnel. Imagens tremularam. Trilhos de trem submersos. Um bilhete para lugar nenhum. Peixes nadando num espelho. Em algum lugar, uma figura obscura se moveu, a sombra se levantando das profundezas de um rio. O ar ficou espesso, um coágulo nos meus pulmões. Respirei com dificuldade. Tombei para a frente.

"O que você tem?"

Shin me segurou quando caí, meus pensamentos se emaranhavam como algas numa corredeira, escorregadias e se movendo em espiral. Atordoada, consegui me recompor. Deslizei minhas mãos pela extensão de seus ombros, os músculos firmes de um homem, e não de um menino. Meu coração estava acelerado como um cavalo galopando em terreno perigoso. Se eu não tomasse cuidado, daria um tropeço fatal.

Ele me olhou com preocupação, as sobrancelhas escuras franzidas. O que quer que eu tivesse visto em seus olhos — sombras refletidas, um espelho conectado a outro reino — havia desaparecido. Agora era apenas Shin, e, mesmo assim, não o conhecia por completo.

"Você costuma ficar enfeitiçada assim?"

Feitiços. Essa era a palavra certa. Feitiços atordoantes, feitiços mágicos. O movimento erradio de dedo amputado que nos conduziu a um lugar desconhecido. Não consegui falar, só assentir.

As mãos de Shin seguraram meus ombros. A pressão fez com que eu me sentisse melhor. Em seguida, ele afrouxou meu colarinho, abrindo os botões de cima com rapidez e habilidade. Atordoada, me perguntei quantas mulheres Shin tinha despido. Mas ele foi cuidadoso, tocando apenas o tecido do vestido. Teve o cuidado de não encostar em mim.

"Você fez exame de anemia? Muitas garotas da sua idade têm anemia."

Prático como sempre. Inspirei. A luz do sol inundou de novo a sala, e o feitiço, o que quer que fosse, desapareceu.

"Shin, você já sonhou com um garotinho e uma estação de trem?"

"Não." Ele se sentou com um suspiro, ignorando a poeira.

"Bem, eu costumo sonhar. E é muito estranho porque ele fala comigo. Sinto como se já o conhecesse."

"Um garotinho... sou eu?"

Eu o golpeei com um arquivo. "Pare de ser tão egocêntrico."

Ele riu e se esquivou. O arquivo voou da minha mão, e os papéis se espalharam por toda parte, folhas finas e soltas cobertas com uma caligrafia difícil de ser decifrada. Era a letra do dr. Merton — listas e mais listas de coisas misturadas com suprimentos que ele havia pedido. Formaldeído, álcool para tinturas, bisturis. Fixadores para lâminas de vidro. E então eu vi: *Dedo doado por paciente europeu. Preservação a seco em sal.*

Balancei o papel diante do nariz de Shin. "É isso — o único dedo que não está preservado em fluido!"

Ele leu em voz alta enquanto eu olhava por cima de seu ombro. "Ao que parece, foi algo incomum, feito de forma amadora. Alguém, um médico chamado — não consigo ler isso — MacFarlane ou MacGarland, que teve um dedo amputado em uma viagem pela selva. Septicemia após uma picada de animal. Espero que ele não tenha feito isso sozinho."

"Não, aqui diz W. Acton. William Acton — o cirurgião que esteve aqui. Ele me disse que tinha doado o dedo de um amigo." A coincidência me perturbou, como um mar de ressaca sombrio.

"Isso é que é amigo", disse Shin secamente.

Eu o ignorei. "Foi envolto em sal, que provavelmente era tudo o que tinham no momento. O que será que estavam fazendo?"

Descobrir um registro real do dedo era um alívio, disse a mim mesma. Ele tinha sido removido por um médico de fato e por razões médicas. O resto, a obsessão do vendedor pela sorte, era apenas superstição.

"E aqui está." Shin tirou o agora familiar frasco de vidro do bolso e o colocou ao lado dos outros espécimes que já havíamos verificado.

"Coloque-o atrás, na prateleira de cima", falei, arrepiada.

O sol baixou mais, a luz estava tão dourada que era quase possível abocanhá-la, como um bolo amanteigado em camadas, *kuih lapis*, que um primo da Batávia, nas Índias Orientais Holandesas, trouxe para a nossa casa certa vez. Cada fatia úmida tinha o aroma de todas as especiarias das Índias Orientais. O depósito estava quase arrumado, as prateleiras de madeira limpas e repletas de espécimes enfileirados. Todos os arquivos foram colocados em caixas e reetiquetados. Olhando para a lista de espécimes marcados com um "X", experimentei uma sensação radiante de êxito.

"Você acha que o dr. Rawlings vai pagar mais por um trabalho tão bom?", perguntei a Shin.

Ele estava lendo outro arquivo com o cenho franzido. "Duvido. Ele concordou com as horas extras referentes a um dia. Isso inclui você, a propósito."

"Nós vamos dividir, então?"

"Sim." Shin disse de repente: "Você está precisando de dinheiro?".

"Quero comprar uma coisa." Mudando de assunto, eu perguntei: "O que você está fazendo com o seu dinheiro?".

Ele me olhou por cima do ombro. Um olhar soturno, do tipo não-me-faça perguntas. "Economizando."

Não foi a primeira vez que me perguntei por que Shin estava trabalhando tanto. Ele tinha uma bolsa de estudos, e meu padrasto também lhe dava uma mesada generosa para pagar as contas e comprar comida. Fosse qual fosse a trégua que os dois estabeleceram depois daquela noite terrível em que o braço de Shin foi quebrado, virou um acordo do qual eu não estava a par. Meu padrasto era um homem rígido, mas manteve sua palavra.

No entanto, Shin continuou trabalhando durante o semestre universitário. Sua esparsa correspondência mencionava um emprego de meio período e, no último verão e no Natal, o trabalho o impedira de voltar para casa. O que ele estava fazendo com todo esse dinheiro? No May Flower, os clientes podiam abrir uma conta facilmente. Não apenas para a dança, claro. Pedir drinques ou solicitar garotas em particular, o que significava pagar jantares e sabe-se lá o que mais, poderia sair do controle. Eu já tinha visto isso acontecer e esperava que Shin não estivesse fazendo o mesmo por uma garota em Singapura. Será que eu deveria falar alguma coisa para ele?

Não, não era da minha conta.

A Noite do Tigre
Yangsze Choo

17

Batu Gajah
SÁBADO, 13 DE JUNHO

Depois de sair do hospital, William levou Ren para um café no centro, onde os estrangeiros gostam de se reunir. Ren, hesitando diante das opções, sussurra que gostaria de um sanduíche de presunto, por favor. Presunto é uma iguaria ocidental, trazida em latas da Cold Storage, mas William parece achar comum.

Ren leva seu sanduíche para fora, onde Harun, o motorista, está esperando pacientemente perto do carro, um Austin que William comprou de seu antecessor, o dr. Merton. O mesmo médico que lhe repassara a locação do bangalô branco, além de Ah Long e Harun. O motorista se orgulha do capô reluzente, das curvas suaves do chassi. O carro não é grande, mas ideal para um solteiro como William, que o dirige nos fins de semana.

"O outro médico nunca dirigiu", disse Harun, explicando que os europeus vêm e vão. Alguns vão embora depois de dois anos, enquanto outros se comprometem com o trabalho, tão acostumados com o exuberante estilo de vida tropical e com a mordomia dos criados, que não conseguem mais voltar à Inglaterra.

Ah Long tinha contado a Ren que o dr. Merton não era médico de verdade. Ele passava seu tempo dissecando órgãos adoecidos e cortando cadáveres: Ah Long não aprovava nenhuma das duas atividades. Todas as partes do corpo devem descansar juntas, murmurou. Não se pode espalhá-las aqui e ali. Isso só levava a problemas, como os fantasmas famintos cujos restos foram espalhados entre estranhos. Os ossos devem ser reivindicados por algum filho, e não deixados naquela sala terrível do hospital, repleta de partes de corpos em frascos, todas coletadas pelo dr. Merton.

Esse lugar deve ser o depósito de patologias, Ren pensa com urgência. O mesmo que fez seus invisíveis bigodes de gato se contraírem. Ele tem certeza de que o dedo está lá. Mas quem era o vulto na porta esta manhã? Talvez fosse o dr. Rawlings, o patologista que substituiu o dr. Merton.

O dr. Rawlings tinha família, por isso não ficou no alojamento de solteiro do dr. Merton. Em vez disso, pediu um bangalô maior para a esposa e os filhos. Mas eles não ficaram. Um ano — um ano de monções, calor cáustico e escorpiões encontrados nos sapatos — foi o suficiente para eles, e a família voltou para a Inglaterra. Ah Long disse que muitos dos estrangeiros ali eram um pouco peculiares. Do contrário, por que viveriam exilados desse jeito, com suas famílias a meio mundo de distância?, comentou ele, taciturno.

"Até as mulheres?", perguntou Ren.

"Claro!", disse Ah Long com um suspiro. "Como aquela filha dos Thomson. Lydia, como eles a chamam. Houve um grande escândalo envolvendo seu nome na Inglaterra." Que escândalo, exatamente, Ah Long não disse. Agora, Ren pensa na srta. Lydia ajudando no hospital mais cedo, e se pergunta do que ela fugiu.

• • •

Ren assiste a um grupo de meninos jogando *sepak takraw*[1] com uma bola de ratã trançado. A bola voa para fora, quase batendo no carro. Ren a agarra a tempo. Os garotos vêm correndo, olhando com culpa para o carro reluzente e para o uniforme branco de criado que Ren está usando.

"Aqui está." Ele joga a bola de volta. Eles são mais novos que Ren, têm cerca de oito ou nove anos, a mesma idade que Yi tinha quando morreu. Um deles lhe oferece uma bala de hortelã, tirada das profundezas de seu bolso. Ela está coberta de fiapos, mas Ren a aceita com cerimônia.

"Você trabalha para o *gwai lo*[2]?", pergunta o menino em cantonês.

"Meu mestre é um médico." Ren esfrega a bala de hortelã discretamente na manga antes de colocá-la na boca. Tem um gosto frio e peludo.

[1] Tipo de esporte do Sudeste Asiático, similar ao futevôlei. É jogado com uma bola de ratã, e as equipes são compostas por três jogadores. [N. T.]
[2] "Homem fantasma"; gíria em cantonês para ocidentais ou estrangeiros, especialmente os de ascendência europeia, de pele branca. [N. T.]

"Você trabalha no hospital?" Ren balança a cabeça, mas o menino continua. "Você viu o fantasma lá?"

"Muitas pessoas morreram naquele hospital", diz outro menino.

"Eu nunca vi um fantasma." Exceto Yi, pensa Ren, mas apenas em sonhos, por isso não conta.

"Você ouviu falar de uma mulher que foi morta por um tigre na semana passada?"

"Mas isso não foi no hospital", diz o outro menino. "Foi em uma propriedade seringueira."

"Foi um tigre fantasma, um branco, sabe?"

"Não, foi um homem-tigre — ele se transforma em um velho."

O estômago de Ren se contrai, alarmado; esse relato de um velho que se transforma em tigre é seu maior medo se tornando realidade. "Quem disse que ele se transforma em um velho?"

O menor dos meninos diz: "Alguém viu um velho andando na propriedade seringueira no escuro. Mas, quando foram olhar, havia apenas pegadas de tigre".

Ren não consegue deixar de perguntar: "Faltava um dedo nele?".

Os meninos olham uns para os outros. Ren pode ver as cabeças trabalhando ativamente, sem dúvida adicionando esse detalhe à história.

Ren é acometido por uma lembrança involuntária. As sombras tortas de uma plantação ao anoitecer, a figura de um velho, vestido de branco. Está longe demais para ver o rosto, mas ele caminha com aquele familiar jeito rígido. A escuridão se aprofunda, as árvores se estreitam como vultos silenciosos, a única luz é a brancura das roupas do velho. Ren corre atrás de seu mestre, o dr. MacFarlane, chamando-o de volta para a casa. Ele está tendo um de seus ataques, nos quais treme de frio, transpira febrilmente e não parece lúcido.

Está tão escuro que Ren mal consegue enxergar os próprios pés. Ele sente o pânico familiar e sufocante, o medo de que o velho médico caia ou se perca ou, com um rosnado, lhe mostre um rosto irreconhecível, e então Ren fique sozinho novamente no escuro.

Ren estremece apesar do sol escaldante. Os meninos estão apenas repetindo uma história local, diz a si mesmo. Ainda assim, quanto tempo se passou desde que o dr. MacFarlane morreu? Ele faz as contas, ansioso. Agora faltam apenas quinze dias. Ele precisa recuperar o dedo esta noite. E depois vai enterrá-lo no túmulo do dr. MacFarlane e acertar as coisas.

Os meninos se afastam. Depois de comprar os itens na lista de Ah Long, Ren e Harun esperam à sombra. Para passar o tempo, Ren aprende a enrolar cigarros, embora o papel fino requeira destreza e o tabaco acabe caindo. Harun é paciente e não reclama quando Ren faz cigarros feios e grossos como cenouras, enrolando e desenrolando o mesmo pedaço de papel para não desperdiçá-lo.

"Mas você não deve fumar", diz Harun, pegando o cigarro. "Quantos anos você tem mesmo?"

Ren engole em seco. "Treze."

Harun o observa com atenção. "Comecei a trabalhar quando tinha doze anos. Éramos nove filhos na nossa família, e eu era o mais velho. Não é fácil."

Ren mantém a cabeça baixa. Primeiro ele precisa terminar sua tarefa. "Você acha que o tigre matou a mulher na propriedade seringueira?"

Harun esfrega o queixo. "Não importa o que o juiz diga, é estranho. Os tigres começam a devorar homens quando estão velhos ou doentes e não podem caçar, mas quem já ouviu falar de um tigre que parou no meio do caminho e não comeu sua presa? Devia haver algo errado com o corpo."

"Você acha que um homem pode se transformar em tigre?" É a mesma pergunta que Ren fizera a Ah Long e a William.

Harun dá uma longa tragada no cigarro. A ponta brilha um vermelho vivo. "Minha avó me contou sobre uma aldeia de tigres, perto de Gunung Ledang, em Malaca. As colunas das casas eram feitas de *jelatang*, ou urtiga, as paredes eram feitas de pele de homens, as vigas, de ossos, e os telhados, cobertos com cabelo humano. É onde os homens-tigre vivem, os *harimau jadian*, que são capazes de mudar de forma. Algumas pessoas dizem que são bestas possuídas pelas almas das pessoas mortas."

Ren não gosta dessa história. É bem parecida com as divagações do dr. MacFarlane nos últimos dias, quando o velho acordava dos ataques tecendo relatos fragmentados de onde estivera e o que fizera.

"Fui longe dessa vez", disse ele para Ren um dia, seus olhos pálidos vagando. "Matei uma anta a dez quilômetros de distância."

"Sim", respondeu Ren suavemente. "Sim, eu sei."

"Estou com medo", murmurou ele, apertando a pequena mão quadrada de Ren. "Um dia desses, não voltarei ao meu corpo."

Ren não gosta de se lembrar do dr. MacFarlane assim, com os olhos embaçados e trêmulos, o couro cabeludo rosado visível em meio aos fios grisalhos. Ele quer se lembrar dele embalando um bebê doente, desmontando um rádio para explicar como as pilhas funcionam. Era febre de malária, apenas isso. Logo o dr. MacFarlane se recuperou, tomou grandes doses de quinino, e tudo voltou ao normal. Porém, dois dias depois, um caçador local apareceu por lá para exibir as orelhas cheias de tufos e a cauda de uma anta. Ele disse ter encontrado o animal a dez quilômetros de distância, parcialmente comido, e que fora predado por um tigre. Ren se enrijeceu com a notícia, olhando para o dr. MacFarlane, que escrevia silenciosamente em seu caderno.

"É mesmo?", exclamou o velho, com os olhos plácidos e semiencobertos. Mas Ren, lembrando-se dos comentários do mestre, ficou pensativo.

Agora, Ren observa Harun com uma expressão preocupada. "Isso é uma história real?", pergunta ele. "Sobre os tigres com almas humanas?"

Harun exala; um fio de fumaça sai de seu nariz. "Minha avó nunca dizia se era verdade ou não. Ela usava isso para nos assustar e nos fazer ir para a cama." Ele apaga o cigarro. "Acho que, daqui, o *Tuan* vai jantar no clube. Se quiser ir para casa, dou uma carona. Melhor não andar por aí até que termine a caçada."

"Vão caçar o tigre?"

"Hoje à noite. Tem uma cabra amarrada no seringal e um caçador local, Pak Ibrahim, ficará à espera dele com *Tuan* Price e *Tuan* Reynolds. Os outros vão ficar até tarde no clube, aguardando notícias."

Avistando a figura esguia de William, os dois se aprumam. Ele está absorto em uma conversa com outro estrangeiro, um homem de bigode escovinha. Discretamente, Ren ouve a conversa sobre tigres.

"Parece que Rawlings estava cismado com a investigação. Queria registrar o caso como morte suspeita", diz o homem.

"Sim, eu soube", diz William. "O juiz desconsiderou."

"O que mais poderia ter sido senão um tigre? Farrell não tem paciência para histórias de pescador."

Ren sente um aperto no coração. No fim, decidiram que era um tigre.

Harun abre a porta do carro enquanto William espreme as pernas no banco de trás do Austin e, exatamente como Harun previu, lhe pede para ir até o Clube Kinta, no topo da colina em Changkat.

"Harun pode levar você de volta depois que me deixar no clube", diz William para Ren, depois de pensar um instante. "Ou você quer ficar para saber se vão pegar um tigre hoje à noite?"

Ren explica que esqueceu alguma coisa no hospital, mas sim, gostaria de esperar. No espelho, vê William e Harun trocando um olhar satisfeito. É o olhar indulgente que os adultos dão diante os caprichos das crianças, e faz com que Ren sinta um calor de vergonha, embora diga a si mesmo que tem uma tarefa a cumprir.

• • •

Ren está no Hospital Distrital de Batu Gajah naquela hora estranha, quando o fim da tarde está se tornando noite. O céu além da passagem coberta é de um cor-de-rosa claro, o sol queima baixo entre nuvens espetaculares que flutuam como algodão-doce. Mas Ren não tem tempo para admirá-las; o formigamento efervescente que ele tinha sentido de manhã no hospital ainda está lá, percorrendo-o como uma corrente elétrica. Quem ou o que pode estar lhe enviando um sinal, se não Yi?

Primeiro, ele precisa verificar o depósito de patologias. Perto do anexo, agora listrado com as longas sombras das árvores, ele hesita. A porta que estava entreaberta de manhã está fechada. Ren vira a maçaneta com cuidado, que cede sob sua mão.

No interior há um espaço amplo com pé-direito alto e janelas que se dão para o outro lado do prédio. Pelo comentário casual de William sobre depósitos e caixas de mudança, Ren imaginou um armazém repleto de restos mortais, mas essa sala é muito organizada. Os últimos raios de sol se inclinam ali dentro, embora haja uma penumbra crescente nos cantos, como se pequenas criaturas invisíveis estivessem se juntando nas sombras.

Ignorando o zumbido fraco em seus ouvidos, Ren dá mais alguns passos para dentro. É a sala que ele imaginou, quando a tarefa de encontrar o dedo perdido do dr. MacFarlane ficou sob sua responsabilidade. Essa mesma sala, com várias fileiras de espécimes em todos os tipos concebíveis de recipientes de vidro. Perto das janelas altas há uma caixa vazia e uma pequena escada de armar, como se alguém tivesse acabado de sair. A impressão é tão forte que Ren quase consegue ver uma figura esbelta abrindo a última caixa. Não, a forma como a pequena escada está posicionada o faz pensar que foi usada para colocar algo no alto de uma prateleira.

O dedo com certeza está aqui; ele só precisa fechar os olhos para sentir o arrepio. No alto daquela prateleira. Ele empurra a escadinha para mais perto e sobe. Seus olhos percorrem os recipientes maiores com seus conteúdos medonhos e flutuantes, depois um pote com um rato de duas cabeças. É difícil usar seu senso felino agora, a estática está muito forte. Ele nunca imaginou que haveria tantos espécimes. Mesmo arriscando-se na ponta dos pés, seus olhos mal alcançam a prateleira que Ren quer.

Ele mexe em alguns dos frascos, olhando atrás deles. A luz está se esvaindo rápido agora, lavanda e cinza. Ren sente que não está sozinho. "Yi", ele chama em voz alta. O som de sua voz paira no ar, e há uma suspense silencioso, como se grãos finos e pálidos de silêncio estivessem escorrendo por uma ampulheta gigante.

Lutando contra a ansiedade, Ren desloca pacientemente os frascos de vidro para espiar atrás deles. Eles tilintam de leve; está nesta prateleira, ou talvez na próxima. Ele não sabe dizer. Sua mão desliza e vasculha o entorno. Seus bigodes de gato se contraem de esperança. Recolhendo o punho fechado, Ren o abre e encontra um frasco de vidro. Dentro dele há um dedo, tão seco que adquiriu uma cor escura como um galho.

O coração de Ren está batendo com uma mistura de alívio e horror; ele desce e analisa sua recompensa. É quase exatamente como o dr. MacFarlane o tinha descrito. "Preservado em sal", dissera ele. "Provavelmente será o único dessa maneira — os outros espécimes devem estar em álcool ou formaldeído."

Ren enfia o frasco no bolso. É a primeira vez que rouba algo, e ele murmura um pedido de desculpas, embora não saiba se é para Deus, para Yi, ou para o dr. MacFarlane, por ter demorado tanto para encontrar o dedo.

As sombras estão mais escuras agora, pesadas como se um véu tivesse baixado sobre a sala. O dedo roubado é um fardo pesado em seu bolso. Ren está ali há mais tempo do que deveria. Furtivamente, ele sai e fecha a porta, sente a pele formigar, os cabelos curtos arrepiados na nuca. Uma vez fora do depósito, Ren caminha, depois aperta o passo e, por fim, como ninguém o detém, começa a correr por toda a passagem coberta e pelos corredores extensos, como se estivesse fugindo para salvar a própria vida.

A Noite do Tigre
Yangsze Choo

18
Hospital Distrital de Batu Gajah
SÁBADO, 13 DE JUNHO

"Então, de todos os espécimes naquela sala, só os dedos estão faltando", falei.

Depois de devolver o balde e os panos de limpeza para o armário do zelador, Shin e eu pegamos um atalho entre algumas árvores *angsana*, cujas pétalas douradas caíam.

Shin franziu a testa. "Quantos dedos estavam na lista original?"

"Catorze."

Eu não queria falar que era um número ruim. Shin não tinha paciência para coisas assim, mas pude ver pela breve contração de sua mandíbula que, claro, ele havia registrado o fato. Para os falantes de cantonês, treze era um bom número. *Sup sam* tinha som semelhante ao das palavras *sut sang*, que significavam "sempre sobrevive". Catorze, por outro lado, era terrível porque soava como "morte certa".

"Preciso informar o dr. Rawlings", disse Shin. "É estranho estarem faltando tantos dedos."

Um assistente hospitalar vestindo uniforme branco surgiu de um prédio distante, carregando um conjunto de marmitas sobrepostas. Virando, ele protegeu o rosto contra o sol baixo. Algo familiar em seu jeito de andar e na figura angulosa fez minha garganta se contrair. A figura branca foi se aproximando cada vez mais. Quando estava a cerca de dez metros de distância, levantou a mão que protegia seu rosto para olhar para nós. Meu coração ficou apertado quando reconheci o homem de queixo caído que tinha estado no salão de dança na noite anterior: o sr. Y. K. Wong em pessoa.

Talvez ele de fato fosse um demônio, duplicando-se para poder me seguir aonde quer que eu fosse. Mas não; era só coincidência, um golpe de azar. Além disso, ele não parecia ter me reconhecido, os olhos apertados contra o sol poente.

"Shin!", engoli o pânico. "Quem é aquele?"

Ele olhou por cima do ombro. "É meu colega de quarto, Wong Yun Kiong, de quem lhe falei. Nós o chamamos de Y. K."

"Pensei que Koh Beng fosse seu colega de quarto." O gordinho alegre.

"Não, Koh Beng é só um amigo."

Estávamos ao ar livre, na grama sob as árvores gigantes, e não tínhamos onde nos esconder. Se eu saísse correndo, ele certamente me reconheceria. Ou talvez já tivesse me reconhecido.

"Por favor, não deixe que ele me veja!"

"Por quê?"

"Explico mais tarde. Por favor!" Apertando os olhos com força, enterrei o rosto no peito de Shin. Foi a única coisa em que consegui pensar. Por um instante, ele endureceu. Então seus braços deslizaram com relutância e me envolveram. Um hálito quente no meu pescoço, o calor de sua pele. Isso me deu uma sensação estranha, uma vertigem que atribuí à ansiedade. Eu já havia dançado com dezenas de estranhos; a proximidade não deveria me deixar nem um pouco desconcertada.

Os passos, triturando folhas secas, ficaram mais próximos. Então ouvi uma voz que reconheci de imediato, embora só a tivesse ouvido uma vez.

"Ei, Lee Shin! Você trouxe sua namorada aqui?"

Eu me agarrei a Shin, sentindo sua camisa deslizar entre meus dedos.

"Estou de folga", Shin respondeu. "Ah, faça-me o favor, não está vendo que estou ocupado?"

O ruído dos passos foi se aproximando. O peito de Shin era mais largo do que eu me lembrava, mais difícil de envolver com meus braços. O coração dele batia acelerado, ou será que era o meu?

A voz de Y. K. Wong de novo. "Vou deixar você em paz se me apresentar sua namorada."

"Ela é muito tímida, e você a está deixando constrangida... Vá embora!"

Uma risada, depois os passos foram recuando. "Não se esqueça de me apresentar!"

Congelei, contando os segundos. Quando cheguei a dez, levantei a cabeça para ver se ele realmente tinha ido embora, mas Shin me segurou por precaução. "Ainda não!", murmurou. E depois: "É melhor você ter uma boa explicação para isso".

O calor da mão de Shin na base das minhas costas se infiltrou febrilmente em minha espinha. Soltando-me de forma abrupta, ele disse: "O que foi isso?".

Com o rosto vermelho, relatei vagamente como Y. K. Wong veio procurar o dedo. A mandíbula de Shin se comprimiu. "Como você de fato conheceu todos esses homens? Primeiro, aquele vendedor com o dedo, e, agora, meu colega de quarto. Se você não me contar, eu mesmo vou perguntar a ele."

Tive que inventar algo melhor. "Fui a um salão de dança com umas amigas", respondi, por fim. "Foi assim que conheci os dois — o vendedor e seu colega de quarto."

"Por que você está indo a lugares assim? Tudo bem para os homens, mas não para você, especialmente porquê..."

"Porque o quê?", perguntei. "Porque sou uma garota? Então você correr atrás de mulheres por toda a cidade, mas eu devo ficar em casa esperando para me casar?"

Era mais fácil comprar uma briga do que admitir a desonrosa verdade: o emprego mais bem remunerado que eu poderia conseguir nesse momento incluía sorrir e deixar estranhos colocarem as mãos em mim. Eu estava furiosa com a superioridade de Shin, me dizendo o que fazer, e, ao mesmo tempo, sentia vergonha das minhas escolhas estúpidas e limitadas. Se eu já temia que Shin ficasse sabendo, quão desastroso seria se meu padrasto viesse a descobrir? E o curso de enfermagem para enfermeiras com o qual eu estava tão empolgada antes? Recomendações de caráter moral eram importantes, em especial para mulheres solteiras; eu não tinha pensado no depois quando segui Hui às cegas para o May Flower.

Uma pausa. "Alguém pediu você em casamento?"

"Não, ninguém", respondi amargamente. O nome de Ming pairou no ar entre nós, implícito, mas tão evidente que quase esperei que soasse como um sino.

Shin disse friamente: "Bem, não se case sem me consultar".

"Por quê?"

Ele parecia irritado. "Porque você provavelmente tomaria uma decisão idiota."

"O que faz você pensar que sou idiota? Eu disse não ao primo do penhorista!"

Quis chutar a mim mesma assim que as palavras saíram da minha boca. Tinha sido um interlúdio embaraçoso que Shin desconhecia. Depois que ele foi para a faculdade de medicina, recebi uma proposta. Ao ouvir que eu não ia mais estudar, o penhorista local se aproximou do meu padrasto em nome de seu primo. Eu disse não e, surpreendentemente, meu padrasto não insistiu no assunto.

"O penhorista... você quer dizer o amigo do meu pai? Aquele pervertido", Shin falou baixinho, mas seu rosto ficou pálido.

"Não ele, o primo dele", titubeei.

Shin não se parecia com meu padrasto — pelo menos, não muito. Todos diziam que ele era parecido com a mãe, falecida havia muito tempo. Mas quando seu rosto empalidecia, ficava exatamente como meu padrasto quando lívido de raiva.

Eu odiava ver aquela expressão no rosto dele. Isso me fazia querer ficar em posição fetal, cobrir meus olhos, fugir. No fundo, no âmago mais escuro e covarde do meu coração, temia um dia descobrir que Shin, numa reviravolta monstruosa e apavorante, havia se transformado em seu pai.

"Não me olhe assim", disse ele, com amargura. "Não vou fazer nada. Nunca fiz."

Ele se distanciou. Eu conhecia aqueles ombros quadrados, aquela cabeça baixa, e fui tomada por um sentimento insuportável de pena e tristeza.

Depois de um tempo, eu o alcancei e puxei sua mão. "Vamos fazer as pazes?"

Ele assentiu. Estava ficando escuro, os prédios desapareciam no vazio cinzento. Caminhamos em silêncio por um tempo, de mãos dadas como se fôssemos crianças de novo. Como João e Maria perdidos na floresta, pensei vagamente. Meu rosto estava entorpecido e cada vez mais quente. Se estávamos seguindo um rastro de migalhas de pão ou indo para a toca de uma bruxa, eu não fazia ideia.

Por fim, eu disse: "É melhor eu ir para a estação".

"Tarde demais", disse ele. "O trem da noite já partiu."

"O que devo fazer então?", afundei na grama áspera, cansada demais para me importar em sujar o vestido. De qualquer forma, não havia ninguém ali, apesar de as luzes elétricas do hospital terem piscado.

"Fique por aqui. Falei para você que arranjava tudo. Não se preocupe com Y. K. — ele não vai estar hoje à noite, foi visitar os pais."

Minha cabeça pendeu. Estava pesada, como se um anão invisível estivesse em cima dela e a pisoteasse, triunfante. Shin verificou a minha testa. "Você está com febre! Por que não falou nada?"

• • •

A amiga enfermeira de Shin estava ausente, mas ele conseguiu uma cama vaga para parentes visitantes no alojamento dos funcionários. Quando estava assinando o registro, Koh Beng chegou.

"Não vai voltar a Ipoh esta noite?" Ele usava uma camisa limpa e calça de algodão com um pente enfiado no bolso de trás, o cabelo úmido todo penteado para um lado. Era sábado, afinal, e a noite estava apenas começando.

"Minha irmã está cansada", disse Shin.

Koh Beng me lançou um olhar malicioso. "Y. K. me disse que ela não é sua irmã de verdade. Seu safado!"

Olhei para Shin. *O que vamos fazer?*

"É isso mesmo, ela é minha namorada", disse ele friamente.

"Por que você não disse, então?"

"Porque vou registrá-la como parente." Felizmente não havia ninguém na recepção para ouvir isso, embora algumas enfermeiras tivessem passado, vestidas com elegância para sair. Pode ter sido minha imaginação, mas algumas delas me olharam de um jeito hostil.

Koh Beng parecia desapontado. "Bem, Ji Lin, se você se cansar dele, não se esqueça de mim."

Dei um sorriso fraco. Minha cabeça latejava como se agora os anões invisíveis estivessem batendo alegremente com marretas; me perguntei se teria outro sonho estranho. "Vou deitar."

Shin colocou um frasco de aspirina na minha mão. "Se precisar de alguma coisa, me envie uma mensagem."

Meneei a cabeça e segui a governanta para a ala feminina do alojamento dos funcionários. A governanta, uma senhora que parecia uma tia, também não disse nada. Suas costas estavam rígidas em desaprovação, e me perguntei se tinha ouvido os comentários ruidosos de Koh Beng. Ela destrancou um quarto, um cômodo estreito, semelhante a uma cela, com espaço suficiente apenas para uma cama de solteiro, e me entregou a chave junto com duas toalhas finas de algodão.

À porta, ela se virou, sua boca era uma linha fina. "Os quartos de fato são só para membros da família, não para 'amigos'."

"Mas somos da mesma família", respondi. "Pelo casamento, quero dizer." Quis dizer pelo *casamento dos nossos pais*, mas minha língua estava espessa e seca, como se fosse grande demais para a minha boca.

Ela pareceu aliviada. "Ah, então vocês vão se casar? Já fizeram o cadastro?" Muitos casais jovens se cadastravam cedo no cartório para poder se candidatar a uma moradia juntos. Sem energia para decepcioná-la, dei um sorriso tênue.

"Então, há quanto tempo vocês se conhecem?", perguntou ela.

"Desde que tínhamos dez anos."

"Namorados de infância, então!" A governanta parecia satisfeita. "E uma garota tão bonita e bem-vestida como você."

Era a minha deixa para anunciar a loja da sra. Tham, mas eu estava tão indisposta que mal conseguia falar. Depois que ela saiu, me lavei. Eu adoraria perguntar às enfermeiras como era trabalhar aqui, mas, em vez disso, tomei duas aspirinas e me deitei. Meu último pensamento antes de dormir foi se tínhamos ou não trancado a porta do depósito de patologias.

• • •

Eu estava boiando. Flutuando na água. Acima de mim havia um círculo de luz. Com algumas pernadas preguiçosas, nadei em sua direção. Minha cabeça emergiu e, ofegante, me vi diante de uma cena familiar. A mesma margem iluminada pelo sol, coberta de bambuzais e *lalang*, o mesmo rio límpido.

Na vida real, eu não conseguia nadar tão bem, mas estava me deliciando dando algumas cambalhotas. Ao olhar para baixo através da água cristalina, vi a areia branca do leito do rio, sombreada por ondulações, depois o fundo raso caindo na escuridão. O que era isso, esse vazio no fundo do rio? Inquieta, nadei para longe. A sombra ainda estava lá, a meio corpo de distância, como se o fundo do rio tivesse cedido ou sido devorado pelo breu. E aquilo estava se movendo.

Quanto mais rápido eu nadava, mais rápido a sombra se aproximava de mim. Pulmões ardendo, meus braços e pernas se debatiam e me impulsionavam desesperadamente para a frente. Mais adiante, na margem do rio, uma figura apareceu. Era o garotinho da estação de trem.

"Aqui!", gritou ele.

Em uma explosão de terror, saí da água e me atirei na beira do rio, ofegando. O garotinho se inclinou afoito sobre mim.

"O que era aquilo?", falei, ofegante. "Aquela sombra debaixo da água?"

Ele piscou. "Não tenho ideia. Não consigo entrar na água, como você pode ver." No entanto, como ele desviou o olhar, pensei que estivesse mentindo ou, pelo menos, evitando o assunto. "Você também não deveria entrar. Vamos!"

O garoto se virou e começou a andar rápido; era apenas um pouco maior que a grama alta. Eu já sabia aonde estávamos indo: para a estação de trem. Podia ver o teto pontiagudo de *attap*. Além disso, não havia outro lugar para ir. Tudo ao nosso redor era verde, um lugar ermo e semicultivado, os resquícios de fazendas abandonadas com pés de mandioca e mamoeiros. Mais além, o denso cume azulado das colinas e a selva se comprimiam.

Quando chegamos à plataforma, o garotinho virou com um suspiro de alívio. "Fiquei assustado quando vi você na água."

"Aquela sombra sempre esteve lá?"

Ele assentiu. "É para impedir que as pessoas deste lado voltem. A última vez que você veio pela água, ela não notou você. Mas desta vez, sim. Isso é um mau sinal."

"Por quê?"

Ele analisou meu pijama com cuidado. Para minha surpresa, estava seco e limpo, como se eu não tivesse acabado de nadar num rio e me arrastado por uma vegetação lamacenta. "Você não pertence a este lugar."

"Qual é o seu nome?", perguntei.

Ele parecia infeliz de novo. Eu tinha me acostumado com esse olhar, significava que ele não queria mentir, mas, por algum motivo, não estava disposto a me contar. Então me ocorreu o seguinte: essa terra tranquila, a estação vazia com um trem sempre ocioso, só podia ser uma sala de espera.

"Você é um dos filhos da minha mãe?", perguntei. Foi por isso que ele tinha me chamado de irmã mais velha? "Uma das Virtudes do Confucionismo?"

Ele pareceu espantado. "Você é muito inteligente", disse ele admirado. "Porque esse é o seu nome, não é? Sabedoria."

"Você é Ren, Yi ou Li?"

O olhar inquieto de novo. "Não sou filho da sua mãe, embora eu faça parte do grupo. Mas não entendo por que é você quem continua vindo aqui, embora eu esteja tentando encontrar o meu irmão."

"Você está falando de Shin? Ele é meu irmão também."

"Não." Ele hesitou, mordendo o lábio. "Estou preocupado que meu irmão esteja indo para o caminho errado. Seguindo o mestre errado."

"Eu conheço seu irmão?"

"Não, mas vai reconhecê-lo." Os olhos do menino tinham uma sombra de desconforto.

Embora a locomotiva preta como carvão e seus vagões vazios continuassem parados na estação, sua posição havia mudado. Na primeira vez, ela estava perto de onde os trilhos emergiam do rio. Na segunda vez, estava quase fora da estação, como se estivesse se afastando. Hoje, estava completamente alinhada com a plataforma. Olhando para os trilhos do trem, tive a desconcertante percepção de que havia apenas uma linha. Não havia outro trilho para um trem de retorno nem plataforma do outro lado.

O garotinho seguiu meu olhar. "Não se preocupe. Você nunca chegou de trem, então pode voltar sozinha. Pelo menos desta vez."

Estremeci com a lembrança da escuridão nas profundezas do rio. "Então você quer que eu diga ao seu irmão para parar o que ele está fazendo?"

O menino parecia triste. "Sim. E diga a ele para tomar cuidado com a quinta pessoa do nosso grupo. Há algo meio errado com cada um de nós, mas o quinto é especialmente mau. Você precisa ter cuidado também."

"Farei o meu melhor. Se encontrar seu irmão, vou dar o recado para ele."

"Você não deve dizer que me encontrou." Ele parecia tão sério que eu assenti solenemente. "Não vou esquecer sua gentileza. Se você um dia souber meu nome, pode me chamar."

Chamar você? Eu não tinha intenção de voltar àquele lugar. E, claro, isso era um sonho, disse a mim mesma. Apenas um sonho. Com esse pensamento, minha consciência caiu de um banco de areia para algum lugar cinzento, suave e vazio.

A Noite do Tigre
Yangsze Choo

19

Batu Gajah
DOMINGO, 14 DE JUNHO

No fim, não matam o tigre.

Ren fica acordado, sentado com Harun e os outros motoristas em um banco comprido atrás do Clube Kinta enquanto conversam, fumam e esperam por seus mestres, até que suas pálpebras se fecham. Ele não se lembra de ser levado por Harun, sonolento e aos tropeços, para o carro. Já passa muito da meia-noite quando levam William para casa, sacolejando na estrada de cascalho. Ren vai direto para a cama e não tem consciência de nada até que o sol esteja brilhando em seu rosto.

"Já passou das oito horas", resmunga Ah Long, olhando para ele.

Ren pula da cama, lembrando-se da caçada na noite passada. "Pegaram o tigre?"

"Não. Mas esperaram a noite toda."

Os caçadores ficaram em um esconderijo provisório, posicionados a favor do vento, perto de uma cabra amarrada. O lugar foi escolhido com cuidado para atrair os tigres, à sombra e perto da água, uma vez que tigres sentem muita sede depois de se alimentar. As horas se arrastavam cada vez mais, pontuadas apenas pelo ocasional balido aterrorizado da cabra. Mas o resultado foi o mesmo. Nem mesmo um vislumbre de um tigre. Depois houve muitas teorias. Era o lugar errado; deveriam ter usado uma armadilha com espingarda; nunca deveriam ter embarcado nisso sem um *pawang*, ou xamã, para enfeitiçar o tigre.

"Essas pessoas existem de verdade?", pergunta Ren.

Para sua surpresa, Ah Long confirma com a cabeça. "Eles também podem invocar leopardos e javalis. Até macacos. Depende do poder que têm." Ele esfrega o lábio superior de um jeito rude. "Bem, é o que dizem. Agora, vá colocar a mesa do café antes que ele se levante."

• • •

"*Tuan,* você vai à igreja?", pergunta Ren. Enquanto William tomava o café da manhã, ele polia os sapatos do mestre com a cera marrom para calçados da marca Kiwi, comprada ontem na cidade, até ficarem brilhantes. William os inspeciona e diz que lembram castanhas maduras, embora Ren não tenha ideia do que ele está falando. Algum tipo de fruta, pensa, embora não consiga imaginar uma fruta que se pareça com sapatos.

"Sim, vou agora pela manhã." Ele vai dirigindo, pois Harun tira folga aos domingos.

"É verdade que o tigre foi embora dessa área?"

William assente. É como se o tigre tivesse desaparecido por completo, levando à especulação sombria de que não era uma fera normal. Já tinha se espalhado o boato de que Ambika era uma mulher fácil e por isso fora levada. Rumores como esse deixam William visivelmente desconfortável. Parado no caminho de cascalho para ver o carro partir, Ren só pode concluir que William deve ser uma pessoa bondosa e compreensiva.

Ao terminar o trabalho doméstico, Ren corre de volta para o alojamento para examinar o dedo que apanhou — não, roubou — do hospital ontem, embora isso o faça sentir um pavor inominável. A calça usada na noite anterior ainda está pendurada no gancho. Ren pega o frasco, colocando-o na borda da janela. Lá fora, a espessa cerca de bambu está molhada e macia com o orvalho. Um mainá atravessa a grama, a cabeça inclinada, encarando-o com olhos amarelos. À luz do sol da manhã, o dedo parece tão triste e horrível quanto ontem no depósito de patologias.

Ren o encara até ficar tonto, mas seu senso felino está estranhamente quieto. Ontem, sua cabeça estava tomada por um zumbido trêmulo, mas hoje só há quietude. Uma expectativa silenciosa.

Apertando os olhos fechados, Ren deseja que seu senso felino retorne. Sentiu muito sua falta nos últimos três anos desde a morte de Yi. Sua habilidade tinha sumido quando ele mais precisou: nos últimos meses com o dr. MacFarlane, quando ele dizia aquelas coisas estranhas que confundiam e alarmavam Ren. Os olhos do velho médico se arregalavam quando ele sussurrava, em um transe atônito. Descrições longas e detalhadas de matanças de veados e javalis, de como se aproximava sem fazer barulho e os surpreendia. A corrida súbita, o sufocamento pela mordida na garganta, o puxão violento na cabeça para quebrar o pescoço.

• • •

A primeira morte aconteceu durante a estação chuvosa, quando a monção pairava como uma cortina cinza sobre a terra vermelha e molhada. Ren não consegue esquecer essa época; ela a fica reprisando como um rolo de filme que ele não entende, não importa quantas vezes assista. Quando fecha os olhos, ainda consegue ver a figura do velho médico, escrevendo num de seus cadernos. Enjoado, ele andava vomitado no banheiro do andar de baixo, mas quando Ren ia ver como ele estava, não havia nada para limpar.

"Eu mesmo limpei", diz o dr. MacFarlane. Seus olhos estavam vermelhos, e quando Ren lhe serviu um jantar simples com as sobras do curry, ele fez uma careta. "Leve isso embora. Não posso comer carne."

Mais tarde, Ren o encontrou olhando para a chuva interminável que escorria do telhado da varanda. "Ren", chamou ele sem se virar, "o que você acha de mim?"

Ninguém havia perguntado isso a Ren antes. Pelo menos, nenhum adulto. Tia Kwan estava sempre ocupada lhe dizendo o que fazer, sem pedir sua opinião e, por um instante, ele sente a falta dela. Quieto, o garoto olha para o nariz do dr. MacFarlane, um truque que o velho lhe ensinou para quando ficasse muito tímido para encarar alguém nos olhos.

"Você é uma boa pessoa", Ren respondeu, enfim. Ele se pergunta se o dr. MacFarlane estava preocupado com os boatos de sua insanidade, ou mesmo se tinha conhecimento deles.

O mestre o estuda por tanto tempo que Ren quer desviar o olhar, para seus pés descalços ou para a janela, mas seria rude. Em vez disso, ele se obriga a olhar para cima até encontrar os olhos do dr. MacFarlane. E, para sua surpresa, o velho parece triste.

"Deixe-me mostrar uma coisa", diz ele, caminhando com seu andar duro e familiar até a escrivaninha com tampo corrediço onde todos os seus papéis estão guardados. As chaves ficam guardadas em um aro no bolso do dr. MacFarlane. Após sua morte, o advogado vai abrir e olhar todas as gavetas, mas não antes de perguntar, desconfiado, se Ren mexeu em alguma coisa.

O dr. MacFarlane pega uma foto. Nela, há dois homens malaios de peito nu agachados contra uma parede. As expressões nos rostos são amigáveis, mas atentas. O da direita tem o que parece ser um cabo ou uma corda amarrada no braço.

"Qual deles se parece comigo?", pergunta o velho.

Ren franze a testa, concentrando-se. Será que o mestre está tendo outro ataque? Mas não, ele está calmo e lúcido. Então Ren consegue ver.

"O sulco acima do lábio superior." Ele aponta para o homem da direita. "Ele não tem, nem o senhor."

O dr. MacFarlane parece satisfeito, tão orgulhoso quanto na ocasião em que Ren remontou o rádio depois de desmontá-lo.

"Sim", diz ele. "Isso se chama filtro labial." A expressão preocupada retorna ao seu rosto.

"Quem é esse homem?", pergunta Ren.

"Tirei essa foto cinco anos atrás, quando estava viajando com um amigo. Estávamos em um vilarejo chamado Ulu Aring, e esse sujeito", ele bate de leve sobre o homem da direita, "era o *pawang* local." O dr. MacFarlane fala de um jeito rápido e desenvolto, como não falava havia muitos dias.

"Foi quando você perdeu o dedo?" Desde que Ren conhecera o dr. MacFarlane, ele não tinha o último dedo da mão esquerda.

"Sim, nessa mesma viagem. Quando ele me viu, ficou muito animado." O velho médico coloca um dedo acima do lábio superior. "Ele colocou a mão bem aqui e me chamou de *abang*."

Irmão mais velho.

"Por quê?"

"Ele disse que a falta desse sulco no lábio superior é o sinal de um homem-tigre."

Ren está em silêncio, pensando se o velho está brincando, mas não há sinal disso em seus olhos pálidos. Existem histórias sobre os homens-tigre que vêm da selva para pegar crianças e devorar galinhas. Ele estuda a foto em preto e branco.

"O senhor o viu se transformar em um tigre?"

"Não, embora outras pessoas tenham dito que viram. Quando dava vontade, ele dizia: 'Vou caminhar' e entrava na selva, queimando incenso e soprando-o por sobre o punho até que sua pele mudasse, e os pelos e a cauda surgissem. Então ele caçava por dias até comer e ficar totalmente satisfeito."

"Quando ele terminava, se agachava e dizia: 'Estou indo para casa' e se transformava de novo em homem. Em sua forma humana, ele vomitava os ossos não digeridos, as penas e os pelos de tudo o que havia comido."

Subitamente Ren se lembra dos acessos de vômito do dr. MacFarlane e do sonoro regurgitar atrás da porta fechada.

"O outro sinal de um homem-tigre", continua o dr. MacFarlane, "é uma pata deformada. Seja a dianteira ou traseira, sempre existe uma que é defeituosa. Quando perdi o dedo naquela viagem, o *pawang* me disse para enterrá-lo comigo para que eu pudesse voltar a ser inteiro — um homem. Não acreditei nele na época." Ele fica em silêncio.

Inquieto, Ren muda de posição, estudando o perfil do velho. Há uma expressão em seu rosto que Ren nunca tinha visto, um tremeluzir perspicaz, ou seria uma sombra passando, como uma enguia, por trás de seus olhos? "Pareço um assassino para você?", o dr. MacFarlane pergunta.

De repente, Ren se assusta. Ele dá um passo para trás, depois outro. O dr. MacFarlane, ainda olhando pela janela, não percebe quando ele sai.

O garoto não conseguiu parar de ouvir as palavras "pareço um assassino para você?" ecoando em sua cabeça nos dias seguintes, sempre que olhava para o dr. MacFarlane. Era uma pergunta desconcertante e assustadora. Então, quando as mulheres estrangeiras em seus vestidos leves e esvoaçantes sobem juntas o longo caminho de cascalho alguns dias depois para ver como o médico está, Ren fica satisfeito com a interrupção, embora se apresse para deixar tudo em ordem.

Quando as senhoras entram, ficam aliviadas ao encontrar o bangalô arrumado e limpo, e o dr. MacFarlane sentado em uma poltrona de ratã com um livro no colo. Os dois são cúmplices, o velho e o menino. Mas enquanto corre de um lado para o outro, mantendo outras portas fechadas para elas não verem o resto da casa, Ren se sente um traidor. Ele suspeita que seria melhor se essas mulheres assumissem o controle da situação, mas como explicaria isso?

Uma das senhoras, de busto rígido como a proa de um navio, anuncia: "Você não pode ficar aqui sozinho, especialmente com um devorador de homens à solta". A voz alta e aguda atravessa a sala quando Ren entra, equilibrando uma bandeja com xícaras de chá. Não há biscoitos; acabaram há semanas.

A voz do dr. MacFarlane soa animada, como há muito tempo Ren não a ouvia, mas a mão que segura o braço da poltrona treme um pouco. "Besteira! De qualquer forma, não estou sozinho."

"Uma jovem foi levada de uma plantação de café." A dama olha para Ren e indica com a cabeça para ele colocar a bandeja sobre a mesa. Ela espera até Ren sair da sala. Ao sair, ele permanece perto da porta, mas não consegue ouvir muita coisa porque a senhora está falando mais baixo.

"... se aproximou por trás. Pescoço quebrado..."

Ao ouvir isso, Ren acha a descrição assustadoramente familiar. Quando elas saem, o rosto do dr. MacFarlane está cinzento e tenso. Seu estado de espírito anterior tinha desaparecido.

Mais tarde, quando Ren varre o banheiro do térreo, encontra um fio de cabelo escuro no canto. Mais comprido que seu braço, é um fio de cabelo de mulher. Examinando-o, Ren não sabe se tinha deixado o fio passar na última varrida ou se uma das damas tinha usado o banheiro durante a visita.

Naquela noite, ele sonha que o dr. MacFarlane está curvado vomitando no banheiro do térreo de novo. Está muito escuro no sonho; há somente uma luz escassa, azul e oscilante, como se uma tempestade de raios estivesse caindo do lado de fora. Paralisado, Ren observa da porta aberta enquanto o dr. MacFarlane levanta a cabeça, babando, os olhos como os de um animal selvagem. Enfiando a mão esquerda na boca, aquela em que falta um dedo, ele puxa uma longa e mecha preta e encaracolada de cabelo de mulher.

• • •

A lembrança chega ao fim, como uma tira de filme que tremula até parar. Ren tem a sensação desconfortável de ter cometido um erro em algum momento, embora não tenha ideia do que foi. Se ao menos tivesse seu senso felino para ajudá-lo na época...

Agora, ele volta sua atenção para o frasco de vidro. Não há esconderijo no quarto pequeno e com pouca mobília, então ele colocou o frasco dentro de uma lata vazia que ele havia guardado. Enfiando-a sob a camisa, ele caminha até a extremidade do jardim, onde o gramado verde dá lugar à selva perto do depósito de lixo. Lá, ele cava um buraco na terra macia e enterra a lata, usando uma grande pedra para marcar o local.

Quando tiver folga e puder voltar a Kamunting, ele vai desenterrar o dedo, a enterrá-lo de novo no túmulo do dr. MacFarlane, e sua responsabilidade terá chegado ao fim.

∙ ∙ ∙

William ouve a missa sem prestar muita atenção, os olhos ocupados examinando os bancos. A Santíssima Trindade foi construída em madeira escura, lúgubre e sóbria, mas, apesar de ainda ser manhã, o clima está tão úmido que o suor escorre por seu colarinho. A igreja está cheia, pois agora há mais frequentadores locais do que europeus. A mulher tâmil ao lado dele muda de lugar, e de repente William se pergunta se está cheirando a sangue.

O odor da sala de cirurgia costuma grudar nele, com uma nota acentuada de desinfetante e os tons obscuros de pó de ossos e sangue. O cheiro nunca deixa seu nariz, embora seja meticuloso ao lavar as mãos e tome banho com frequência. Mas ele não tinha estado na sala de cirurgia desde sexta-feira, então devia ser o vestígio de um cheiro.

Na sexta-feira houve uma explosão em uma draga de mineração. Um homem perdeu as duas mãos, e William recorreu ao procedimento de Krukenberg, popular desde a Grande Guerra. Ele raramente o utiliza, preferindo poupar cada centímetro de pulso que consegue, mas em casos como esse é o melhor que pode oferecer. Ao dividir os dois ossos do antebraço, o coto pode ser usado como palitinhos. É uma solução feia que intensifica a mutilação. Nada de gancho discreto nem mão de madeira para enganar à primeira vista; apenas duas garras com aparência esfolada como pinças de lagosta em vez de antebraços. Mas funcionam muito melhor que as próteses. O homem conseguirá segurar itens sem perder a sensibilidade, abrir portas, até mesmo manipular ferramentas. Pensando nisso, William tem certeza de ter feito a coisa certa, embora não consiga imaginar que mulher gostaria de ser tocada por aquelas garras tristes. O que é uma mão sem dedos? Mesmo a perda de um já desequilibra o todo.

Agora a congregação está ajoelhada, e todos recitam juntos:

Deixamos de fazer as coisas que deveríamos ter feito
e fizemos as coisas que não deveríamos ter feito.
Mas tu, ó, Senhor, tem piedade de nós...

William não se ajoelha, pois está de pé na parte de trás, embora tenha vontade de fazê-lo. *As coisas que não deveríamos ter feito* — as palavras se empoleiram sobre ele como pássaros macios e pesados.

Ele pensa em Ren. William não o instruiu a engraxar os sapatos, mas eles estavam prontos hoje de manhã, cuidadosamente colocados na entrada. Pela primeira vez, ele entende a ladainha de sua mãe sobre o valor de um bom criado. Mas Ren é apenas uma criança. Sua inteligência é tão evidente que chega a ser egoísta, quase monstruoso, guardá-lo para si mesmo. *Eu deveria mandá-lo para a escola.*

Em um dos bancos da frente, ele avista o perfil de Lydia e se espanta mais uma vez com a cor de sua pele, semelhante à de Iris, sua noiva, que era ligeiramente sardenta e tinha cabelos claros. Iris sorrindo para ele: aquele sentimento familiar de paixão, quando ele acreditava que faria qualquer coisa para agradá-la. Iris, fria e distante, acusando-o de ter estado com outras mulheres, o que era ridículo, William nunca tinha feito isso quando estava com ela. Era uma verdadeira ironia. E então Iris, furiosa na última vez que ele a viu, sua pequena boca rosada aberta em um grito silencioso. *Assassino.* Ele estremece com a lembrança.

• • •

Quando a cerimônia termina, a caça malsucedida da noite anterior é o assunto da congregação.

"O que foi que eu disse?" É Leslie, seu jovem colega do hospital. Ele sorri. "Sabia que iam bagunçar tudo com Price se metendo no meio."

Por algum motivo, Leslie não gosta de Price. Em uma comunidade pequena como a deles, até a menor das infrações contava, e era por isso que William precisava tomar cuidado para que ninguém jamais o associasse ao torso desmembrado de Ambika. Então era preciso manter uma relação amistosa com Leslie, que falava demais e com muitas pessoas.

"Sobre a nossa reunião", Leslie comentou, referindo-se ao jantar mensal que William organizaria em breve. "Tudo bem se eu providenciar um pouco de diversão?"

William não está tão interessado, mas diz cordialmente: "O que você quiser".

"Vai ser surpresa!", diz Leslie, parecendo satisfeito enquanto deixa o local. Tarde demais, William percebe que se esqueceu de mencionar a promessa feita à Lydia, de que ela poderia ir ao próximo encontro, mas não importa. Lydia se enturmaria bem com essas pessoas. Muito melhor do que Ambika conseguiria.

Os boatos de que Ambika fora escolhida por bruxaria ou espíritos zangados em forma de tigre são preocupantes, principalmente porque a acusam de ser uma mulher devassa. O que ela era, William supõe.

De maneira súbita e intensa, ele sente falta dela. Um nevoeiro de miséria e solidão recai sobre ele, mas a pequena cabana de Ambika permanece vazia. Ela nunca voltará para lá.

William diz a si mesmo que, a partir de agora, será uma pessoa melhor. Vai tentar ajudar a garota chinesa do depósito de patologias na véspera, a que havia perguntado sobre enfermagem. A garota era charmosa com seu cabelo curto; combinava bem com as sobrancelhas retas e os olhos escuros, inclinados como os de uma corça, enquanto o encarava. Ela era como um menino bonito, com membros esguios e cintura estreita, e ele sentiu vontade de agarrá-la com força para ouvi-la suspirar. Imagina como seria passar o dedo ao longo daquela nuca esbelta, pela depressão entre os seios pequenos e pontudos. A garota não faz o tipo dele, mas quando pensa nela, quer tocá-la.

William prefere mulheres como Nandani, a garota cuja perna Ren salvou. Está pensando nela quando a vê. Isso o surpreende — seria mesmo ela ou será que todas as garotas locais com longos cabelos ondulados e trançados eram parecidas? Mas ela dá um sorriso tímido, as covinhas aparecendo no rosto em formato de coração. William tem um súbito ímpeto de autoconfiança.

Às vezes, inesperadamente, o que ele deseja se torna realidade. As portas são abertas, os obstáculos são removidos. Como a suspeita de assassinato sugerida por Rawlings, e ignorada por um juiz impaciente. Ou o aparecimento oportuno e fortuito do obituário daquele vendedor no jornal. Por coincidência ou simplesmente sorte, isso costuma acontecer com muita frequência em sua vida.

Sorrindo de volta, ele vai até Nandani. Ela se apoia nas muletas de madeira.

"Como está a perna?" Ele lembra que o inglês da garota não é tão bom, não como o da outra, a chinesa. Os dois falam uma mistura confusa de malaio e inglês, mas que funciona bem.

"Melhor", diz ela timidamente.

"Vou dar uma carona para você", diz ele. Afinal, ela mora em uma propriedade seringueira nas proximidades.

Mas Lydia o vê. "Você está voltando, William?"

Sua primeira reação é de aborrecimento, mas então ele percebe que, na realidade, é melhor assim. No que ele estava pensando? Dar carona para uma garota local na frente de todo mundo na igreja? Está ficando descuidado. É melhor ter Lydia por perto. Perfeito, na verdade, pois pode deixá-la primeiro, e, em seguida, Nandani. "Quer carona?"

Lydia mal se contem de alegria. "Bem, se não for incomodar..."

"Incômodo algum, vou levar uma paciente." Ele a seduz de maneira deliberada.

Lydia se detém para dizer aos pais que não voltará com eles. A julgar pelos olhares, estão satisfeitos por William estar se aproximando de sua filha. Um mal-entendido que ele precisará esclarecer em algum momento, embora seja compreensível. William tem a idade certa e vem de uma boa família. Há boatos sobre Lydia que o incomodam, embora não consiga se lembrar do que se trata. William sente que deveria investigar. Mas, enquanto isso, o sol está brilhando, todo mundo está sorrindo, e a caça ao tigre promete mais entusiasmo no futuro.

Lydia se senta na frente, claro. William ajuda Nandani a se acomodar com suas muletas no banco de trás. Ela parece intimidada, então ele aperta um pouco mais sua mão. A garota baixa os olhos, e William tem certeza de que ela gosta dele. No fim das contas, hoje pode ser um dia de sorte.

A Noite do Tigre
Yangsze Choo

20
Hospital Distrital de Batu Gajah
DOMINGO, 14 DE JUNHO

Meus olhos se abriram para um teto desconhecido. O chão rangeu, uma voz ecoou no corredor, e lembrei que tinha passado a noite no dormitório das enfermeiras. A luz cinzenta se infiltrava pela única janela. Era domingo de manhã.

A dor de cabeça da noite anterior havia passado, embora eu me perguntasse se havia algo errado comigo, alguma doença no cérebro que causava ilusões vívidas. Todos os sonhos que tive daquela estação de trem abandonada tinham sido precedidos por uma forte dor de cabeça. Não conseguia esquecer as palavras do garotinho sobre como deveria haver cinco de nós. Sentei-me na beirada da cama estreita, fazendo as contas. Havia Shin, eu e o garotinho. Ele também mencionou seu irmão e uma quinta pessoa, alguém que parecia deixá-lo bastante apreensivo. A lembrança estava começando a desaparecer, como acontece com os sonhos.

Eu tinha a estranha fantasia de que nós cinco estávamos ligados por algum destino misterioso. Impelidos a ficar juntos, mas incapazes de nos libertar; a tensão revelava um padrão distorcido. Precisamos nos separar, ou então nos unir. Eu via isso claramente em mim e em Shin. Ele era meu gêmeo fictício, meu amigo, meu confidente. E, no entanto, eu o invejava e me ressentia dele.

Lavei-me rapidamente no banheiro comum, de azulejos brancos. Estava deserto, as vozes no corredor desaparecidas havia muito. O vestido de ontem estava muito sujo para ser usado mais uma vez, e a sra. Tham insistira em colocar na mala um *cheongsam* moderno e justíssimo com estampa geométrica creme e verde. Pensei que eu estava livre dos *cheongsam* depois de fazer o cinza que usei no funeral do vendedor, mas a sra. Tham tinha outros planos quando declarou que um vestido tão complicado deveria ser o pilar do arsenal de toda costureira. Infelizmente, subestimei a resistência das costuras. Assim que o coloquei, tive certeza de que não conseguiria comer nada. Por que fui deixar que ela fizesse as malas para mim ontem? Parecia que tanto a sra. Tham quanto Shin possuíam a incrível capacidade de me arrastar para situações que eu não havia planejado. Se o dia de ontem fosse uma indicação do que poderia acontecer, eu teria sorte se Shin não me fizesse limpar os banheiros do hospital hoje.

• • •

A área da recepção estava vazia. Todos aqueles que tinham saído no sábado à noite provavelmente ainda estavam dormindo e se recuperando. Imaginei onde estaria Shin e o que tinha feito na noite passada enquanto me dirigia ao refeitório para o café da manhã. Uma névoa fraca e obscura se agarrava à grama molhada enquanto eu a atravessava, procurando por um atalho. Ao chegar no cruzamento dos corredores, ouvi o murmúrio de vozes furiosas.

"Não negue! Você está aos prantos por causa dele — um homem casado!"

"... seja como for, não é da sua conta."

Hesitei. No instante seguinte, alguém passou correndo e esbarrou com tudo em mim. Era uma jovem enfermeira, o rosto inchado, os olhos lacrimejando de forma suspeita.

"Você está bem?", perguntei.

Ela se desfez em lágrimas. Não havia nada a fazer além de lhe oferecer meu lenço; eu não poderia deixá-la chorando na grama. Pelo que entreouvi, parecia a mesma história triste que eu via no May Flower. Homens casados eram um problema.

"Você ouviu tudo?" Meu rosto deve ter me denunciado, pois ela disse: "Não estou tendo um caso com ele nem nada. Ficam só me atormentando. Você pode guardar segredo? Posso ser suspensa se a supervisora descobrir".

"Não se preocupe, sou apenas uma visitante."

Ela pareceu aliviada. "Você não ficaria triste se alguém morresse?" Lágrimas brotaram de novo em seus olhos.

Pessoas chorando sempre faziam com que me sentisse culpada, sobretudo minha mãe, nas poucas vezes que a encontrava chorando em silêncio em seu quarto escuro, os olhos bem abertos e as lágrimas escorrendo pelo rosto como se fosse uma sonâmbula. Essa enfermeira parecia tão infeliz, com seus joelhos tortos e o uniforme amassado, que dei uns tapinhas amigáveis em suas costas enquanto ela assoava o nariz ruidosamente.

"Nem pude ir ao funeral dele no último fim de semana em Papan, porque precisei trabalhar."

Meus ouvidos se aguçaram. Quantos funerais aconteceram naquela cidade no fim de semana passado?

"O que ele fazia?"

"Ele era vendedor, um dos meus pacientes. Éramos amigos", ela se apressou a dizer.

Então era ela — a enfermeira que tinha dado o dedo ao vendedor. Seria o destino, ou algum elo obscuro, como os frios filamentos de uma planta aquática, que nos emaranhava? Acontecimentos peculiares demais estavam relacionados a esse hospital. Não pude deixar de pensar que se as almas permanecessem nesse plano por quarenta e nove dias após a morte, então este hospital deveria estar cheio delas — para as pessoas que acreditavam nisso, claro.

"Você estava indo para algum lugar?", perguntou ela, sentindo-se subitamente culpada pelo esbarrão.

"Para o refeitório, mas me perdi."

"Venha comigo. Estou indo para lá também." Ela franziu os lábios. "Deixe-me lavar o rosto primeiro."

A enfermeira baixinha — era quase uma cabeça mais baixa que eu, embora eu fosse considerada alta para uma garota — saiu correndo. Esperei, sem saber se ela mudaria de ideia e me abandonaria. Mas minha experiência no May Flower me ensinou que as pessoas confidenciavam todo tipo de coisas a estranhos, e ela parecia ansiosa para se abrir com alguém.

Pouco depois, ela voltou parecendo melhor. Ainda tinha um ar que lembrava um coelho, o que combinava com a pele pálida e com seus pequenos dentes da frente. "A propósito, sou Pei Ling."

"Meu nome é Ji Lin. Fiquei no alojamento ontem à noite, vim visitar meu irmão... quero dizer, meu noivo", tropecei nas palavras.

Ela me lançou um olhar cúmplice. "Você quer dizer seu namorado? São muito rigorosos no alojamento. Não se preocupe, não vou contar. Qual é o nome dele?"

"Lee Shin. Ele é assistente hospitalar."

"Acho que não o conheço." Ela franziu a testa com força, como se estivesse calculando algo, então parou, torcendo as mãos. "Você foi gentil comigo", disse ela, interrompendo meus protestos. "Não, você foi gentil mesmo. Muita gente nem sequer me nota — sou esse tipo de pessoa. Mas pode me fazer um favor?"

"O quê?"

"Você disse que seu namorado era assistente na ala dos dormitórios masculinos. Não conheço ninguém lá. Pelo menos, não confio em ninguém. Você acha que poderia pedir para ele buscar um pacote para mim? Não estou pedindo para roubar. Era meu, afinal de contas." Com o rosto vermelho, a voz vacilante, ela devia estar muito desesperada para fazer esse pedido a uma estranha. Ou talvez uma estranha fosse a melhor opção se não quisesse envolver ninguém conhecido. "Yew Cheung tinha um amigo na ala dos dormitórios masculinos que costumava guardar coisas para ele. Ele disse que me devolveria, mas morreu tão de repente."

"Por que você não pede ao amigo dele para reaver essa coisa?" Devia ser Y. K. Wong, pensei. Ele tinha dito no May Flower que era amigo do vendedor.

"Porque não gosto dele. E ele provavelmente usaria isso contra mim." Olhar evasivo, lábios trêmulos.

Parecia suspeito, mas eu poderia descobrir um pouco mais sobre Y. K. Wong, para o caso de precisar lidar com ele de novo. "Tudo bem, vou pedir a Shin."

Aliviada, ela disse: "Está na sala compartilhada do alojamento masculino. Yew Cheung disse que escondeu num vaso da última vez que veio porque seu amigo estava fora. Era para ser apenas um esconderijo temporário, e estou preocupada que alguém acabe encontrando".

• • •

Àquela hora da manhã, num domingo, quase não havia gente no refeitório. Aqueles que colocavam comida na boca tinham um ar sonolento. Provavelmente tinham trabalhado no turno da noite, como Pei Ling.

"Você gosta de ser enfermeira?", perguntei enquanto enchíamos nossas bandejas com chá, torradas e ovos cozidos com gema mole.

"Gosto, sim."

Ansiosa, perguntei sobre as qualificações exigidas e como me candidatar.

"Mas por que você quer ser enfermeira?", Pei Ling avaliou meu *cheongsam* cheio de estilo. "Você aparenta ter uma família com boas condições financeiras."

"Não, sou apenas uma assistente de costureira. Isso foi feito em nossa loja."

Ela tomou um gole de seu *teh O*, chá preto adoçado, com uma expressão melancólica. "Ser enfermeira não é fácil — se cometer um erro, a supervisora acaba com você."

"Mas é interessante, não é?", falei. "E você pode ser financeiramente independente."

Não cheguei a ouvir a resposta dela, porque Shin se sentou no banco em frente. "Onde você estava? Eu estava esperando você na ala dos dormitórios femininos até que alguém disse que seu quarto estava vazio."

Havia olheiras escuras sob seus olhos, e seu cabelo escuro estava liso e molhado, como se tivesse enfiado a cabeça debaixo da torneira. Apesar disso, ele ainda tinha uma aparência bela e feroz. Se alguém colocasse Shin em um saco e rolasse com ele por um campo, ainda assim, ele sairia desalinhado de um jeito atraente. Algumas pessoas tinham sorte, pensei com inveja.

Olhei para Pei Ling para ver se ela reagia com o habitual queixo caído ao ver meu vistoso meio-irmão. Isso sempre acontecia com as minhas amigas, mas Pei Ling ficou em silêncio, olhando para Shin. Era quase como se estivesse com medo dele.

"Shin, essa é Pei Ling. Ela é enfermeira aqui."

Ele deu seu sorriso educado, em geral usado para encantar senhoras idosas. "Sou Shin", disse ele. "Obrigado por tomar conta da..." Ele fez uma pausa e percebi que estava igualmente confuso sobre como se referir ao nosso relacionamento. "Dela", disse ele por fim, fazendo um gesto na minha direção.

Muito sutil, Lee Shin, pensei, exasperada, embora eu mesma não tivesse me saído muito melhor. "Pei Ling queria saber se você lhe faria um favor. Você pode buscar algo na ala dos dormitórios masculinos para ela?"

"Não!", ela deixou escapar. "Esqueça."

"Tem certeza?" Eu nunca tinha visto alguém ter essa reação a Shin antes.

"Sim. Preciso ir agora." Ela se levantou abruptamente e empurrou a cadeira para trás, fugindo do refeitório. Atordoada, fui atrás dela da melhor forma que meu vestido estupidamente apertado permitiu.

"O que houve?", perguntei sem fôlego. Ela parecia tão desesperada de manhã, como se não tivesse mais ninguém para quem pedir. "Não quer que Shin pegue o pacote para você? Tenho certeza de que ele fará isso."

"Você o conhece bem?"

"Desde que éramos crianças", respondi, intrigada.

Ela mordeu o lábio, desviando o olhar. "Eu o vi por aí com o amigo de Yew Cheung. O tal que eu não gosto." Sem saber o que dizer, lembrei que Y. K. Wong era colega de quarto de Shin no hospital.

"Esqueça. Eu mesma vou pegá-lo de volta." Pei Ling se afastou rigidamente, suas costas emitindo um claro sinal de *não me siga*.

Ao voltar para o refeitório, encontrei Shin comendo os restos da minha torrada com *kaya*. "Você está perdendo o jeito com as mulheres", comentei com desânimo. "E devolva o meu café da manhã."

"Tarde demais." Ele esticou as longas pernas sob a mesa. Senti vontade de chutá-lo, mas o *cheongsam* que eu estava usando era muito apertado e não me permitiria fazer isso. "O que foi isso que acabou de acontecer?"

Contei a ele sobre Pei Ling e sua ligação com o vendedor e com Y. K. Wong, mas quando mencionei que seu colega de quarto tentou me seguir quando eu ia para casa na sexta-feira à noite, o rosto de Shin obscureceu.

"Por que você não me disse nada ontem?"

"Apenas finja que não sabe. Não quero me envolver com ele." Felizmente, Y. K. Wong pareceu não ter visto meu rosto ontem. "Mas estou pensando no que Pei Ling queria que você pegasse para ela na ala dos dormitórios masculinos."

Tudo o que tinha relação com o dedo amputado, incluindo Pei Ling e seu estranho pedido, projetava uma sombra inquietante. Metade de mim estava bastante curiosa, enquanto a outra metade advertia que era melhor esquecer esse assunto. De qualquer forma, estávamos quase terminando de limpar o depósito — mais umas duas horas, e eu voltaria para Ipoh.

Shin tinha terminado o que restava do meu café da manhã e agora olhava de modo intrigado para o prato intocado de Pei Ling.

"Pode ficar com a comida dela também."

"Não quero."

"A dela é melhor, ela não deu nem uma mordida", apontei.

"Só quero a sua comida", disse ele languidamente.

Revirei os olhos, aliviada por estarmos em termos amigáveis de novo. Mas preciso tomar cuidado com Shin. Ele pode mudar de ideia mais uma vez. Então não falei nada e comi a torrada de Pei Ling. Fiquei apreensiva com o fato de ela ter parecido tão assustada.

Uma sombra recaiu sobre nós. Olhei para cima e vi Koh Beng, o assistente com cara de leitão. Mesmo sendo manhã, seu rosto estava coberto por uma camada de suor fina e brilhante. "Você está bem?", perguntou ele. "Você não parecia bem ontem à noite."

Foi gentil da parte dele lembrar. Koh Beng se sentou e começou a comer. Macarrão de novo, com finas e suculentas fatias de fígado de porco sobre a sopa quente e fumegante. Eu queria ter pedido isso também. "Quer um pouco?", perguntou ele.

"Já estávamos de saída", disse Shin, em pé. Também me levantei, puxando discretamente meu vestido para baixo. O olhar de Koh Beng se deteve nas minhas pernas.

"Olhe para a mesa!", falei, batendo no tampo de madeira.

Ele sorriu. "Gosto de garotas que falam o que pensam."

Ele foi interrompido por uma comoção do lado de fora. As pessoas corriam de um lado para o outro e gritavam.

"O que aconteceu?", perguntei.

Koh Beng continuou tomando sua sopa com macarrão. "Provavelmente um lagarto-monitor", disse ele, indiferente.

Os lagartos-monitores podiam chegar a até um metro e meio de comprimento e eram predadores de galinhas perdidas, roedores e tudo o que pudessem encontrar. Pensar em um deles vagando pelo hospital me deu arrepios. Olhei para Shin, mas ele estava franzindo a testa, a cabeça inclinada como se tivesse ouvido alguma coisa.

"Vamos", disse ele.

Longe dos prédios principais do hospital, a colina seguia em declive, conectada por pequenas passarelas e escadas. Shin era muito mais rápido que eu e, quando cheguei à passarela onde ele havia parado, um grupo de pessoas se reunia lá embaixo.

"Afastem-se, por favor!" Dois homens com uma maca vazia passaram correndo.

Shin virou e voltou para onde eu estava. "Não olhe."

"O que aconteceu?"

Em resposta, ele agarrou meu cotovelo e me levou depressa para longe. Esticando o pescoço, vislumbrei os homens carregando alguém na maca; só consegui enxergar um pequeno pé descalço.

"Como você conheceu aquela enfermeira mesmo?", perguntou Shin em voz baixa.

"Dei uma trombada nela a caminho do refeitório. Por quê?"

"Porque ela caiu daqueles degraus. Foi bem feio. Não, não volte. Não há nada que você possa fazer agora."

"Ela está morta?"

"Parece uma lesão na cabeça. Acabaram de encontrá-la."

Chocada, senti vontade de chorar. Que coisa horrível foi acontecer com Pei Ling, não fazia nem meia hora que tinha saído do refeitório.

"Ela saiu correndo depois que falou com você?"

"Não, ela foi caminhando. Shin, o que devemos fazer?"

"Ela já está sendo examinada pelos médicos. Um hospital é um bom lugar para se acidentar. Se tiver sido um acidente", acrescentou ele em voz baixa.

Parei. "O que faz você pensar assim?"

"Ela caiu a uma boa distância do fim da escada. Se você tropeçasse, normalmente não cairia tão longe porque poderia se segurar. Havia corrimãos também. Por outro lado, se tivesse sido empurrada...", suspirou ele. "Quando ela lhe contou sobre o pacote na ala dos dormitórios masculinos, havia alguém por perto?"

"Na primeira vez, não. Mas quando estávamos fora do refeitório, tinha gente passando."

Ansiosa, examinei a cena lá embaixo. A maca com seu triste fardo, os tristes pés pequenos para fora, um deles descalço e outro ainda calçando um confortável sapato de enfermeira, se dirigia para a parte de trás de outro prédio. As pessoas se dispersaram, embora uma figura solitária continuasse a observar de longe. Reconheci o perfil torto de Y. K. Wong.

"Achei que você tivesse dito que ele tinha ido embora na noite passada!", murmurei, apontando-o para Shin.

"Ele deve ter voltado hoje de manhã. Você não está suspeitando dele, está?"

Eu não sabia o que pensar. A desgraça de Pei Ling me preocupava; parecia muita coincidência ela ter sofrido um acidente tão terrível logo depois de me confiar um segredo. Mais uma vez, pensei na forma escura se movendo no fundo do rio nos meus sonhos.

"Shin, você pode procurar o pacote de Pei Ling na sala compartilhada da ala dos dormitórios masculinos? Ela estava preocupada que alguém o encontrasse. Precisamos manter o tal pacote em segurança para ela." Lancei-lhe um olhar suplicante.

Ele não disse nada, apenas levantou as sobrancelhas e se afastou. Mas eu sabia que ele iria procurar. Tivemos patinhos de estimação quando éramos mais novos, duas bolinhas amarelas de penugem. O meu desapareceu numa tarde. O jantar dos gatos, as pessoas provocavam. Mas Shin o procurou silenciosa e obstinadamente pela vizinhança durante dias, muito depois de toda a esperança de encontrar o pobre patinho ter se esvaído. Ao relembrar isso, senti uma onda de gratidão. Embora as palavras de Pei Ling continuassem na minha cabeça: *você o conhece bem?* Era uma boa pergunta. Não éramos mais crianças. Mesmo agora, eu não sabia por que Shin não voltava para casa havia quase um ano. Além disso, por quanto tempo poderia confiar nele? A única família de verdade que eu tinha era minha mãe, era dela que eu precisava cuidar.

Ao som de passos se aproximando, me endireitei, com um medo repentino de que pudesse ser Y. K. Wong. Havia algo inquietante naquele homem, o modo como ele aparecia em lugares inesperados. Mas era só Koh Beng.

"Olá!", disse ele com alegria. "Esperando Shin?"

"Sim, ele foi buscar algo." Hesitei, pensando se falava ou não sobre o acidente de Pei Ling.

"Quer que eu mostre o hospital para você?"

Assenti depressa. Não era prudente esperar perto da ala dos dormitórios masculinos, onde Y. K. Wong poderia me encontrar se retornasse. Esperava que Shin tivesse o bom senso de me procurar.

Koh Beng foi um guia interessante, cheio de fofocas e histórias animadas. Foi ali que a primeira transfusão de sangue no hospital aconteceu. Foi naquela sala que a esposa do diretor anterior o pegou experimentando um uniforme de enfermeira. Tamanho GG. Não pude deixar de rir, mesmo que a maioria das histórias fosse terrível.

"Você é realmente a namorada de Shin?", perguntou ele de repente.

"Por quê?"

Koh Beng hesitou. "Porque ele tem outra garota. Em Singapura."

"Como você sabe?"

"Shin fala sobre ela o tempo todo. Disse que a conheceu em Singapura."

Como eu deveria reagir a essa notícia de suposta infidelidade? Talvez uma fisionomia corajosa e chateada fosse suficiente. "Oh", olhei para os meus sapatos. Tive uma estranha sensação de aperto no peito.

"Sinto muito." Koh Beng se aproximou um pouco. "Se houver qualquer coisa que eu possa fazer..." Ele colocou a mão no meu ombro.

"Ji Lin!" Era Shin, atravessando o corredor. "Por que você some assim?"

Koh Beng afastou a mão.

"Ele estava me mostrando o hospital."

Shin passou o braço pela minha cintura, e eu endureci. Percebendo minha reação, Koh Beng sorriu embaraçosamente quando se virou para ir embora. "Se precisar de alguma ajuda, é só falar."

• • •

"Que tipo de ajuda ele estava oferecendo a você?", perguntou Shin.

"Nada", eu não deveria estar incomodada. O conselho bem-intencionado de Koh Beng não tinha nada a ver com a minha situação. Eu me desvencilhei do braço de Shin. "Não precisamos fingir agora. Não há mais ninguém por perto."

Shin me investigou com o olhar. Às vezes eu me perguntava o que acontecia por trás daqueles olhos escuros e intensos. Quando meu meio-irmão sorria, eles se enrugavam nos cantos, e ele sorria muito mais hoje em dia do que quando era mais jovem. Eu não sabia se gostava disso. Ele tinha aprendido a usar o rosto a seu favor.

"Tenho algo estranho para mostrar a você", disse ele depois de uma pausa.

"Você encontrou?" Mas havia pessoas conversando em voz alta, um barulho de passos. Parecia que uma multidão vinha pelo corredor; certamente não era um bom lugar para examinar pacotes roubados misteriosos. Além disso, eu não queria correr o risco de encontrar Y. K. Wong de novo.

Shin tentou abrir uma porta. Estava trancada. A porta seguinte se abriu; era um depósito com uma janelinha que deixava entrar uma suave luz cinzenta. Nós nos escondemos lá dentro, abaixados, enquanto as pessoas tagarelavam:

"Que coisa horrível! Quem era ela mesmo?"

"A enfermeira baixinha. Aquela envolvida com um paciente casado."

"Pensei que ela tivesse mais juízo."

"Talvez a esposa a tenha amaldiçoado."

As vozes se distanciaram ao longo do corredor. Notei que estava prendendo a respiração e a soltei depressa.

Shin disse em voz baixa: "Estava dentro do vaso na sala compartilhada, como ela disse."

O depósito estava apertado e quase sem luz, mas parecia mais seguro que o corredor, sobretudo se Shin tinha pegado alguma coisa. Ele começou a desabotoar a camisa.

"O que você está fazendo?", perguntei baixinho.

"Escondi na minha camisa", disse Shin, surpreso. Então sorriu: "Ah, você estava esperando que eu fosse tirar a roupa?".

"Quem quer ver você sem camisa?"

"Olha quem fala. Você costumava nadar praticamente sem roupa."

"Eu, não! Eu mal entrava na água. Não sei nadar bem... você sabe disso!"

"Posso ensinar você, se quiser." Ele se inclinou mais para perto, a respiração cálida contra o meu ouvido. Por um instante de desvario, pensei que fosse me beijar.

• • •

Eu já fui beijada. Por um garoto por quem não estava interessada. Aconteceu um ano anterior à ida de Shin para a faculdade de medicina, quando eu ainda estava morrendo de amores por Ming. Ming tinha um amigo chamado Robert Chiu, um garoto de família rica que morava perto de Ipoh, e como eu sempre queria estar perto de Ming, acabava encontrando Robert várias vezes também.

Foi Robert quem me beijou, num banco do lado de fora da relojoaria. Shin estava em algum lugar com outra namorada nova, e Ming tinha se ausentado por algum motivo. Eu não entendia por que Robert estava sempre por ali. Se eu tivesse uma casa grande com garagem e um carro preto brilhante estacionado, eu não passaria minhas tardes num fim de mundo como Falim. Então ele me olhou. De repente, como se tivesse tomado uma decisão, segurou meus ombros. Sua boca era úmida, quente e insistente; eu não conseguia respirar. Não senti nada arrebatador, além de desepero para afastá-lo de mim.

"Gosto de você há um tempão", disse ele. "Pensei que soubesse."

Balancei a cabeça. Meu rosto estava vermelho, minhas mãos tremiam. A última coisa que eu queria era ter uma conversa íntima com Robert, mas ele colocou minha mão entre as suas, e a única forma de fugir seria empurrando-o do banco. Eu estava lisonjeada, mas foi desastroso, como um acidente em câmera lenta.

Felizmente, Ming apareceu naquele momento. Fiquei um pouco envergonhada, mas esperançosa. Agora era a hora de ele morrer de ciúmes, já que Robert ainda segurava minha mão, mas ele apenas olhou para nós com seu jeito calmo e sensato, e disse para Robert: "Ah, você já conversou com ela?".

Dei um pulo, puxando a minha mão. "Sinto muito", eu disse a Robert. "Muito obrigada, mas não."

Ele pareceu espantado. "Não tenho nenhuma chance?"

"Não. De jeito nenhum." E então fugi.

De modo irracional, eu só conseguia pensar que, se me casasse com Robert, seria a senhora de uma grande casa em Ipoh com uma Victrola, que poderia tocar quantas músicas populares eu quisesse. Por mais tentador que fosse, implicaria também em ter que viver me esquivando de seus abraços pegajosos. Eu me lembrei do rubor juvenil no rosto da minha mãe logo depois que ela se casou de novo, quando a flagrei sentada no colo do meu padrasto. Havia algo naquele homem que a agradava, mesmo agora. Mas, o que quer que fosse, eu não o teria com Robert. Eu tinha certeza disso, porém, quando Ming veio falar comigo com seu jeito discreto e preocupado, inesperadamente comecei a chorar.

"Qual é o problema?", perguntou ele, preocupado. "Ele assustou você?"

Balancei a cabeça, tomada pela tristeza. Ming não ligava para mim daquele jeito firme e dolorido, do tipo não-posso-viver-sem-você. Ele estava apenas sendo gentil, como um irmão mais velho.

"Sinto muito", disse ele. "Apesar de tudo, ele não é má pessoa." *E é um bom partido.* Embora Ming fosse sutil demais para verbalizar algo assim. Não como Shin, pensei com amargura, que provavelmente me incentivaria a não perder tempo e casar por dinheiro. Disse isso a Ming, mas ele pareceu surpreso.

"Não, Shin não sabe sobre isso. E não conte para ele, tudo bem?"

Então não contamos. Mas sempre que eu pensava no meu primeiro beijo, todos os dolorosos sentimentos de mágoa e decepção vinham à tona. Não pelo coitado do Robert, mas por mim mesma, porque aquele foi o dia em que entendi que Ming jamais me amaria.

• • •

Mais tarde, no May Flower, foram tantas as vezes que os homens tentaram se aproximar com segundas intenções que aprendi a me desvencilhar dessas investidas. Então, quando Shin se aproximou no depósito de vassouras, depois de brincar sobre tirar a camisa, entrei em pânico e o empurrei para trás com tanta força que ele bateu na porta com um baque.

"Ai! Por que você fez isso?"

Como eu poderia dizer que achei que meu meio-irmão fosse me beijar? Era ridículo; além disso, Koh Beng tinha acabado de confirmar minhas suspeitas de que Shin tinha uma namorada em Singapura. Ainda assim, senti uma agitação estranha na boca do estômago quando ele se inclinou para a frente. Como se mil mariposas tivessem se reunido em torno de uma vela que fora acesa silenciosa e misteriosamente.

Só porque Shin era muito bonito, concluí. Estava cansada de dançar com velhos barrigudos e menores de idade, e agora estava finalmente apreciando o que havia subestimado diante de mim à mesa de jantar todos esses anos. Era um pensamento tão ultrajante que comecei a rir de forma histérica. Trabalhar como instrutora de dança claramente tinha arruinado meus princípios.

De súbito, a porta se abriu. Nós dois congelamos, os olhos piscando com a luz repentina.

"O que está acontecendo aqui?" Uma voz severa e irritada com a entonação monótona de um estrangeiro.

Shin se virou rapidamente, o riso suspenso. "Sinto muito, supervisora."

Então essa era a supervisora. Senti náuseas. Todas as esperanças que eu tinha de me candidatar ao programa de enfermagem, com suas exigências de bom caráter moral, seriam destruídas se ela mais tarde lembrasse que me flagrou com um homem num depósito de vassouras.

"Espero que, aí atrás de você, não seja uma das minhas enfermeiras", repreendeu ela, sisuda, quando saímos constrangidos.

Shin disse: "Não, senhora". Houve uma pausa esquisita. Então ele disparou: "Ela é minha noiva".

"Sua noiva?" A descrença dela era palpável.

"Acabei de pedi-la em casamento."

"No depósito?"

Eu quase conseguia enxergar as pequenas engrenagens girando na cabeça de Shin. Não vai adiantar nada, pensei. Uma história que não poderia ser comprovada. Mas, para o meu espanto, ele colocou a mão no bolso da calça e tirou uma caixinha de veludo. Dentro dela, o anel era um simples arco de ouro com cinco pedrinhas arranjadas em formato de flor. Colocando-o no meu dedo, ele sorriu triunfantemente para a supervisora.

Ela ficou tão surpresa que só conseguiu dar um sorriso frouxo. "Bem, senhor... Lee, não é? Por favor, evite esses comportamentos nas áreas do hospital. Mas, parabéns!"

Shin baixou a cabeça, parecendo tão satisfeito como se tivesse feito um truque de mágica. E era mágica mesmo. Toda a suspeita e a censura evaporaram, já que a supervisora amoleceu. Ela apertou nossas mãos e nos desejou o melhor. Shin era deliberadamente encantador, o que era bom porque eu estava estupefata.

Andei um pouco atrás dos dois, tentando me recompor. O anel na minha mão esquerda estava muito largo — precisei dobrar meus dedos para que ele não escorregasse —, mas era de se esperar, já que era para outra garota. Como ela se sentiria ao saber que Shin estava usando seu anel para se livrar de um mal-entendido?

Esse anel de ouro bonito e delicado tinha sido escolhido com muito esmero. Parecia-me impossível que uma garota pudesse recusá-lo, e, por um momento, fui tomada por uma inesperada maré de desolação. Uma solidão sufocante que fez até meus dentes doerem.

21

Batu Gajah
SEMANA DE 15 DE JUNHO

Ren estava animado com o jantar na casa de William. Era um evento mensal e rotativo entre um grupo de médicos mais jovens. Alguns tinham esposas, mas mesmo os casados em geral viviam como solteiros porque suas famílias tinham voltado para a Inglaterra. Então os convidados eram principalmente homens, disse Ah Long. As poucas esposas que ficavam enfrentavam o tédio dos dias lânguidos, intermináveis. Com muitos criados e sem tarefas domésticas, elas faziam trabalho voluntário em instituições de caridade, jogavam tênis e, de acordo com os boatos, trocavam de marido.

"Por quê?", pergunta Ren. Trocar pessoas por outras pessoas e mudar de casa parece problemático para ele, mas Ah Long balança a cabeça e diz que ele é jovem demais para entender.

Mas Ren entende. Um pouco. Tem a ver com não se sentir feliz, embora ele ache que William é um bom mestre e que alguma mulher vai acabar se interessando por ele. Ele se lembra da moça do hospital, aquela com o cabelo macio como um pão de ló cozido no vapor. Lydia, era o nome dela. Ela viera para casa com William no domingo depois da igreja.

Pela expressão educada do mestre, Ren percebeu que ele não estava contente. A princípio, ele tinha planejado deixar Lydia antes de levar uma paciente para a casa, mas Lydia insistiu em fazer uma visita. Ren só prestou atenção porque a paciente era Nandani. Sua paciente, pensa ele, com uma ponta de orgulho.

Quando William e Lydia estão juntos na sala de estar do bangalô, Ren fica mais uma vez impressionado com a semelhança entre eles.

Altos e pálidos, com narizes grandes e empinados, e mãos compridas. Ele não sabe dizer se Lydia é atraente ou não, mas ela parece acostumada a chamar atenção, considerando a maneira de mexer no cabelo e a confiança com a qual cruza as longas pernas, que terminam em pés calçados com sandálias de couro branco.

"Como está a paciente? Nandani, quero dizer?", pergunta Ren timidamente, mas o rosto de William se ilumina.

"Indo bem. Você quer vê-la?"

"Sim."

"Acompanhar o progresso dela será um aprendizado para você", diz William. "Vou trazê-la aqui em casa um dia."

Ren olha para Lydia, mas ela está estudando a estante com cuidado e não dá qualquer sinal de estar ouvindo o que os dois planejam. Ela anda pela casa com William, sugerindo como organizar os móveis para a próxima festa. Algumas sugestões, Ren pensa, são muito boas.

"Não haverá muitas mulheres no sábado", diz William, solícito. "Tem certeza de que quer vir? Pode ser bem entediante para você."

Lydia toma o braço dele. "Não, vou adorar! Quer que eu arrume as flores?"

Pelo olhar inquieto de William, Ren sabe que as flores são a última coisa que passa pela cabeça dele. Chega a ser quase cômico, não fosse o fato de seu mestre estar sofrendo.

"Não precisa. Ah Long vai arrumar tudo." E, com isso, William a leva para o carro para deixá-la em casa.

• • •

Lembrando-se disso, mais tarde Ren pergunta a Ah Long se eles precisam de flores para a casa. Ah Long franze o cenho. "Sim. Precisamos de um arranjo central para a mesa e algo próximo à área da frente." Apesar do seu ar de sofrimento, ele está gostando dos preparativos para a festa.

Na terça-feira, Ah Long decide alvejar e engomar de novo a toalha de mesa, que tinha ficado amarelada, embora tivesse sido guardada limpa da última vez. Na quarta-feira, Ren tira o pó e passa pano nos livros, arrumando a posição das lombadas e alinhando-os com esmero. Ren reconhece alguns dos títulos, os mesmos da casa do dr. MacFarlane. *Gray's — Anatomia clínica para estudantes*, edições das revistas *The Lancet* e *Anais de Medicina Tropical e Parasitologia*. As longas palavras primeiro foram pronunciadas pelo dr. MacFarlane e depois

Ren aprendeu a copiá-las, sentado à mesa da cozinha. Ele meneia a cabeça para elas, velhas amigas, enquanto limpa o chão.

Há três galinhas rechonchudas no galinheiro de madeira nos fundos. Serão transformadas em filés de frango e *inchi kabin*, pedaços de frango crocantes, fritos em duas etapas e servidos com molho doce e apimentado. Como a carne bovina local, proveniente do búfalo-asiático, é dura e magra, Ah Long fará *rendang* de carne, um prato cozido lentamente e temperado com curry e coco, para complementar os pratos principais. Enquanto isso, na quinta-feira, eles mudam todos os móveis da sala de lugar e enceram o chão.

"Caso eles queiram dançar", explica Ah Long. "Embora venham apenas duas damas." Ainda assim, ele move o gramofone enquanto Ren afia as agulhas. Haverá outro garçom chinês, contratado para servir bebidas nessa noite. William quase não se interessa pelos preparativos. Quando Ren pergunta por ele, Ah Long dá de ombros. "Ele arrumou um novo hobby."

Agora que Ah Long mencionou, Ren percebe que seu mestre tinha começado a sumir depois do jantar. "Ele não costumava fazer as caminhadas pela manhã?"

"Manhã, noite, o que importa? Contanto que ela esteja interessada", Ah Long resmunga em voz baixa.

Na manhã de sexta-feira, o jardineiro entrega as flores de corte à porta da cozinha e Ren carrega uma leva pesada para a sala de jantar para separá-las. Se houvesse uma dama na casa, ela arrumaria as flores no dia da festa, mas amanhã o dia será dedicado à culinária. A comida estragava rapidamente no calor, então tudo deve ser preparado na hora. Enquanto Ren volta depressa para a cozinha para pegar uma segunda leva de plantas, encontra o jardineiro conversando com Ah Long.

"Ei, garoto!", diz o jardineiro. Ele é tâmil, seu corpo é atarracado e magro, queimado pelo sol impiedoso. É o jardineiro amigável que fala malaio; o outro só fala tâmil. "*Mau lihat?* Quer ver algo interessante?"

Animado, Ren segue o jardineiro até o jardim. Ah Long dá passos duros e taciturnos atrás deles conforme dão a volta pelos fundos, até onde o gramado bem cuidado termina em vegetação rasteira. É a linha de frente da interminável batalha dos jardineiros contra a selva ao redor. Andando pelo perímetro do jardim, eles se aproximam do terreno irregular onde Ren enterra o lixo doméstico — e onde o dedo que ele roubou do hospital está enterrado; o frasco de vidro guardado em segurança dentro da lata de biscoitos vazia.

O coração de Ren dispara. Seus olhos se fixam na pedra que tinha colocado para marcar o local. Ela parece suspeita em um trecho com terra recentemente revirada. Ren não esperava que alguém fosse ao depósito de lixo. Ninguém vai, apenas ele.

"*Sini*", diz o jardineiro. "Aqui e aqui. Consegue ver?"

Ele aponta para os vestígios: ramos dobrados e quebrados e uma pegada na terra molhada e macia. É uma pegada de tigre.

Pelo menos é o que diz o jardineiro, embora Ren não tenha como saber, já que parte da pegada está borrada. Mas algo definitivamente tinha passado por esse caminho. Algo grande e pesado. Mais adiante, sob as árvores, as folhas secas formam um tapete espesso. Apenas onde a terra está exposta é que a pegada aparece. Os homens se agacham perto dela, uma pegada mais larga que a palma da mão de um homem.

"Pata dianteira esquerda", diz o jardineiro.

"Como você sabe?", pergunta Ren.

O jardineiro explica que as patas dianteiras tendem a ser maiores do que as traseiras. Além disso, nas patas dianteiras há cinco dedos, quatro menores e um maior. Parece que o animal estava parado sob as árvores no limiar do jardim. Aquela pata dianteira era a única marca na beira do gramado.

"Os tigres são astutos", diz o jardineiro. "Ele estava dando uma olhada na casa."

O coração de Ren dispara. O que significa o fato de a pegada estar bem ao lado da pedra que marca o dedo enterrado? Ele gostaria de poder pedir conselhos a algum adulto, mas se contasse a William, teria que admitir o roubo do dedo. Inconscientemente, ele aperta as mãos pequenas, torcendo-as com ansiedade. Restavam nove dos quarenta e nove dias da alma do dr. MacFarlane. Com certeza era tempo suficiente para devolver o dedo, certo?

Ah Long perscruta a pegada borrada. "Está faltando um dedo na pata desse tigre", diz ele. "O dedo mínimo da pata dianteira esquerda."

Ren fecha os olhos, inspirando. Seus ouvidos estão atentos; seu cabelo se arrepia. Ele ouve com muita atenção, mas não há nada. Nem um lampejo de seu senso felino. Apenas um silêncio tão profundo que preenche a área de gramado aparado onde o bangalô branco está assentado, como um aquário no meio da selva.

"Vamos fazer uma oferenda?", diz o jardineiro, tímido. Ele é hindu, e Ah Long se diz budista; entre os dois há uma tradição de pequenas oferendas e sacrifícios, mas Ah Long franze a testa.

"O que vamos oferecer — uma galinha? Só tenho três e preciso delas amanhã. Além disso, não queremos que o tigre volte."

Se fosse um javali ou um veado, poderiam espalhar sangue ou cabelo humano para mantê-los longe, mas essas coisas não detinham um tigre. O jardineiro se inclina em uma pequena reverência para a selva silenciosa e diz algo em tâmil.

"Pedi a ele: Senhor Tigre, por favor, não volte", diz ele com um leve sorriso. Ren olha para o rosto escuro e enrugado. Ele não tem ideia se o jardineiro está preocupado de verdade, ou se isso é só uma daquelas coisas que acontecem de tempos em tempos, como as monções ou as enchentes. Em sua época com o dr. MacFarlane, nunca houve um tigre vagando tão perto da casa, apesar de todos os delírios do velho. Ou talvez não houvesse pegadas do lado de fora porque o tigre vivia lá dentro. A imagem do rosto branco do dr. MacFarlane, a mão esquerda com um dedo faltando enrolada na fina manta de algodão, flutua diante dos olhos de Ren, e ele empalidece.

Ah Long segura seu braço. "Não precisa ficar tão assustado! Os tigres percorrem muitos quilômetros, e esse já foi embora faz tempo."

• • •

Naquela noite, no inglês hesitante que usa com seu patrão, Ah Long informa William sobre a descoberta. É a segunda pegada de tigre descoberta perto do bangalô; a primeira ocorreu na época em que aquela pobre mulher morreu.

"Então, *Tuan*, você não sair sozinho à noite", conclui Ah Long.

Um lampejo passa pelo rosto de William. "Você também. E, Ren, não ande por aí sozinho."

Ren pega um prato de *ikan bilis*, peixes minúsculos, fritos com molho *sambal* picante. Servir pela esquerda, retirar os pratos pela direita — foi o que a tia Kwan lhe ensinou. O ambiente está abafado apesar das janelas abertas. As flores que o jardineiro trouxe — aves-do-paraíso, canas-da-índia, galhos finos de hibisco — estão rijas e parecem oferendas fúnebres. A pele de Ren está tesa e trêmula; sua garganta dói. A pegada no jardim é uma preocupação corrosiva.

"Não está bem?" William chama Ren e encosta as costas da mão em sua testa. É uma mão grande, profissionalmente impessoal. "Hmm. Febre. Vá pedir uma aspirina para Ah Long e depois fique deitado."

Ren não tinha terminado o serviço do jantar nem lavado a louça, mas William lhe deu uma ordem. Ele vai até a cozinha, e o velho, examinando seu rosto pálido com preocupação, lhe entrega uma aspirina e o manda para a cama.

Ren sai pela porta da cozinha com dificuldade, descendo o caminho coberto até o alojamento dos empregados nos fundos da casa. Seu rosto está queimando, suas pernas, trôpegas. Durante a infância, quem sempre adoecia era Yi; fosse gripe ou intoxicação alimentar, ele sempre adoecia antes de Ren. "Sou o sistema de alerta", dizia Yi, franzindo o rosto em um sorriso. "Vou antes de você." E, no fim, ele foi.

Tremendo em sua cama estreita, Ren puxa o cobertor de algodão sobre si. Apesar do calor no quarto, ele está tiritando de frio. Seus ossos doem. No entanto, há uma sensação de paz, o atordoamente típico de quando se está doente. Ele não consegue mais pensar sobre o tigre de forma coerente.

E então começa a sonhar.

• • •

É o velho sonho, aquele em que Ren está em uma plataforma ferroviária, só que desta vez o trem está parado na estação. E Ren não está lá. Ele está em uma pequena ilha — parece mais um banco de areia — no meio de um rio, olhando para o trem do outro lado da água. A luz do sol brilha pelas janelas vazias do trem. Onde está Yi?

Ren caminha de um lado do banco de areia até o outro, protegendo os olhos enquanto fita a água. Então ele o vê, movendo-se e acenando freneticamente na margem oposta. Ele saltita de um pé para o outro de maneira familiar. Como Ren poderia ter esquecido esse gingado?

"Yi!", grita ele. A pequena figura na outra margem coloca as mãos ao redor da boca e responde, mas não há som.

Por que não há som? Então Ren percebe outra coisa. Yi é tão pequeno. Não só devido à distância, mas porque ele ainda tem oito anos, a idade que tinha quando morreu. Quem mudou foi Ren. Mas Yi parece tão feliz em vê-lo que um nó de felicidade se forma na garganta de Ren.

Agora Yi está fazendo uma pantomima: *Como vai você?*

Ele aponta para si mesmo e faz um sinal de positivo. "você?"

Yi também faz um sinal de positivo. *Não se preocupe.*

Com o quê? Ele deve estar se referindo ao tigre, ao dr. MacFarlane e a todas as mortes que já ocorreram e as que virão. Claro que Yi sabia. Ele sempre soube de tudo o que preocupava Ren.

Ren responde que está bem, que tem um emprego e também que encontrou o dedo e o está guardando em um lugar seguro. É difícil gesticular tudo isso, mas Yi parece entender. Talvez o som funcione apenas em um sentido, mas Ren não quer perder o tempo que tem com Yi tentando descobrir isso.

O tempo está acabando.

No momento em que pensa nisso, a água bate em seus pés descalços. Pulando para trás, Ren percebe que o banco de areia está ficando menor, ou talvez a água esteja subindo.

"Tem um tigre no jardim", grita ele para o outro lado da água. "Mas não se preocupe, sei o que fazer."

Yi parece preocupado.

"Vou voltar a Kamunting depois da festa."

Yi faz um gesto negativo com a cabeça.

"Tudo bem, tenho permissão. Então farei o que o dr. MacFarlane me pediu para fazer."

Os braços de Yi explodem, gesticulando algo complicado. O rostinho está tenso de preocupação.

"Não estou com medo", diz Ren.

Pergunte para a garota.

Que garota? Ren não consegue pensar em nenhuma garota ou mulher, exceto a tia Kwan, e ela foi para o sul, para Kuala Lumpur.

A água está subindo, ondulando translúcida sobre a areia lamacenta. Há algo estranho: é viscosa, um pouco espessa demais, mas clara o suficiente para que ele consiga enxergar cada pedrinha e cada folha flutuante. Não há peixinhos na parte rasa. Nenhum camarão cristalino, nenhum inseto-jesus. Nada vivo.

"Vou nadar até onde você está", diz Ren. "Espere!"

Ele coloca um pé na água. Está surpreendentemente fria, e um redemoinho puxa seu tornozelo. Mas a outra margem não está tão longe.

Não! Yi não quer que ele entre na água. Agora está sinalizando com urgência para Ren parar.

Ren não é um nadador ágil, mas está confiante de que consegue nadar em estilo cachorrinho. Ele está parado com a água na altura do tornozelo. Está congelante. Ele nunca sentiu tanto frio assim. Uma vez o dr. MacFarlane lhe emprestou um livro de contos de fadas grande e de aparência cara quando estava ensinando Ren a ler, e Ren se debruçou sobre as belas ilustrações de neve e gelo e do tipo de clima melancólico que o dr. MacFarlane disse ser tão comum na Escócia. *Dreich*, como ele dizia. Havia uma história sobre uma garotinha que vendia fósforos, e a última imagem mostrava-a deitada na neve. Seus olhos estavam fechados, mas ela sorria, e a artista havia desenhado sombras azuis nos cantos de sua boca. Será que era esse arrepio que ela havia experimentado?

Ren range os dentes. Depois da parte rasa do banco de areia, a água é escura. Algo se move, e ele hesita. Na margem oposta, Yi está acenando freneticamente. *Não, não, não!* Mas Ren está maior e mais forte agora do que quando eles se separaram. Ele olha para o rio com a confiança de um garoto de onze anos e tem certeza de que consegue.

Agora a água bate em sua cintura, girando em um redemoinho sombrio. Está puxando-o com força. O frio é quase insuportável, atingindo sua espinha e sugando todo o calor de seu corpo.

Yi está ajoelhado na outra margem. Seu rosto se contorce, lágrimas escorrem enquanto ele gesticula de forma descontrolada. *PARE!*

Ren quer lhe dizer para não chorar; ele estará lá em breve. Mas seus dentes estão batendo tanto que não consegue formar as palavras. Com um último ímpeto de coragem, Ren mergulha a cabeça na água gelada e escura.

A Noite do Tigre
Yangsze Choo

22

Ipoh
SEGUNDA-FEIRA, 15 DE JUNHO

Manhã. Olhei para o teto de novo — desta vez era o teto familiar da casa da sra. Tham. Ao me sentar, mexi desajeitadamente no anel que Shin tinha me dado, ainda amarrado em um lenço. Fiquei imaginando quem seria a garota cujo dedo era de um tamanho diferente do meu. O metal delicado e a cor viva indicavam que o ouro era vinte e quatro quilates. Minha mãe sempre me dizia para ter joias vinte e quatro quilates, não dezoito ou outro número inferior.

"Porque você pode penhorar", dizia ela com naturalidade. "Você consegue negociar melhor."

Claro, ela deve ter tido alguma experiência com casas de penhores depois que meu pai morreu. No pouco tempo em que eu estava trabalhando no May Flower, os homens tinham me dado presentes: pingentes de prata, pulseiras fininhas. Eu tinha relutado em aceitar qualquer coisa, mas as outras garotas disseram que eu seria tola em recusar uma das poucas vantagens do trabalho. Mas minha mãe estava certa. Nenhuma daquelas bugigangas tinha valor na casa de penhores, apesar de eu ter tentado algumas vezes, pensando em reduzir sua dívida mais rápido. Fiquei me perguntando quanto Shin havia gastado. Era sempre ele que terminava com as meninas, por não querer se comprometer. Até onde eu sabia, ele nunca tinha dado um presente como esse a ninguém.

...

Ontem, depois que a supervisora nos deixou, tentei devolver o anel para Shin com um sorriso, dizendo: "Você deve deixar isso bem guardado para sua namorada". Meu tom foi simpático e amigável, exatamente o que eu teria dito a ele alguns anos atrás.

"Fique com ele", disse Shin. "Vai parecer suspeito se você o devolver depois de ter dito a todos que estamos noivos."

Eu deveria ter continuado a conversa e perguntado como era a namorada dele e quando ele a levaria em casa, mas, por algum motivo, não consegui. Se me dissessem há um mês que eu me sentiria tão esquisita e triste com a ideia de o meu meio-irmão se casar, eu teria achado graça, mas agora havia apenas uma estranha solidão. Era como perdê-lo de novo, como quando ele decidiu me deixar de lado. Mas havia uma diferença: Shin não estava sendo apenas amigável, como se algo que o incomodara antes estivesse resolvido. Ele havia se tornado mais confiável, mais adulto. Mais atraente.

Pronto. Falei.

Bem, Shin sempre foi atraente, só não era atraente para mim. Ou talvez eu tivesse me esforçado para não prestar atenção. Tentei lembrar do rosto comprido e gentil de Ming, o redemoinho teimoso na parte de trás de sua cabeça, mas era inútil. A paixão que me sustentara por tantos anos tinha se desvanecido, deixando uma vaga sensação de confusão e culpa.

Então, inventei uma desculpa para voltar imediatamente a Ipoh. Eu ainda não tinha visto o pacote de Pei Ling, mas agora estávamos em frente ao hospital onde a supervisora havia nos deixado, à vista dos transeuntes. Era melhor que Shin mantivesse o pacote em segurança e fechado no hospital e o devolvesse a Pei Ling quando ela se recuperasse da queda.

Quando peguei o trem, tirei o anel e o embrulhei em meu lenço. Não parecia certo usá-lo, já que não era meu. Enfiei o lenço no cesto de ratã e senti as pontas afiadas do cartão que recebi do médico estrangeiro. *William Acton, cirurgião geral.* Envolvendo-o com os dedos, pensei que, no fim das contas, talvez fosse entrar em contato com ele.

• • •

Na terça-feira à tarde, fui ver Hui, fugindo do jantar com a família da sra. Tham. Ela insinuou que eu deveria estar presente naquela noite porque havia um rapaz que queria que eu conhecesse: o sobrinho de seu marido, que fora rejeitado por uma aproveitadora e agora estava determinado a se casar antes do fim do ano. Só para mostrar que podia, aparentemente. Eu não achava que isso fosse um bom presságio para ninguém.

Levei o anel de Shin, já que a sra. Tham costumava bisbilhotar meu quarto enquanto eu estava fora. As pedrinhas brilhavam feito sementes de romã; eram jaspe sanguíneo, usadas para proteção. Quando eu era pequena, um vendedor ambulante indiano veio vender colares de contas vermelho-escuras presas em um fio de algodão.

"Mantenha sua filha a salvo do perigo. Do mal, de pesadelos e ferimentos. Também é bom para o amor", disse ele para minha mãe e, surpreendentemente, ela me comprou um.

Guardei esse colar de contas por anos, até que um dia fui ao rio com Ming, e o fio de algodão desgastado finalmente se rompeu. As contas minúsculas caíram na água corrente e desapareceram. Ao me lembrar disso, enfiei o anel de volta no bolso. Não era meu, eu não podia perdê-lo.

• • •

Hui estava na frente do espelho, passando pó no rosto com um olhar de determinação. Um bom pó deveria levar pelo menos dez minutos para ser aplicado, a esponja não deveria ser esfregada, mas batida no rosto, na boca, nas orelhas, nas pálpebras e no pescoço. Batida, batida, batida, com muito vigor. Uma boa aplicação de pó deveria durar horas, para que a pele ficasse "matizada, suave e graciosa" — de acordo com as revistas. Eu não sabia disso, já que nunca consegui dedicar mais de trinta segundos à aplicação de pó.

"Ji Lin! O que está fazendo aqui?" Hui parecia satisfeita.

Eu me sentei na cama dela. "Você vai trabalhar hoje à noite?" Eu esperava que ela estivesse livre para jantar em uma das barracas à beira da estrada, onde serviam arraias grelhadas e embrulhadas em folhas de bananeira, mas claramente ela estava se preparando para um compromisso.

"Não. É uma solicitação."

As solicitações eram bem pagas, muito mais que as danças, e Hui não tinha um emprego diurno como meu aprendizado em costura. Ela dizia que não conseguiria aguentar. Cortar e medir o dia todo. No entanto, eu disse que as solicitações pareciam piores.

"Não para mim", respondeu ela, que sempre falava de forma vaga sobre o que acontecia nas solicitações. Havia o jantar e alguma forma de contato físico, que ela dizia consistir principalmente em beijos e apalpadas. "É num restaurante — há um limite para o que eles podem fazer em público."

Certa vez, perguntei se tinha feito alguma outra coisa. Hui pareceu achar graça e fechou os olhos em um longo piscar. "Claro que não." Nós duas rimos, desconfortáveis. Às vezes eu me preocupava com ela.

"Você parece triste hoje", disse Hui.

Sem querer explicar todos os detalhes do fim de semana, eu simplesmente disse que tínhamos devolvido o dedo para o hospital. Pensei que ela ficaria feliz em ouvir isso, mas ela ergueu as sobrancelhas.

"E quem é 'nós'?"

"Meu irmão e eu." Lembrei-me da respiração de Shin contra minha nuca quando ele me segurou, de forma relutante, sob as árvores *angsana*. O sangue subiu para o meu rosto, e quanto mais eu tentava disfarçar, pior ficava.

Hui me observou com cuidado. "É o seu meio-irmão, correto?"

"Sim. Ele vai se casar. Ou, pelo menos, está comprometido com alguém. Estou feliz por ele."

Fiquei com medo de que Hui zombasse de mim, mas, em vez disso, ela pôs o braço ao meu redor. "Ah, querida. Os homens são terríveis, não são?"

"Fiquei me sentindo solitária, só isso. Nós nos conhecemos desde que tínhamos dez anos. Eu... Eu gosto muito dele." Palavras inadequadas. Elas mal começavam a explicar como eu estava inquieta e perturbada. E talvez estivesse confundindo uma simples afeição com outra coisa. "Seja como for, é ridículo."

Hui se levantou e foi até a penteadeira. "Mas vocês não são irmãos de sangue." Seus olhos me observavam no espelho. Ela estava brincando com o potinho de rouge, abrindo e fechando a tampa distraidamente. "Eu gostaria de conhecer esse seu meio-irmão."

"Por quê?"

"Porque os homens são mentirosos." Havia uma perspicácia em seu tom que eu nunca tinha ouvido antes. Eu sabia que Hui tinha deixado alguma cidadezinha para ir a Ipoh e raramente voltava para casa, mas, fora isso, não fazia perguntas, aceitando o que ela queria compartilhar. Afinal, ela fazia o mesmo por mim.

Hui olhou para cima. "Não fique tão preocupada comigo, Ji Lin. Você é mesmo adorável."

Emocionada, tentei rir, mudando de assunto. "Você pode dizer à Mama que não vou estar lá esta semana?"

"Por que não?"

Expliquei que Y. K. Wong tinha me seguido depois do trabalho na sexta-feira passada e que, em seguida, quase o encontrei duas vezes no hospital no fim de semana. Coincidências demais para ficar tranquila.

"Diga a ela que minha mãe está doente ou algo assim." E eu precisava realmente encontrar outro emprego, embora não parecesse um bom momento para trazer isso à tona.

"E a festa privada em Batu Gajah neste sábado?"

"Eu vou." O pagamento será bom.

Conversamos sobre os preparativos para a festa, embora eu não estivesse animada. Podia ser a última vez que eu trabalharia com Hui, Rose e Pearl. *Talvez seja o melhor a fazer.* Sobretudo se eu quisesse me tornar enfermeira. Ainda assim, a melancolia tomou conta de mim, como uma nuvem particular carregada de chuva. Despedidas eram sempre assim.

Hui disse: "Vamos praticar o contorno da sua boca". O arco do cupido era complicado, e nunca tive paciência para fazê-lo corretamente.

"Não se preocupe comigo... Você não vai se atrasar?", falei, enquanto Hui, satisfeita com sua obra, aplicava rímel nos meus cílios.

"Ele que espere."

"Quem?"

"Aquele gerente de banco que vai às quartas-feiras."

Ele tinha quase sessenta anos, a pele manchada como um sapo, além do hábito de lamber os lábios. "Você não se importa?"

"Velhos são melhores", disse ela com descuido. "Os jovens esperam que você se apaixone por eles e faça todo tipo de coisas de graça."

"Hui!", falei, rindo. "Você é terrível."

"Não confie nos homens, Ji Lin", disse ela com tristeza. "Nem nesse seu irmão encantador."

• • •

Hui me disse para não esperar. Ela não havia terminado de fazer a toalete. Imaginava que fôssemos sair juntas quando ela fosse para o encontro, mas ela balançou a cabeça: "Está ficando tarde", então desci as escadas.

No fim das contas, não estava tarde. Na verdade, ainda daria tempo de jantar com a sra. Tham e o sobrinho do marido dela. Não querendo ir para casa, virei na rua Belfield. Riquixás e bicicletas passavam apressados, espremendo carros de boi e eventuais automóveis. Na esquina da rua Brewster com a ampla área verde do *padang* de Ipoh, um campo de críquete construído pela comunidade chinesa local para comemorar o Jubileu de Diamante da Rainha Vitória, parei em frente ao Bar e Restaurante FMS. A sigla FMS significava "Federated Malayan States" — Estados Federados Malaios —, e tanto moradores locais quanto expatriados iam beber nesse bar comprido e pediam pratos ocidentais preparados por um chef hainanês: filés e pedaços de frango grelhados, regados com cerveja gelada. Eu nunca tinha entrado ali, apesar de ter passado muitas vezes pela graciosa fachada colonial.

Decidi que um dia entraria e compraria um filé. Mesmo não sabendo se permitiam a entrada de mulheres solteiras. Quando me virei para entrar, as portas de madeira do Bar FMS se abriram. Meu coração veio à boca quando alguém me pegou pelo braço.

"Ji Lin?" Era um jovem de bigode fino e elegante. Por causa disso, quase não o reconheci.

"Sou eu, Robert! Amigo do Ming, Robert Chiu."

Robert foi quem me deu aquele beijo indesejado no banco do lado de fora da loja do relojoeiro. Ele era o típico jovem com aparência de quem tem dinheiro — agora eu sabia disso porque estava ciente do preço das coisas. Mas ele me olhou da mesma forma ansiosa e meio empolgada de antes, o que me surpreendeu. Se eu fosse um rapaz rejeitado por uma garota magricela de Falim, provavelmente não teria ficado tão feliz em vê-la de novo, mas Robert evidentemente tinha um temperamento mais generoso.

"O que você está fazendo aqui?" Seus olhos passearam para cima e para baixo. Eu conhecia esse olhar; no trabalho, tomava muito cuidado com homens que me olhavam assim, mas era só o Robert, disse a mim mesma. Além disso, ele não fazia ideia do meu emprego de meio período.

"Estou só de passagem", respondi.

A noite havia caído, aquela hora mágica do crepúsculo azulado, e a luz amarela do Bar FMS brilhava pelas vidraças da porta e da janela.

"Não a vejo há tanto tempo", disse ele. "Como você está?"

Conversamos sobre coisas sem importância. Robert estudava direito na Inglaterra e estava de volta para as férias. Ele falava apressadamente, as palavras jorrando como se temesse que eu fosse embora. Histórias que eu ouvia sem prestar muita atenção, sobre a universidade e pessoas que eu não conhecia.

Ele parou de falar e ficou me encarando de novo.

"Sinto muito", falei, me sentindo culpada. Pobre Robert, todo esse dinheiro e, mesmo assim, tão enfadonho. "O que você estava dizendo?"

"Nada. Só isso, você está ótima."

Provavelmente era a luz do bar, quente e lisonjeira, banhando tudo com um brilho dourado. Até Robert parecia bastante distinto com suas roupas caras e seu cabelo bem penteado. Olhei para baixo, mas Robert entendeu errado.

Encorajado, ele disse: "Ouvi de Ming que você ainda não se casou".

Eu disse alegremente: "Não, sou aprendiz de costureira". Melhor fingir vivacidade em momentos assim.

"Você gosta?"

"Gosto", respondi, mentindo descaradamente.

"Estou surpreso que você não tenha prosseguido com os estudos. Como o curso para professoras ou de enfermagem."

"Eu não tinha dinheiro."

Ele me deu um olhar rápido e constrangido. "Você já pensou em bolsas de estudo? Minha família às vezes concede bolsas a ótimos estudantes — a fundação da família Chiu, você sabe."

"Não estou mais na escola."

"Não importa. Posso fazer uma recomendação pessoal."

Olhei para o chão, sem saber o que dizer. Era uma grande chance, e qualquer outra garota a agarraria — além de agarrar Robert. No entanto, não pude deixar de pensar que tudo tinha um preço. Então agradeci, dizendo que era muito gentil da parte dele e que eu pensaria sobre o assunto. "E agora eu realmente preciso ir."

Recusei quando Robert se ofereceu para me levar para casa. "Não é longe", eu disse, rindo.

Ele insistiu, e logo descobri por quê. Ele me conduziu até a esquina, onde havia um carro reluzente e novinho. Era cor de creme, com curvas amplas e uma grade dianteira que brilhava prateada à última luz da noite.

"Entre", disse ele, abrindo a porta. Era encantador. Os assentos eram de couro caramelo, macios como a bochecha de um bebê, e interior inteiro do carro cheirava a riqueza: couro, cera de limão e um leve odor de gasolina. Eu me sentei, cruzando os pés para esconder a ponta arranhada dos sapatos, e inspirei profundamente. Seria fácil me acostumar a viajar assim. Ou talvez não. Porque, infelizmente, Robert era um motorista terrível.

Segurei na maçaneta da porta, as articulações dos meus dedos ficando brancas enquanto Robert pegava a rua com uma guinada de dar náuseas. Ouvi um rangido quando ele pressionou várias alavancas com o pé e puxou outras com as mãos. Disparamos por um cruzamento (Robert acenando de forma amistosa para um homem furioso em um riquixá) e quase acertamos um hidrante. A pior parte era que ele continuava falando.

"Então, Ji Lin", gritou ele por sobre o barulho de alguém buzinando para nós, "você vai estar por aqui durante todo o verão?"

Como se eu tivesse algum outro lugar para ir. Respondi educadamente: "Vou, sim", entre dentes cerrados. E então, finalmente, em meio à nuvem de fumaça do escapamento, estávamos na loja da sra. Tham.

"Ah, é aqui", disse Robert. "Precisei pegar o vestido da minha irmã aqui uma vez."

Minhas pernas estavam fracas e bambas, e fui forçada a pegar a mão de Robert, que me ajudou a sair do carro. Talvez essa fosse sua estratégia com as mulheres, aterrorizá-las em seu carro para que caíssem — literalmente — em seus braços.

Num instante, a sra. Tham estava do lado de fora da loja. Era evidente que ela estivera me esperando.

"Ji Lin, estou tão feliz por você estar de volta." Ela olhou para Robert. "Quem é ele?"

"Sou um velho amigo do irmão dela", disse Robert, embora ele e Shin nunca tivessem se dado bem.

"Ah!" A curiosidade da sra. Tham lutava contra o desejo de dar um recado. Este último ganhou. "Ji Lin, acabamos de receber o aviso de que sua mãe está doente."

Essa era a notícia que eu temia desde que minha mãe tinha se casado de novo. Ela estar "doente" poderia significar qualquer coisa, apesar de, até agora, seus machucados terem se resumido a um cotovelo torcido ou marcas de dedos em seu pulso. A imagem do braço quebrado e oscilante de Shin estava sempre nas profundezas da minha mente.

"Ela sofreu um aborto espontâneo."

Um aborto espontâneo? Pela contagem chinesa, que acrescentava um ano à idade cronológica, minha mãe tinha quarenta e dois anos e estava se aproximando da idade mais perigosa da vida, uma vez que o homófono de quarenta e dois soava como "você morre". Meu coração ficou pesado.

"Você vai para casa amanhã de manhã?", perguntou a sra. Tham.

"Sim, vou pegar o ônibus." Ocorreu-me que naquela tarde eu tinha pedido a Hui para dizer à Mama que eu não iria ao salão de dança no restante da semana porque minha mãe estava doente. Como eu tinha sido impertinente! E agora, como uma maldição, minhas palavras tinham se voltado contra mim. Lembrei da escuridão no rio dos meus sonhos, aquela forma sinistra que se agitava debaixo d'água.

"Eu levo você. Agora, se quiser", disse Robert. Tinha me esquecido completamente dele. "Não é longe de carro."

"Você a levaria mesmo?", perguntou a sra. Tham. "Seria muito gentil."

Nauseada pela apreensão, corri para o andar de cima para fazer as malas, deixando-a importunar Robert com perguntas. Uma vez no carro, ficamos em silêncio. O único consolo era que ele dirigia melhor em silêncio.

Depois de um tempo, Robert disse: "Se ela estiver muito mal, podemos levá-la para o hospital. O hospital distrital, em Batu Gajah, é um pouco mais longe que o Hospital Geral de Ipoh, mas pode oferecer um tratamento melhor".

"Por quê?"

"Porque meu pai faz parte do quadro da diretoria do Hospital Distrital de Batu Gajah."

Eu não sabia disso. As pessoas ricas viviam em um mundo diferente, no qual empregos e recomendações eram fáceis de obter. Se eu fosse mais inteligente em relação às coisas, poderia cuidar melhor da minha mãe, mas eu mal conseguia pensar. Nas últimas semanas, as pessoas ao meu redor tinham sido surpreendidas por uma morte, um acidente horrível e, agora, um aborto espontâneo.

Shin diria que era ridículo e, além disso, quantos outros incidentes não ocorreram nessa área no mesmo período? Aquela pobre mulher morta por um tigre sobre a qual eu tinha lido no jornal, por exemplo. Nem tudo podia ser atribuído ao destino, embora houvesse pessoas que na certa me diriam para comprar um amuleto contra maus espíritos. Sentei-me no espaçoso carro de Robert, torcendo as mãos no colo e tentando não chorar enquanto avançávamos escuridão adentro.

A Noite do Tigre
Yangsze Choo

23

Batu Gajah
SEXTA À NOITE, 19 DE JUNHO

Está frio. Tão terrivelmente frio que Ren pensa que seu coração vai parar. Os ossos de seu crânio doem. A água parece espessa, como gelatina escorrendo ou sangue coagulado. Balançando a cabeça como um cão, Ren observa a margem distante. Yi está correndo para cima e para baixo freneticamente, seu rosto é puro pavor quando movimenta os lábios: *Saia da água!*

Ele começa a bater braços e pernas para valer. O frio diminui quando ele se movimenta, ou talvez seus membros estejam ficando dormentes. Quanto mais ele nada, mais a dor recua, e Ren tem a estranha sensação de que está se desprendendo de seu corpo. Algo arranha sua perna. Engolindo água, Ren olha para baixo e vê uma fileira de dentes escancarados e um olho vidrado que flutua sob seu pé. Um crocodilo morto. Ele rola, levado pela correnteza do rio, a barriga branca aparece por um instante, depois afunda na escuridão. Além disso, há outras coisas no fundo do rio. Peixes mortos, vermes mortos, folhas mortas. Ren grita de repulsa.

Em pânico, braços e pernas se debatem. A correnteza o arrasta. Sua cabeça afunda novamente, e ele vê mais formas. Um homem chinês sendo levado pela água, o pescoço em um ângulo estranho, como se tivesse sido quebrado. Uma jovem tâmil, com a boca aberta, mas os olhos misericordiosamente fechados. Nenhum corpo, apenas a cabeça serena e decapitada. Ren está gritando, lutando. Repleto de terror, a água queimando seus pulmões.

Um tronco de árvore o atinge. Ofegando, Ren volta à superfície e tenta agarrá-lo. Enquanto ele flutua para longe de seu alcance, o garoto vê que foi Yi que o jogou. Outro tronco voa em direção a Ren. Esse é maior e, ao se chocar contra seu corpo, ele vê o rosto desesperado de Yi. *Volte!*

• • •

E ele volta. Ele volta.

Ren está deitado de bruços no chão do quarto. Suas mãos estão espalmadas como as patas de uma lagartixa no teto, mas não há para onde cair, ele já está no chão. Depois de um tempo, começa a chorar.

A porta se abre. É Ah Long, com o rosto enrugado de preocupação. "*Aiya!* Você está machucado?"

Atordoado, Ren se levanta. Ah Long sente a testa do garoto. "Verifiquei antes, você teve uma febre alta."

"Que horas são?" A voz de Ren é um grasnido seco. Ah Long enxuga seu rosto com uma toalha quente.

"Por volta das cinco da manhã."

"Estava tão frio." A lembrança da água gelada faz os pelos de seus braços se eriçarem.

"Foi a febre."

Ren percebe que se sente bem. Não tem calafrios nem sente fraqueza. Ele experimenta balançar as pernas. O sonho recua, como água fluindo no sentido contrário, e o mais maravilhoso de tudo é que seu senso felino, aquela pulsação elétrica e invisível que lhe diz coisas sobre o mundo, está de volta, zumbindo silenciosamente ao fundo.

Ah Long franze a testa, estudando-o. Ele parece um velho macaco grisalho. "Você estava gritando muito. Com quem estava falando?"

"Meu irmão. Meu irmão gêmeo que morreu."

Ah Long se agacha de modo que seu rosto fique quase na mesma altura do de Ren.

"Você costuma sonhar com ele?"

"Não muito. Mas parece tão real." Ren explica sobre o trem e o rio, e como poderia ter ido para o outro lado se tivesse tentado um pouco mais.

"Seu irmão já lhe pediu para ir até ele?"

"Por quê?"

Ah Long suspira e olha para o teto. Tudo está quieto. Bem quieto naquela hora escura e vazia antes do amanhecer, quando nem mesmo os pássaros estão em movimento. A Malaia está situada perto do equador; o sol não se levanta antes das sete horas da manhã, e os dias têm quase doze horas exatas de duração.

"Você acredita em fantasmas?", pergunta Ah Long.

Ren fica surpreso. Ah Long trata religião com a mesma necessidade suspeita com que trata a eletricidade, os rádios e os automóveis.

"Não sei", responde Ren. Mas os sonhos não são iguais às histórias que ele já tinha ouvido sobre aparições pálidas que assombram bananais ou sobre mulheres com longos cabelos pretos e pés virados para trás.

"Tive um tio que podia vê-los", diz Ah Long. "Ele era cozinheiro em uma casa em Malaca, e dizia que muitas coisas peculiares aconteciam lá. Tinham uma linda filha que deveria se casar com um homem morto."

"Ela se casou mesmo?"

Ren está tão interessado que endireita a postura.

"Não, embora ele fosse de uma família muito rica. Queriam que ela se tornasse uma noiva fantasma."

"O que aconteceu com ela?"

"Fugiu com outra pessoa. Mas, anos depois, quando estava muito velho, meu tio disse que ela voltou para visitá-lo. E, estranhamente, a moça tinha a mesma aparência de quando saiu de casa aos dezoito anos. Mas essa é outra história.

"Meu tio via fantasmas o tempo todo. Era muito perturbador. Diferentemente das pessoas vivas, eles estavam sempre no mesmo lugar. Por exemplo, ele dizia que havia um determinado riquixá que sempre levava um passageiro: um garotinho que tentava se sentar no colo das pessoas. E, numa outra vez, uma mulher ficou sentada perto de sua cama a noite toda, penteando o cabelo e chorando. Mas ele me deu um conselho que vou lhe dar agora, porque acho que você precisa."

"E qual é?"

"Não fale com os mortos."

Ren fica em silêncio por um momento. Nunca alguém havia lhe dado um conselho em relação a isso. "Por que não?"

Ah Long coça a cabeça. Ele parece cansado e velho. "Porque os mortos não pertencem a este mundo. A história deles terminou; precisam seguir em frente. Você não pode ficar fazendo o que eles mandam do além-túmulo."

Ren pensa imediatamente no dr. MacFarlane. "Honrar os seus desejos não os deixa felizes?"

"*Cheh*, felizes ou não, isso é problema deles, não seu." Ah Long se levanta com um rangido. "Se estiver se sentindo melhor, volte para a cama."

"Mas hoje é a festa", lembra Ren de repente.

"Eu cozinho há mais tempo do que você está vivo. Como se eu não conseguisse me virar sem você!"

Ah Long coloca uma caneca de lata com Horlicks quente ao lado de Ren e se vira para sair. Ele pousa a mão na cabeça do garoto por um breve instante. "Lembre-se do que eu disse", diz ele, ríspido.

Depois de beber o leite maltado, Ren se deita, puxando o cobertor de algodão sobre si. Ah Long não entende, pensa ele. Há só um pouco mais a ser feito, e então tudo vai terminar.

A Noite do Tigre
Yangsze Choo

24

Falim

TERÇA-FEIRA, 16 DE JUNHO

Quando o carro de Robert parou com um guincho do freio diante da loja do meu padrasto eram quase oito da noite, e estava bastante escuro. Robert saiu do carro, mas eu já estava na porta da frente, procurando, atrapalhada, as minhas chaves. Estava tudo escuro atrás das persianas; será que a situação estava tão feia que tinham levado minha mãe? O vento se agitou nas sombras, os fantasmas dos irmãos esperando para nascer. Ou talvez já estivessem vagando neste mundo em algum lugar.

A porta se abriu com o rangido familiar. O rosto do meu padrasto apareceu. As fissuras profundas entre a boca e o nariz ressaltavam sua semelhança com uma escultura em pedra. Para minha surpresa, ele pareceu aliviado, até mesmo satisfeito em me ver.

"Onde está minha mãe?", perguntei com o coração na boca.

"Descansando. Ela está bem."

Ele olhou para Robert, depois para o carro que estava encalhado no meio-fio como uma baleia reluzente. Robert estendeu a mão e se apresentou enquanto eu entrava, ansiosa. Uma sombra apareceu atrás do meu padrasto. Shin.

Eu sempre disse a mim mesma que Shin não se parecia com o pai, mas, olhando por certos ângulos, havia uma semelhança perturbadora. A lamparina a óleo que meu padrasto carregava fazia suas feições ondularem, de modo que, por um instante apavorante, era como se fossem o passado e o futuro da mesma pessoa. Murmurei algo sobre querer ver minha mãe, mas não consegui disfarçar uma breve repulsa.

Shin deve ter percebido porque se virou. "Ela está descansando no escritório do andar de baixo; é melhor que ela não subir escadas por enquanto."

O escritório do meu padrasto era uma sala estreita e sombria no meio da comprida *shophouse*. Ele mantinha suas contas lá, com um arquivo de metal e um grande ábaco preto. Enquanto nos apressávamos pela loja escura, perguntei: "Por que você não acendeu mais lamparinas?".

"Depois que o médico e a tia Wong foram embora, meu pai as apagou. Você sabe como ele é."

Eu sabia. Meu padrasto gostava de se sentar no breu, especialmente quando estava perturbado. Lembrei-me de novo daquela noite terrível em que ele quebrou o braço de Shin — a casa também estava mergulhada em sombras e silenciosa.

"O que a tia Wong disse?"

Tia Wong não era parente de nenhum de nós, mas morava na casa ao lado desde antes de minha mãe e eu nos mudarmos. Era a intrometida do bairro, mas gostava da minha mãe.

"Aparentemente houve muito sangramento. Ela ligou para o médico. Ele foi embora antes de eu chegar, mas parece que foi um aborto espontâneo." Shin falou com ponderação, em um tom que me fez lembrar que ele estava na metade de sua formação médica. Mas era sobre minha mãe, não sobre uma estranha, e atravessei correndo os últimos metros até a sala e abri a porta.

Uma única lamparina queimava sobre a mesa, iluminando um catre improvisado no chão. O rosto da minha mãe parecia mais pálido que o habitual, a testa alta e descoberta, como se o crânio estivesse abrindo caminho pelo fino véu de carne.

Sua mão estava ressecada e fria, mas ela forçou um sorriso fraco. "Ji Lin, eu pedi para não preocuparem você. Eu me senti um pouco fraca, então a tia Wong ligou para o médico."

Apertei sua mão. "Você sabia que estava grávida?"

Ela olhou para Shin, envergonhada. Entendendo a deixa, ele saiu em silêncio.

"Acho que não. Meu ciclo sempre foi irregular, você sabe. Além disso, estou velha demais para ter um bebê." Ela estava com quarenta e dois anos. Ainda era possível; algumas das minhas amigas tinham irmãos que eram décadas mais jovens.

"Você precisa mantê-lo afastado." Por que meu padrasto não podia deixá-la em paz? Eu mal conseguia falar, estava com muita raiva. Minha boca estava repleta de amargor.

"Não diga isso. É direito dele. Fui eu que falhei ao não lhe dar mais filhos."

Mordi meu lábio com força. Não fazia sentido censurá-la nesse estado frágil. Eu teria que encontrar outro jeito, e pensei mais uma vez em como queria envenenar meu padrasto.

• • •

Naquela mesma noite, quando minha mãe estava descansando, e meu padrasto subiu para o quarto, Shin e eu saímos para comer. Fazia um calor sufocante. A maioria dos lugares já estava fechada, mas Shin me levou a uma barraca de rua que servia *hor fun*, macarrão largo e achatado feito de arroz e servido com caldo, como uma sopa. Sentamo-nos a uma mesa dobrável meio bamba, um dos cantos apoiado em um tijolo, ao lado de três homens que estavam fazendo um intervalo durante um encontro de mahjong que duraria a noite toda.

Enquanto Shin foi fazer o pedido, fiquei ouvindo, sem prestar muita atenção, os homens falarem sobre suas dívidas de mahjong. Minha mãe também devia ter participado desses encontros para conseguir uma dívida de quarenta dólares locais. Pensar no dinheiro fez meu estômago revirar, e quando Shin colocou uma tigela de fumegante de *sar hor fun* na minha frente, só pude cutucá-la com meus palitinhos de forma apática.

Ele se sentou à minha frente e começou a devorar seu macarrão. Sob a sibilante lâmpada de carbureto, com seu círculo de mariposas esvoaçantes, ele não se parecia em nada com meu padrasto. Senti uma onda de alívio. Empurrei minha tigela intocada para ele.

"Preciso que você converse com seu pai."

"Sobre o quê?"

Não parecia certo falar sobre os nossos pais assim, mas era inevitável.

"Ele precisa deixar minha mãe em paz. Ela não pode engravidar de novo."

O rosto de Shin estava pálido à luz branca e brilhante da lâmpada de carbureto. "Eu já disse isso a ele quando cheguei hoje à noite."

"Ele vai ouvir você?"

Shin deu de ombros. Essa conversa era tão embaraçosa para ele quanto para mim. "Eu disse a ele que havia outras opções."

"Quais, por exemplo? Pagar prostitutas ou se tornar um monge?" Espetei e tirei uma bolinha de peixe da tigela de Shin de forma grosseira. Eu não me importava com o que meu padrasto fazia, contanto que isso o mantivesse longe da minha mãe.

"Por exemplo, contracepção." Ele franziu a testa para esconder o constrangimento. "De qualquer forma, você não precisa se preocupar com esse tipo de coisa."

"Até eu sei sobre camisas de vênus." Ou o que chamavam de "escudo masculino" — como se fosse algo valente, que evocasse batalhas e guerreiros. "Tenho certeza de que ele não vai querer usar, aquele velho canalha."

Isso era o que Shin costumava falar, não eu. Em geral, eu evitava xingar o pai dele. Ao fazer isso agora, ultrapassei um limite invisível.

Eu nunca soube como Shin se sentia em relação ao pai. Afinal, com frequência, minha mãe tomava decisões tolas que me davam vontade de sacudi-la, mas eu ainda a amava. Eu suspeitava que poderia acontecer o mesmo com ele, não importando o que seu pai fizesse. Talvez esse fosse o significado de ser uma família — estarmos presos por obrigações das quais nunca poderíamos fugir.

No entanto, em vez de ficar irritado, ele me lançou aquele olhar pensativo de novo. "Como você sabe tanto sobre essas coisas?"

Tudo o que eu sabia vinha do que escutava das garotas no trabalho. Elas diziam que a melhor coisa eram as camisas de vênus, ou camisinhas, amplamente distribuídas desde a Grande Guerra. Mas não podia explicar para ele como aprendi isso.

"É resultado da minha falta de delicadeza feminina", respondi com mau humor.

Shin disse: "Se eu conseguir fazê-lo concordar com isso, ele provavelmente manterá sua promessa".

Sim, aquele homem frio de pescoço rijo manteria uma promessa. Assim como ele nunca perdoaria uma dívida. As palavras de Shin dispararam um leve clique na minha cabeça. De repente, eu entendi.

"Você fez um acordo com ele."

"Não fiz, não."

"Não estou falando de hoje. Estou falando de dois anos atrás. Quando ele quebrou o seu braço."

Peguei Shin de surpresa; dava para ver em sua fisionomia carrancuda e pela maneira como ele abaixou a cabeça, olhando para a sopa.

"Você fez, não fez? Sobre o que é esse acordo?"

Mas os lábios de Shin se apertaram. Ele nunca me explicaria o que aconteceu naquela noite.

"Bem, posso fazer um acordo com ele também."

"Não." Shin segurou meu pulso, um movimento rápido e firme. Eu me retraí. Ao se dar conta disso, ele lentamente soltou os dedos. "Você nunca deve fazer um acordo com meu pai. Prometa para mim, Ji Lin."

Não falei nada. Havia uma forma de conseguir o que eu queria do meu padrasto. A questão era: o que ele iria querer em troca?

• • •

Estava muito escuro no caminho para casa. O formato das casas, apoiando-se umas nas outras, as janelas fechadas para a noite, tudo parecia errado para mim. Quando Shin voltasse para Singapura, eu não teria ninguém com quem conversar sobre os problemas familiares. Para ele, era diferente. Ele tinha outra pessoa.

"O anel", disse eu, ao me lembrar. "Preciso devolver para você."

"Fique com ele por enquanto", disse Shin. Ele estava muito quieto desde o jantar, um sinal perigoso porque significava que andava pensando em alguma coisa. "O que você estava fazendo com Robert antes?"

"Nós nos encontramos por acaso. A propósito, o que você fez com o pacote de Pei Ling?"

Shin franziu a testa. "Foi tolice da sua parte se envolver com ela. Acho que vai dar problema."

"Eu só queria ajudar", respondi, desanimada. "Você abriu?"

"Claro que sim! Você nunca deve guardar pacotes desconhecidos para as pessoas. Você não achou esquisito ela ter se aproximado de você, uma estranha, para pedir que recuperasse algo para ela?" Ele disse com frieza: "Seu nome significa 'sabedoria'. Às vezes acho que você é incrivelmente idiota para alguém que deveria ser esperta".

Eu estava furiosa. Não era por falta de inteligência que eu não estava progredindo na vida. "Bem, seu nome significa 'fidelidade', mas você troca de mulher o tempo todo!"

Foi um golpe baixo. Shin endireitou os ombros e apertou o passo, me deixando para trás. Continuei andando, irritada, embora soubesse que seu nome significava mais que fidelidade. *Xin* também significava integridade e lealdade, assim como todas as Virtudes tinham significados mais profundos e amplos, e eu realmente não podia reclamar sobre Shin ter falhado nessas áreas. Na escuridão, pensei de novo no que o garotinho dissera no meu sonho. *Há algo meio errado com cada um de nós.*

Eu estava andando devagar, não querendo dar a Shin a satisfação de correr atrás dele, mas quando virei a esquina, ele estava me esperando.

Certa vez, aborrecido por eu estar sempre atrás dele, outro garoto tinha me trancado num galpão abandonado. Ele fugiu dando risada, e fiquei chorando em pânico até que, mais tarde, Shin veio me procurar. Lembrando-me disso, murmurei: "desculpe". Ele começou a andar de novo, dois passos à frente. Logo Shin voltaria para Singapura. Na próxima vez que eu o encontrasse, ele traria sua noiva. Senti aquela pressão dolorosa na garganta de novo, como se tivesse engolido um palitinho daqueles usados para comer.

"Eu pedi desculpas!"

Shin se virou. "Isso não é um pedido de desculpas. É só uma gritaria."

Eu sabia que não deveria tê-lo acusado de infidelidade. Por alguma razão, era um assunto doloroso para ele. "Não fique zangado, Shin. Eu só estava com ciúmes."

"De quê?" Ele parou sob a sombra de uma árvore, as folhas tremendo ao luar. A escuridão facilitou dizer coisas que eu nunca teria dito de outra forma.

"Tenho sido detestável e sentido inveja por você ter ido para a faculdade de medicina. E por ser um menino. E poder escolher o que quer."

Shin ficou em silêncio por um longo momento. "Isso é tudo?"

Havia um tom cortante em sua voz. Tive a sensação desconfortável de ter falhado em algum tipo de teste. O que mais eu deveria ter dito? Afinal, ele saía com uma garota atrás da outra, e eu nunca tinha feito objeções antes. Era humilhante demais começar a fazer agora.

Chegamos em casa sem trocar uma palavra. Eu estava infeliz, como sempre me sentia quando Shin e eu brigávamos, embora desta vez eu não soubesse exatamente o motivo. Dentro de casa, tudo estava escuro e silencioso. Meu padrasto tinha ido se deitar, e, depois de dar uma olhada em minha mãe, que dormia, fomos para a cozinha. Acendi a lamparina, e o cômodo se encheu com o brilho quente. Shin ainda parecia irritado comigo, mas disse: "Espere aqui", e desapareceu no andar de cima.

Tive um mau pressentimento sobre isso; uma intuição de que eu poderia me arrepender ao ver o que havia no pacote de Pei Ling. Inquieta, andei pela cozinha. Enquanto guardava a louça, tive uma sensação aguda de estar sendo observada. Teria Y. K. Wong, de alguma forma, se materializado dentro da loja? Ridículo, claro. Congelei, ouvindo os batimentos surdos do meu coração, o silêncio retumbante da casa. Agarrando o pesado cutelo de carne, me virei para encarar a porta aberta.

De fato, havia alguém parado ali nas sombras. Mas era apenas Shin. Ou era...? A luz tremeluzente da lamparina lhe dava um olhar faminto e zangado que eu nunca tinha visto. Aquele olhar de lobo, como um animal nos arredores de uma fogueira. Por um instante, não o reconheci e fiquei com medo.

Shin olhou para o cutelo na minha mão, e sua boca se retorceu. "Você achou que eu era meu pai?"

Não era culpa dele o fato de os dois compartilharem a mesma carne e o mesmo sangue. "Não... eu só fiquei assustada."

Shin entrou devagar, me observando com atenção.

"Ele tocou em você?"

"Quem? Seu pai?" Aquele homem mal tinha tomado conhecimento da minha existência nos últimos dez anos.

Ele se sentou à mesa da cozinha e colocou a cabeça entre as mãos. "Fiquei preocupado com você. Quando fui embora."

"Ele não se importava comigo", respondi amargamente. Meu padrasto tinha formas melhores de me controlar. Formas que envolviam o carinho tolo que ainda permanecia nos olhos da minha mãe, as contusões em seus braços. "E, de qualquer maneira, se você estivesse tão preocupado, deveria ter respondido às minhas cartas."

Os olhos de Shin ficaram perigosamente vazios. "Você parece ter se virado muito bem sem mim."

"O que você quer dizer?"

"Estou falando de Robert. Você nunca comentou nada sobre ter uma relação tão amigável com ele."

Isso era tão injusto que fiquei sem fôlego. "Falei para você que só o encontrei por acaso hoje à noite!"

Os olhos de Shin percorreram meu lindo vestido, tentando entender o que havia por trás do batom e do rímel que Hui havia aplicado em mim quando estávamos rindo e brincando em seu quarto apenas algumas horas atrás. Era um olhar inquisidor e zangado, e isso me fez sentir uma ardência quente e fria ao mesmo tempo. Era inútil explicar as coisas para ele e, de todo jeito, por que eu deveria?

"Robert foi muito gentil comigo", respondi de forma ríspida.

"Sim", disse Shin. "Com o dinheiro do pai."

"Por que você se importa? Afinal, você fugiu daqui o mais rápido que pôde."

"Não fugi."

"Você nunca voltou nem nas férias. Você simplesmente me deixou. Nesta casa." Para o meu horror, lágrimas brotaram nos meus olhos. Lágrimas de raiva, eu disse a mim mesma, rangendo os dentes. Shin começou a dizer algo, mas eu o interrompi. "Você realmente acha que quero ser costureira? Eu não suporto. Mas claro que não iriam gastar dinheiro permitindo que eu continuasse a estudar."

"Ji Lin..."

"Então não venha me dizer agora que estava preocupado comigo. Imagino que deve ter feito algum tipo de acordo com *ele*. Para que você não precisasse trabalhar para ele e pudesse fazer o que quisesse. Seu covarde!"

Quando queria, eu era capaz machucar Shin de verdade. Machucá-lo de uma forma horrível e sangrenta, como arrancar fora as entranhas macias de uma presa. Meu coração estava martelando, a respiração falhava. Eu quase esperava ver sangue por toda a mesa da cozinha.

"É isso que você acha que eu fiz?" O rosto de Shin ficou lívido, uma bela máscara mortuária.

Eu me preparei para o que certamente seria um contra-ataque paralisante, mas, para minha surpresa, ele não disse nada. Apenas me lançou aquele olhar ferido que nunca mostrava para mais ninguém, nem mesmo ao ser espancado por muito tempo.

Eu não queria ver Shin desse jeito. No entanto, naquele momento, eu o odiava. Lembrei-me de como ele tinha ficado deitado no colo de Fong Lan, a mão dela deslizando possessivamente por seu peito nu. O jeito que ela olhava em seus olhos, sorrindo.

Shin colocou sobre a mesa um pacote estreito, embrulhado em papel pardo. "Você pode olhar ou não", disse ele. "Vou deixar você decidir."

Ele deu meia-volta e saiu da cozinha. Paralisada, esperei ouvir seus passos rumo ao andar de cima de novo, mas, em vez disso, eu o ouvi caminhar até a entrada da loja e abrir a porta da rua com seu rangido denunciante. Então o feitiço se desfez. Corri pelo corredor, aquela passagem longa e estreita pelas entranhas escuras da loja.

"Shin!", chamei. "Aonde você vai?"

"Vou voltar para o hospital."

"Pensei que você fosse ficar hoje à noite."

"Preciso trabalhar amanhã." A forma como ele disse isso, com uma paciência exausta, partiu meu coração.

"Não há trens nem ônibus agora."

"Eu sei. Peguei a bicicleta de Ming emprestada."

"Mas é tão longe." Levaria mais de uma hora por vias escuras e sem calçamento; além disso, a estrada para Batu Gajah era uma subida acentuada.

"Mais um motivo para ir logo." Ele me deu um sorriso apagado. "Não se preocupe, vou ficar bem."

Shin empurrou a pesada bicicleta preta, que estava na frente da loja, em direção à rua. Fui atrás dele, desolada.

"Volte para dentro", disse ele suavemente, olhando para as janelas escuras do quarto do meu padrasto. "Por favor."

"Shin, me desculpe." Eu o abracei por trás, enterrando meu rosto em suas costas. Eu conseguia sentir seu peito subir e descer

"Não chore", disse ele. "Não na rua. Ou a tia Wong vai sair, e haverá boatos ainda mais estranhos sobre a nossa família."

Essa tentativa de humor só me fez soluçar mais, embora eu tentasse abafar o barulho. Chorar em silêncio era uma habilidade que nós dois tínhamos aprendido nesta casa. Shin suspirou e segurou a bicicleta para que não caísse. Depois de um longo momento, ele se virou. Mesmo assim, eu não quis soltá-lo. Eu tinha a sensação de que algo terrível aconteceria se fizesse isso. Foi um pensamento bobo, mas me fez sentir tão terrivelmente sozinha que o abracei mais forte.

"Não consigo respirar", disse ele.

"Desculpe." Estávamos sussurrando, cautelosos por estarmos na rua, mesmo que todos os vizinhos provavelmente estivessem dormindo. A lua brilhava, sombras nítidas em prata e preto. Shin parecia exausto.

"Me deixe ir junto. Estou preocupada com você pedalando em estradas tão escuras."

"Mas como?", perguntou ele, acariciando meu cabelo. Ele nunca tinha feito isso e, para esconder minha confusão, enterrei meu rosto em seu ombro. Amanhã Shin pertenceria a outra pessoa, mas esta noite ele era meu.

"Vou atrás. Vamos nos revezar para pedalar."

"Você é pesada demais. Eu vou cair."

"Idiota", respondi, dando um soco nele. Ele agarrou meus pulsos, me puxando para mais perto. Sem fôlego, levantei o rosto. Eu tinha quase certeza de que Shin ia me beijar nesse momento, mas ele parou. E abaixou as mãos. Ao luar, eu não conseguia ler a expressão em seus olhos.

"Você precisa cuidar da sua mãe", disse Shin.

Ele estava certo, é claro. Morrendo de vergonha, desvencilhei meus pulsos de suas mãos. O que eu tinha na cabeça, desejando que meu meio-irmão me beijasse?

"Tome cuidado", pedi, recuando. Observei-o riscar um fósforo e acender o farol a querosene da bicicleta. Shin deu uma volta, um movimento fácil e fluido, e partiu noite adentro.

A Noite do Tigre
Yangsze Choo

25

Falim
TERÇA-FEIRA, 16 DE JUNHO

Claro, a primeira coisa que fiz foi voltar direto para a cozinha e abrir o pacote de papel pardo de Pei Ling. Shin tinha dito que ela ainda não recuperara a consciência desde a queda. Um arrepio percorreu meu corpo. Eu tinha quase certeza de que tinha sido um empurrão e que Y. K. Wong tinha a ver com isso. Mesmo que eu não tivesse nenhuma prova. Era apenas uma sensação, uma vibração no ar.

Quando desembrulhei a dupla camada de papel de açougue, houve um barulhinho estridente. Prendi a respiração quando um frasco de vidro e um pacote com papéis deslizaram sobre a mesa da cozinha. Eu já conhecia bem a forma e o tamanho daquele frasco. Ele continha um polegar. Não seco e sem vida, como o dedo que eu tinha pegado no bolso do vendedor, mas preservado em um líquido amarelado como a maioria dos outros espécimes do depósito. Coloquei o frasco de pé perto da lamparina. Estranhamente, isso não me assustou tanto quanto o dedo curvo e escurecido preservado em sal. Talvez porque tivesse um ar irreal, como um modelo científico feito de cera. Eu tinha certeza de que fazia parte da lista de espécimes faltantes que havíamos compilado.

O pacote também continha alguns papéis. Com sua caligrafia feminina, Pei Ling havia endereçado os envelopes ao sr. Chan Yew Cheung, o vendedor. Não parecia certo ler a correspondência dos outros, mas a advertência de Shin sobre fazer favores para estranhos ressoou nos meus ouvidos. Um rápido olhar confirmou minhas suspeitas. Eram cartas de amor — páginas e páginas de anseios apaixonados. Meus olhos passearam por elas, não sem antes captarem fragmentos como *quando você vai contar à sua esposa*, e, de forma ainda mais embaraçosa, *seus lábios na minha pele*. De qualquer maneira, as cartas eram genuínas. E extremamente indiscretas. Não era de admirar que ela as quisesse de volta. Se tivessem sido enviadas anonimamente para a supervisora, Pei Ling teria sido demitida.

No fundo da pilha havia uma folha de papel, arrancada de um caderno. A caligrafia era diferente da de Pei Ling — o traço era mais masculino. Do lado esquerdo, havia uma lista de treze nomes, todos moradores locais. Chan Yew Cheung era o penúltimo. Havia um sinal perto de seu nome, um risco abrupto, como se alguém o tivesse marcado. Do lado direito da folha de papel havia outra lista, menor, com apenas três nomes: J. MacFarlane, W. Acton, L. Rawlings.

Olhei para as duas listas. Havia um padrão que eu quase conseguia identificar. Ao lado do nome "J. MacFarlane" havia um ponto de interrogação e as palavras *Taiping/Kamunting*. Eu me lembrei desse nome, escrito no livro de registros do depósito de patologias como um espécime doado por W. Acton. Conheci William Acton quando estava limpando a sala. E sem dúvida L. Rawlings devia ser o mesmo dr. Rawlings que administrava o departamento de patologia. Então, a segunda lista era de médicos britânicos associados ao Hospital Distrital de Batu Gajah.

No verso do papel havia números: traziam as somas do que pareciam pagamentos iniciais. Pegando uma nova folha de papel, copiei as listas cuidadosamente e embrulhei o pacote de novo, imaginando se Shin tinha dito alguma coisa para o dr. Rawlings.

Já passava da meia-noite. As estradas estavam desertas a essa hora, e Shin tinha apenas o halo fraco do farol a querosene da bicicleta. Quando pensei nele pedalando por quilômetros no escuro, passando por dragas silenciosas de mineração e plantações solitárias, senti uma onda de ansiedade. Eu podia imaginar, com muita clareza, Shin sendo atropelado por um caminhão ou arrastado por um tigre. Um búfalo-asiático tinha sido morto recentemente, a carcaça pela metade fora encontrada em uma plantação próxima. Alguma coisa estava caçando lá fora, nas sombras. Chan Yew Cheung não tinha morrido em uma noite como essa, voltando tarde para casa?

Dei uma espiada em minha mãe, que dormia. Ao afastar suavemente o cabelo de seu rosto magro, fiquei grata por ela estar bem, embora uma parte traiçoeira de mim pensasse que, se ela morresse, não haveria nada para me manter refém nesta casa.

• • •

Minha mãe se recuperou de forma mais lenta do que em seus abortos anteriores. Meu padrasto não falou nada além do habitual, mas passou uma quantidade surpreendente de tempo ao lado dela. Pensei que, pela primeira vez, ele tivesse percebido como minha mãe se tornara frágil. Ela estava muito pálida e seus lábios não tinham cor, o que me alarmou.

"A hemorragia parou?", perguntou tia Wong quando foi visitá-la.

"Praticamente", respondeu minha mãe.

Tia Wong olhou para mim. "Se ela tiver febre, você deve levá-la ao hospital. Pode ser uma infecção."

Eu queria levá-la para o hospital imediatamente, mas o deslocamento seria cansativo para minha mãe. Para minha surpresa, meu padrasto expressou as mesmas preocupações. Ele se sentou ao lado dela e pegou sua mão. "Me diga se não estiver se sentindo bem."

Eu nunca tinha ouvido meu padrasto falar com ela de forma tão íntima, mas ela não pareceu surpresa, e me perguntei se era assim que ele às vezes a tratava na privacidade do quarto, quando as portas estavam fechadas. Talvez fosse o suficiente para mantê-la estupidamente esperançosa. Mas eu ainda o odiava, concluí. Nada mudaria minha opinião.

Mais tarde, Ah Kum veio e se sentou na cozinha enquanto eu fervia a sopa de ossos de porco, à qual acrescentei tâmaras vermelhas secas para aumentar a energia *yang* da minha mãe.

"Seu pai está realmente preocupado com ela. É tão bonito", comentou Ah Kum.

Balancei a cabeça. Ah Kum tinha se mudado para Falim no ano passado e talvez não soubesse que não éramos parentes de sangue.

"Seu irmão já voltou?"

"Sim, ontem à noite."

Ah Kum suspirou, e eu me lembrei de como ela ficara em cima dele na última vez que Shin esteve em casa. Na época não me importei muito: estranho como as coisas tinham mudado em apenas dez dias.

"Ele tem namorada?", perguntou ela.

Shin não disse nada para nossos pais, mas isso também não era surpresa. "Acho que sim", respondi, me lembrando do aviso bem-intencionado de Koh Beng no hospital. "Em Singapura."

"Ah, Singapura fica longe! Talvez ele mude de ideia e me escolha."

"Talvez." Eu admirava sua determinação obstinada.

"Vamos ter seis filhos", disse Ah Kum, brincando. "E todos serão lindos."

Eu me forcei a sorrir. "O que faz você achar isso?"

"Basta olhar para você e seu irmão — uma família tão bonita!"

Envergonhada, abaixei a cabeça. Seria um problema se alguém soubesse como meus sentimentos tinham mudado em relação a Shin. Eu podia imaginar a raiva do meu padrasto, a vergonha da minha mãe. Os boatos dos vizinhos de que algo impróprio devia estar acontecendo em casa.

"Você vai me apoiar com seu irmão, não vai?", disse Ah Kum. "Especialmente porque você tem um namorado rico. Ouvi dizer que ele trouxe você para casa num carrão ontem à noite."

Eu tinha me esquecido completamente de Robert, mas precisava agradecer a ele, escrever um bilhete, embora não soubesse como entrar em contato com ele. No entanto, meu problema foi resolvido quando Robert passou em casa naquela tarde e depois na manhã seguinte. Na primeira vez, trouxe ervas chinesas secas. Na segunda, sopa de galinha em uma terrina de porcelana azul e branca. A sopa fora preparada pelo cozinheiro da família, usando uma galinha de pele escura e penas sedosas que era especialmente boa para os doentes, explicou ele.

Era tudo muito atencioso da parte dele, e me senti culpada, sobretudo depois de ver como a sopa tinha escorrido sobre o couro macio do assento de seu carro. A direção atroz de Robert devia ter contribuído para isso, mas não falei nada enquanto me apressei para limpar a mancha. Ele passou algum tempo conversando com meu padrasto. Eu não fazia ideia do que falaram, mas minha mãe, que tinha se recuperado o suficiente para se sentar na sala de estar e cumprimentá-lo, ficou satisfeita.

"Um jovem tão simpático!", disse ela enquanto eu reaquecia a sopa de galinha. Fiquei quieta. Não consegui remover as manchas de sopa do assento do carro de Robert. Isso me deu uma sensação desconfortável. Era mais uma coisa que eu devia a ele.

• • •

Era sexta-feira, e fazia três dias que eu estava em Falim. Nesses três dias a cor voltou ao rosto da minha mãe, que retornou para o quarto no andar de cima, compartilhado com meu padrasto. Eu não a deixava fazer nenhum trabalho doméstico, apesar de ela insistir que estava bem.

"Qual o sentido de eu estar aqui?", perguntei, lembrando a ela que a sra. Tham tinha me dado a semana de folga. No entanto, eu precisaria voltar para Ipoh amanhã, por causa da festa privada no sábado.

Nesses três dias, não tive notícias de Shin. Se ele tivesse sido atropelado por um caminhão ou devorado por um tigre, a polícia certamente teria entrado em contato conosco. Ainda assim, não pude deixar de olhar para o relógio enquanto a longa e quente tarde de sexta-feira avançava, esperando que ele voltasse para o fim de semana.

Escondi o pacote de papel pardo com o polegar no quarto vazio de Shin. Eu sabia onde ele costumava guardar seus tesouros, debaixo de uma tábua solta num canto do assoalho, então a levantei e coloquei o pacote lá dentro. Parada no quarto de Shin, com as tábuas de madeira lisas sob meus pés descalços, achei difícil acreditar que ele o ocupara por tantos anos. Estava completamente vazio.

Quando Shin foi para a faculdade de medicina, organizou seus pertences de forma frenética. Observei em silêncio, à porta, enquanto ele limpava tudo sistematicamente, até mesmo os romances baratos de kung fu que nós dois colecionávamos.

"Posso ficar com esses?", perguntei.

Ele assentiu, mal virando a cabeça. Então eu soube que Shin não tinha intenção de voltar para casa nunca mais.

Traidor, pensei. *Desertor.*

Eu me joguei na cama limpa e sem lençóis, imaginando se Fong Lan algum dia tinha se deitado aqui com Shin e o que tinham feito juntos. Se ele desabotoou sua blusa devagar e se inclinou para beijá-la, a mão dele deslizando até o seio dela. Será que Shin sorriu preguiçosamente para ela do jeito que sorria para mim, baixando o olhar através dos cílios? Deitada na escuridão, fechei os olhos com força. Preciso matar isso rápido: essa emoção crua e recém-nascida que vibrava em meu peito.

• • •

Então, quando a tarde de sexta-feira chegou e ouvi a voz do meu padrasto em uma sonora saudação na frente da loja, disse a mim mesma que não deveria correr para cumprimentar Shin como um cão leal. Ainda assim, meu coração disparou quando escutei passos percorrerem o longo corredor até a cozinha dos fundos, onde eu estava picando um frango cozido no vapor. Era melhor parecer animada, concluí. Mas não como se tivesse ficado acordada até tarde da noite colocando em dia o equivalente a dez anos de ciúme de uma só vez. Animada e vivaz, era assim que eu precisava parecer.

"Voltou?", perguntei. "Fiquei com medo que tivesse sido atropelado por um caminhão."

Ao me virar, fiquei constrangida ao descobrir que não era Shin, mas Robert, que estava atrás de mim.

"Dirijo tão mal assim?", perguntou ele, surpreso.

"Sinto muito, pensei que fosse o Shin."

Os olhos de Robert se iluminaram com minha expressão confusa. "Não me importo", disse ele. "Gosto quando você fala assim comigo, Ji Lin." Isso não era bom. O modo como ele disse meu nome, timidamente, mas com prazer, tinha todas as características da paixão. Eu já tinha visto isso antes no salão de dança, embora fosse mais fácil dar de ombros na pele de Louise, com seus olhos esfumados.

"Sempre invejei Shin e Ming", disse Robert. "E como vocês três eram tão próximos quando eram mais novos."

Tentei rir, para disfarçar. "Você tem irmãs, não tem?"

"Não é a mesma coisa." Ele se aproximou, e, alarmada, olhei para Robert. Se tentasse me beijar de novo, eu acabaria jogando o frango em cima dele. Fiquei me perguntando por que resistia tanto a ele. Afinal, Robert era um bom partido. Não sabendo mais o que fazer, eu lhe servi alguns bolinhos de arroz doce, macios como nuvens.

"Você disse que seu pai faz parte da diretoria do Hospital Distrital de Batu Gajah, certo?", perguntei casualmente.

Ele assentiu com a boca cheia.

Peguei a cópia que fiz das listas do pacote de Pei Ling. Valia a pena tentar, caso ele tivesse alguma informação que pudesse esclarecer algo sobre elas. "Você reconhece algum desses nomes?"

Robert observou o papel por um longo momento. "Lytton Rawlings é o patologista. E este, William Acton, é o cirurgião geral."

"E J. MacFarlane?"

"Acho que ele não faz parte da equipe." Robert franziu a testa. "Mas já ouvi esse nome antes. Havia uma história estranha por aí, tinha algo a ver com a morte de uma mulher em Kamunting. De onde você tirou essas listas? Do hospital?"

Uma sombra gelada passou sob mim. Eu me arrependi de ter perguntado a Robert, cujos modos eram descuidados, ainda que cheios de boas intenções.

"Não é nada de mais", respondi.

"Você parece tão triste, Ji Lin", disse Robert. "Está preocupada com alguma coisa? Porque se você estiver, deveria me dizer."

Com seu bigode elegantemente fino e tolo, Robert me observava ansioso. Claro que eu tinha preocupações: as dívidas de mahjong, os agiotas e a possibilidade de perder meu emprego de meio período. Além do pequeno problema dos dedos amputados e de ter me apaixonado pelo meu meio-irmão, mas eu não podia contar nada disso para Robert. Naquele momento, Ah Kum entrou. Ao nos encontrar olhando um para o outro por sobre a mesa da cozinha, ela recuou com um sorriso de congratulação.

Minha mãe pressionou Robert a ficar para o jantar, mas ele tinha um compromisso. Fiquei aliviada. Shin ainda não tinha chegado, e era melhor que os dois não se encontrassem. Ele tinha uma hostilidade raivosa em relação a Robert, uma parte era inveja, e a outra parte eu não sabia o que era — antipatia natural, eu supunha.

Para minha surpresa, meu padrasto saiu comigo para se despedir de Robert. Depois que seu gigante animal cor de creme partiu com um barulho estridente de freios, deixando uma marca de derrapagem próximo ao meio-fio, nós dois ficamos parados na rua. Mastigando um palito de dente, meu padrasto estava inexpressivo como sempre, mas senti seu humor mais brando, o que me encorajou a dizer: "O pai de Robert está na diretoria do Hospital Batu Gajah".

Ele grunhiu.

"Ele disse que se eu quisesse me candidatar a uma bolsa de estudos para estudar enfermagem, ele me daria uma recomendação."

Já havíamos tido essa discussão antiga e dolorosa. Meu padrasto não considerava a enfermagem um trabalho adequado para uma jovem, pois era preciso dar banho e executar ações íntimas em estranhos, incluindo homens.

Ele se virou para mim. "Não é um trabalho para uma garota solteira. Mas quando você for casada, poderá fazer o que quiser."

Eu mal conseguia acreditar em meus ouvidos. "Qual a importância de eu ser casada ou não? O trabalho é o mesmo."

"Você será responsabilidade do seu marido."

"Isso importa para quem?"

Meu padrasto tirou o palito da boca e o encarou. "Contanto que ele ganhe o suficiente, não me importo com quem você se case nem com o que vai fazer depois disso."

Respirei fundo. "Você promete?"

Ele me olhou nos olhos. Era impossível saber o que meu padrasto estava pensando em momentos como esse.

"Prometo", respondeu ele. "Quando você estiver casada, não estará mais sob minha responsabilidade. Nem da sua mãe." Ele balançou a cabeça, olhando o raspão preto que o carro de Robert havia deixado no meio-fio. "Mas aprenda a dirigir direito."

A Noite do Tigre
Yangsze Choo

26

Batu Gajah
SÁBADO, 20 DE JUNHO

É sábado, o dia da festa. Ah Long deixa Ren dormir até mais tarde, e são quase nove da manhã quando ele acorda de repente. A febre desapareceu, e a misteriosa sensação de bem-estar ainda permanece.

Apressado, ele se enfia no uniforme branco de criado. Ah Long já está ocupado na cozinha, mexendo uma grande panela de *rendang* de carne vermelha, cozido lentamente com leite de coco e aromatizado com folhas de limão kaffir, capim-limão e cardamomo.

"A febre passou?", pergunta ele.

Ren mencia a cabeça, os olhos brilhantes.

"É bom ser jovem", resmunga Ah Long, mas parece satisfeito e, depois de Ren ter tomado o café da manhã, ele o coloca para trabalhar nos mil preparativos de última hora.

William está por perto. Desde que a pegada do tigre tinha sido encontrada no limite do jardim, ele não saía à noite; em vez disso, ficava trancado em seu escritório, escrevendo mais cartas.

Ren sempre se perguntava para onde essas cartas iam. O carteiro passava e pegava algumas, mas nunca as cartas nos envelopes grossos cor de creme endereçados a uma mulher chamada Iris. Ren fica intrigado e só lhe resta concluir que William as leva para o clube e as coloca na caixa postal de lá. Ou talvez ele as entregue diretamente para ela em algum bangalô colonial espaçoso. Por mais que tente, Ren não consegue imaginar a aparência dessa dama, Iris. A única estrangeira que lhe vem à mente era Lydia. Em sua imaginação, é ela quem abre as cartas, tomando chá na varanda. Indo para o hospital com

William. O engraçado é que eles quase se dão bem. Acontece que o mestre sempre recua, como se Lydia o fizesse lembrar algo que quer evitar. Deve ser muito decepcionante para ela; não há mais ninguém tão compatível por perto, de acordo com a fofoca dos empregados.

Ren põe a longa mesa com pratos, talheres e guardanapos engomados e dobrados com destreza em forma de pavão. Os talheres são de prata, da família de William na Inglaterra, com um brasão e um "A" ornamentado gravado em cada peça. Ren tinha passado a manhã de quarta-feira inteira polindo-os. Cada colher e cada garfo têm uma importância significativa. Ah Long diz que é um critério de medida da categoria do mestre. O último médico para quem trabalhou tinha facas e garfos de aço inoxidável, não uma prataria boa como essa. Quando Ren pergunta com timidez a William se sua família é famosa, o mestre apenas ri brevemente e diz algo sobre ovelhas negras, embora não fique claro para Ren o que ovelhas têm a ver com talheres de prata.

William está inquieto hoje. Fuma um cigarro após o outro, encostado no parapeito de madeira da varanda, contemplando as folhas verdes das canas-da-índia que cercam o bangalô. Devia ser por causa do bilhete recebido de manhã, entregue por um jovem cingalês de uns treze ou catorze anos com um olhar sombrio.

Ren estava sacudindo um pano de limpeza na porta da frente quando o garoto chegou de bicicleta.

"Tolong kasi surat ni pada awak punya Tuan." Entregue esta carta ao seu mestre, disse ele em malaio.

É um bilhete escrito à mão e dobrado. A caligrafia tem um ar infantil, disforme, como se o autor não estivesse muito confiante em relação às letras. *Sr. William*, está escrito.

"Você precisa falar com meu mestre?", pergunta Ren com curiosidade.

O jovem parece desdenhoso. "Eu, não. Minha prima. Diga-lhe que ela quer vê-lo em breve. A perna dela não está normal."

Ren tem um lampejo de compreensão. "Sua prima é a Nandani? Como ela está?" Ren se lembra da ternura do sorriso de Nandani, das mechas onduladas de seu belo cabelo preto.

"Ela quer ver *o seu mestre*." Ele retorce a boca. "Acho que uma criança como você não entenderia disso. Quantos anos você tem?"

"Tenho quase treze."

O outro garoto ri. "Não minta. Você tem dez, talvez onze anos."

É a primeira pessoa a adivinhar a idade de Ren, que fica em silêncio. Com essa vitória, o outro garoto diz com um pouco mais de simpatia: "Entregue o bilhete a ele, certo? O pai dela descobriu".

"Descobriu o quê?"

"Não importa." Ele franze a testa e parte, deixando Ren com o bilhete na mão. Sem saber o que fazer, Ren entra na casa e o entrega a William. Para sua surpresa, William não abre o bilhete, mas o coloca no bolso.

"Você precisa enviar uma resposta?" Ren se pergunta por que William não abriu o bilhete.

"Não. É apenas um mal-entendido." William vira e volta para a varanda.

• • •

Às sete da noite chegam os primeiros convidados, os homens em paletós tropicais leves, feitos de algodão, e as duas damas em lindos vestidos. Lydia é mais alta que a outra mulher, uma morena baixa, esposa de um dos jovens médicos.

Eles circulam pela sala, desfrutando as bebidas preparadas pelo garçom contratado para a noite. Ele é amigo de Ah Long, um jovem hainanês que trabalha no Clube Kinta. Suas mãos hábeis espremem limões e agitam pedaços de gelo até se desfazerem. Ren gostaria de assistir, mas Ah Long o faz correr de um lado para o outro, de forma que ele só ouve trechos das conversas em meio ao tilintar de copos e risadas.

Lá está Leslie, o médico ruivo que tem uma relação amigável com William, explicando cheio ansiedade para a senhora morena em silêncio: "Espero que não se importe, sra. Banks. Eu não sabia que haveria damas hoje à noite e arranjei um pouco de entretenimento. Com dança, sabe. Garotas, mas de um tipo muito decente".

"Ah, eu não me importo", diz ela, embora pareça preocupada.

Ren passa por eles com uma bandeja, se perguntando qual dos homens é o dr. Rawlings. Com um sentimento de culpa, seus pensamentos vão parar no dedo enterrado no jardim. Será que o médico notou que aquele espécime estava faltando na prateleira? Ren se lembra da eletricidade e do formigamento, como uma explosão de estática antes da chegada de uma mensagem, que ele sentiu perto da sala de patologia. Ele vira a cabeça de um lado para o outro, imaginando se seu senso felino lhe dirá que a fonte era, de fato, o dr. Rawlings.

No entanto, não há tempo para procurar. O longo aparador da sala de jantar está repleto de terrinas com *rendang* e arroz perfumado e fumegante. Mangas verdes azedas estão picadas na *kerabu*: uma salada com hortelã, chalotas e camarão seco regado com limão e molho *sambal* apimentado. William gosta da comida local, e está na moda servir jantares com pratos à base de curry, embora, como um aceno para os menos aventureiros, Ah Long tenha transformado o peito das três galinhas em pedaços cobertos com molho de cebola e ervilhas enlatadas. A carne mais escura das aves fora frita em duas etapas para o *inchi kabin*, e há pequenos recipientes de vidro com picles e condimentos.

Os convidados estão se sentando, William acompanhando a pequena sra. Banks, a mão dela em seu braço, uma vez que mulheres casadas têm prioridade em relação às solteiras. Ren, próximo ao aparador, pronto para ajudar, observa a longa mesa e os rostos animados dos homens, enquanto desdobram os guardanapos de linho engomados e bebericam dos copos. Copos de cristal de verdade, como Ah Long o informou.

Lydia está na ponta da mesa, do lado oposto de William. Ela ri com frequência, ofuscando facilmente a tímida sra. Banks. Leslie se inclina, murmurando algo para William, que parece apavorado.

"Garotas do salão de baile? Que diabos você tem na cabeça?"

"... não sabia que haveria damas hoje à noite." Envergonhado, Leslie abaixa a voz quando William balança a cabeça.

"Você deveria ter me falado."

"Achei que seria mais divertido surpreender a todos."

William acena para Ren. "Diga a Ah Long que algumas garotas estão vindo. Quantas?"

"Cinco", diz Leslie. "E um acompanhante. De um estabelecimento respeitável."

"Muito bem. Cinco jovens. Quando chegarem, leve-as ao meu escritório", instrui ele, olhando para Leslie. "Espero que não seja um desastre."

"É só dança. Nada além do que você teria no Celestial em uma tarde de fim de semana." O cabelo de Leslie é de uma cor surpreendente, um tipo de alaranjado que Ren só tinha visto em gatos. Sobressaltado, percebe que está encarando demoradamente, e os dois homens o observam, achando graça.

"O salão de dança vai mandar um acompanhante", explica Ah Long quando Ren corre para informá-lo sobre esse desenrolar empolgante. "São bastante rigorosos com essas coisas, caso contrário, não podem fazer negócios."

"Por quê?", Ren enxuga um prato.

"Não querem problema, pelo menos os lugares decentes."

"E os lugares não decentes?", pergunta Ren.

"Você não deve ir a esses lugares. Nem quando estiver mais velho."

Ren gostaria de ouvir mais sobre salões de dança, mas tem tarefas a cumprir. A mobília precisa ser rearranjada, e o piso, polvilhado para a dança. Enquanto ele arrasta a mobília para os lados, há risos e o tilintar de copos vindo da sala de jantar. Ren pensa se haverá sobras, mas, mesmo enquanto considera a ideia, suas orelhas afiadas captam uma nota discordante da cozinha.

"*Espere, espere!* Você não pode entrar lá!" É a voz de Ah Long. Então, com mais urgência: "Ren!".

Deixando cair a lata de talco em pó, Ren volta correndo. São as garotas do salão de dança? Se sim, por que estão na cozinha? Mas há apenas uma jovem — Nandani. Ela parece completamente deslocada enquanto tenta explicar algo a Ah Long. Furioso, ele bloqueia a porta com um braço, ainda segurando uma *wok chan*, a espátula de aço que usa para fritar.

"Você não pode incomodá-lo agora. Volte para casa!"

Os olhos de Nandani se iluminam quando ela vê Ren. "Quero ver o seu mestre."

"Sua perna está doendo?" Olhando para baixo, Ren percebe que a perna dela ainda está enfaixada.

"Não, está melhor."

Ren conduz Nandani pela porta da cozinha até a área coberta do lado de fora.

"Como você chegou aqui?"

"Meu primo me deu carona de bicicleta. Preciso falar com o seu mestre."

Ela parece tão triste e desesperada que Ren fica preocupado. Talvez esteja doente e precise de ajuda médica.

"Meu pai vai me mandar para longe", diz ela. "Para a casa do meu tio, em Seremban."

Ren ainda não entende o que isso tem a ver com William, mas vê a angústia nos olhos dela. "Vou falar com ele. Espere aqui."

Quando Ah Long está de costas, Ren se esgueira para a sala de jantar e, em silêncio, se aproxima de William.

"*Tuan,* Nandani está aqui para vê-lo."

William não vira a cabeça, mas seu rosto fica pálido. "Onde ela está?"

"Lá fora. Atrás da cozinha."

William fica em silêncio por um momento. Então afasta a cadeira da mesa. "Volto já", diz ele alegremente para o cavalheiro à sua esquerda. Para Ren, ele murmura: "Leve-a até a varanda pelo outro lado".

Assim que William se levanta, Ren sente uma contração aguda, um aviso de que um relógio invisível começou a funcionar, contando os minutos e segundos durante os quais William está longe dos convidados. É uma atitude grosseira sair no meio do jantar assim, e William não gosta de pontas soltas e desleixo. Então ele corre para levar Nandani pelos fundos da casa até a varanda.

Ela manca e tropeça no chão irregular. "Você pode se apoiar em mim", diz Ren. Os dois continuam falando baixo, embora Ren não saiba por quê. As luzes da sala de jantar projetam sombras animadas sobre a grama; o volume da conversa aumenta, e depois vêm os risos.

"Quem são eles?", pergunta Nandani.

"Alguns médicos do hospital. Está com fome?"

Ela balança a cabeça, mas Ren pensa em buscar um prato de comida para ela e o primo antes de irem embora. Do outro lado, William já está esperando, uma imagem escura na varanda. Ao vê-lo, Nandani se apressa ansiosamente.

De onde está, Ren não consegue ouvir o que estão dizendo, mas William deve estar falando algo, porque ela balança a cabeça de vez em quando. Em seguida, ele coloca um braço em volta dela, ou são os dois braços? Ren está fascinado. Esticando o pescoço, ele não consegue enxergar muito na escuridão. Nandani está chorando? Ren dá um passo para o lado e esbarra em alguém. É Ah Long. Como um gato muito velho, ele se aproximou sem fazer barulho até dobrar a quina na escuridão.

"Por que você contou que ela estava aqui?", pergunta ele, amargurado. "Melhor deixá-la ir embora."

"Pensei que ela poderia estar doente."

"*Tch!* É só paixão. Mas ela é o tipo errado de garota com quem se envolver."

"Por quê?"

"Porque ela é ingênua, vai engolir toda a bajulação dele. Há quanto tempo o mestre saiu do jantar?"

Os minutos estão correndo, e o lugar vazio deixado por William, que desapareceu do próprio jantar, está começando a desmoronar sobre si mesmo. Ren pode sentir algo saindo do rumo e vibrando: o leve alarme dos convidados do jantar se perguntando por que o anfitrião está ausente por tanto tempo.

Uma figura aparece na janela da sala de jantar. É Lydia; ela diz algo sobre o ar fresco e desaparece de novo. Ren não tem ideia se ela viu alguma coisa. Provavelmente, não, porque está escuro.

Quando Ren se vira, William já entrou, e Nandani cambaleia em sua direção. Para se firmar, ela põe a mão no ombro dele. Está gelada, e Ren de repente tem um mau pressentimento, como se essa não fosse Nandani, mas alguma outra criatura fria e magra saindo da escuridão e indo atrás dele.

• • •

William volta para o seu lugar assim que a sobremesa é servida. *Sago gula Malacca*, sagu regado com leite de coco e xarope de açúcar de coco escuro, e *kuih bingka ubi*, um aromático bolo dourado feito com mandioca ralada. Ah Long realmente se superou, mas William não tem apetite. Mesmo assim, ele se força a comer, assentindo enquanto finge ouvir a conversa.

Quando a sobremesa acaba, os convidados voltam para a sala de estar, agora reorganizada para a dança. William ouve a sra. Banks dizendo nervosamente ao marido: "Talvez devêssemos ir para casa mais cedo".

Ele queria que todos voltassem para casa agora mesmo. O fato de Nandani ter aparecido no jantar o aturdiu. Ela se tornou um fator perigoso e imprevisível, mas, acima de tudo, William está com raiva de si mesmo. *Idiota, idiota*, pensa ele, enquanto é tomado pelo familiar sentimento de autoaversão. William deveria ter percebido desde cedo que o interesse de Nandani era, na verdade, uma paixão ingênua. Péssimo. Realmente péssimo. Se alguns abraços roubados são suficientes para deixá-la iludida, então é melhor que a relação termine.

É claro que ele não disse nada disso para Nandani, apenas palavras gentis e expressões de arrependimento cheias de nobreza. Ele espera que isso a satisfaça, mas se ela for até seu empregador — o gerente da plantação, pai de Lydia — e fizer estardalhaço, será desastroso. Que ironia, considerando que ele sentia muito mais culpa por estar envolvido com Ambika. Então, William decide que precisa se limitar às mulheres pagas. É melhor do que ser acusado de seduzir jovens virgens. Ele é um tolo, apesar de todas as suas resoluções. E, ainda assim, é mais forte que ele.

A figura alta e curvada de Rawlings, o patologista, se aproxima, e William hesita. Ele já não tem medo de Rawlings, não desde que o juiz considerou a morte de Ambika um infeliz acidente, mas ainda está cauteloso em relação a ele.

Hoje à noite, mais que nunca, Rawlings parece uma cegonha. "Más notícias sobre a caça ao tigre, hein?"

William meneia a cabeça. "Tenho certeza de que vão tentar mais uma vez."

Rawlings coça o queixo. Suas mãos são grandes e brancas, e William tenta não as imaginar deslizando pela pele de um cadáver com uma tesoura de dissecção. É bobagem, pois ele próprio é cirurgião. *Mas só corto pessoas vivas*. Não era como Rawlings, cujos pacientes estavam todos mortos.

"Você sabe que eu não estava contente com o inquérito."

William mantém a expressão neutra.

Rawlings diz: "Sempre há casos assim, quando algo é suspeito, mas ninguém acredita em você. Aconteceu uma vez quando eu estava na Birmânia: diziam que era feitiçaria, pessoas morrendo uma após a outra, mas era besteira. Descobriram que era envenenamento por arsênico de um poço privado".

"Aonde você quer chegar?"

"Nesse caso", diz Rawlings, raspando o piso distraidamente com o sapato. "Aquela mulher, Ambika. Tenho a mesma sensação."

"Sem dúvida você não está sugerindo que alguém esteja criando um tigre de estimação!" William ri com desconforto.

"Não o tigre. O vômito. Lembra que, quando encontramos a cabeça, eu disse que havia traços de vômito na boca?"

A imagem do corpo destruído de Ambika surge na mente de William, do jeito como ele a encontrou, meio deitada sob um arbusto. Um tronco sem cabeça com a pele acinzentada e aspecto emborrachado.

"Se ela tivesse ingerido algo venenoso, seria uma explicação para o cadáver estar intocado. Os animais têm um instinto extraordinário: se tivesse ido primeiro para o estômago e para os intestinos, como faz a maioria dos grandes felinos, pode ter concluído que havia algo no corpo de que não gostava. Mas Farrell não acreditou em mim, claro. Provavelmente nunca provaremos isso, a menos que uma investigação adequada seja feita — quem eram os contatos dela, se havia amantes ou escândalos. Toda essa conversa local sobre bruxaria e tigres é só uma cortina de fumaça."

A noite está se tornando terrível para William. Ele engole em seco, forçando-se a lembrar de que não cometeu nenhum crime. Embora, considerando a força da opinião pública, estar associado tanto a Ambika quanto a Nandani bastaria para afundá-lo nesse pequeno círculo social. As pessoas vão segui-lo com os olhos, fazer comentários quando ele entrar em uma sala. William já tivera prova disso quando ainda morava na Inglaterra.

Calma, diz ele a si mesmo. É apenas Rawlings resmungando. Sua sorte vai salvá-lo. "Então você já se deparou com algum caso verdadeiro de feitiçaria?", pergunta ele, na esperança de distraí-lo.

"Não. Embora tenha presenciado alguns golpes de sorte incríveis."

"De que tipo?"

"Você sabe, jogos de azar, ou coisas como não entrar em um barco antes de ele virar, e assim por diante."

Por um instante, William fica tentado a contar a Rawlings sobre sua própria sorte peculiar: como, repetidamente, ele evitava problemas por pouco graças a uma mera reviravolta do destino. Por exemplo, deparar-se com o obituário daquele vendedor, a única testemunha de seu caso com Ambika. Mas era melhor não dizer muito para Rawlings, que ainda está listando de forma pedante os diferentes tipos de sorte. "Os chineses dizem que é o destino. Você foi para a China, não foi?"

"Nasci em Tientsin. Meu pai era vice-cônsul", diz William, aliviado com a mudança de assunto.

Rawlings olha para William com interesse. "Você morou lá? Então você fala chinês?"

"Não, voltamos quando eu tinha sete anos. Tive uma ama que me ensinou a falar mandarim, mas eu esqueci."

Ele não havia esquecido, no entanto, as ruas graciosas, os edifícios europeus em estradas largas nas concessões estrangeiras e, atrás deles, a confusão de vielas e *hutongs*[1]. Em suas memórias, era sempre inverno na cidade de Tientsin, no extremo norte da China. Um inverno frio e seco, com um forte cheiro de esterco de burro queimando e um vento gelado soprando das estepes.

"Estou surpreso por você não ter entrado no serviço militar também."

Existiam razões pelas quais não seguira os passos do pai, mas William não fala sobre elas. Em vez disso, comenta: "Ainda sei escrever meu nome chinês, embora não consiga pronunciá-lo corretamente".

Ele puxa sua reluzente caneta-tinteiro preta e escreve três caracteres de forma desajeitada em uma folha de papel.

"Isso é chinês?", pergunta Leslie, olhando por cima do ombro de William. Os convidados se aglomeram, curiosos.

Lydia aperta o braço dele, dizendo estar impressionada. "Também tenho um nome chinês. Uma cartomante escreveu para mim em Hong Kong."

"Usei o meu como minha marca secreta no internato", diz William em tom suave. "Por anos a fio. É por isso, provavelmente, que ainda consigo escrevê-lo. Ren... como você pronuncia isso?"

Timidamente, Ren balança a cabeça. Embora saiba falar cantonês, não sabe ler muitos caracteres. No entanto, Ah Long talvez saiba. Tagarelando e rindo, o grupo entra na cozinha, apesar dos protestos de

---

1 Ruelas onde se encontram vários complexos residenciais, com casas ao redor de um pátio central. [N. T.]

William de que seria mais fácil pedir que o cozinheiro fosse até eles.

Para seu horror, a primeira coisa que vê é Nandani sentada em silêncio à mesa da cozinha com um prato de comida. Ele lança um olhar severo para Ren, que abaixa a cabeça de maneira culpada. O garoto deve ter dado algo para ela comer. Bem, William não pode culpá-lo por isso. *Ele é um homem melhor que eu*, pensa William, desejando desesperadamente que Nandani desapareça e não olhe para ele com aqueles seus olhos tristes.

Ah Long se aborrece com tantas pessoas invadindo sua cozinha, mas enxuga as mãos no avental branco e examina o pedaço de papel.

"*Wei Li An.*"

"Aí está." William sorri sem jeito, querendo se afastar da cozinha e de Nandani o mais rápido possível. "É o meu nome — 'William'."

"Mas o que significa isso?", pergunta Lydia, olhando para Nandani, que se encolhe ainda mais em seu assento.

Ah Long diz algo em chinês para Ren, que balança a cabeça.

"Ele disse que a maioria dos nomes chineses para estrangeiros é só uma cópia do som de seus nomes, mas esse tem um significado." Ren aponta para o caractere do meio, que parece mais complicado. "Essa palavra é *Li*. Significa fazer as coisas na ordem correta, como um ritual. E esta, *An*, significa paz. Se você as colocar junto *Wei*, significa 'em benefício da ordem e da paz'."

A cozinha fica em silêncio. Ren, tirando os olhos do papel, descobre que todo mundo está olhando para ele e fica assustado.

"Este é o seu criado?", Rawlings quebra o silêncio.

William confirma com a cabeça. Apesar de estar ansioso para fugir de Nandani, que continua paralisada como um rato, ele sente orgulho da explicação clara que Ren ofereceu com sua voz branda.

"Onde raios você o encontrou?"

William leva os convidados para fora da cozinha lotada. "É uma longa história", diz ele, "que eu posso contar melhor tomando um *stengah*."

Alguém coloca um disco no gramofone e, lá fora, o volume da conversa aumenta e diminui. Dois convidados ficam na cozinha: Lydia, que foi conversar com Nandani, e Rawlings. Dando uma desculpa para os outros, William retorna. Ele precisa impedir que Lydia fale com Nandani, caso tente investigar o relacionamento deles. Lydia é boa nesse tipo de coisa.

Mas, quando ele entra na cozinha, Lydia já está se virando para sair. Percebendo o olhar de William, ela sorri, presumindo que ele voltou por sua causa. William esboça um sorriso fraco quando ela vai para a sala de estar, sentindo uma onda de culpa arrebentar sobre ele.

Rawlings ainda está conversando com Ren e, não querendo acompanhar Lydia nem falar com Nandani, que o observa com olhos infelizes, William fica encostado na porta e os ouve.

"O *Li* no nome do seu mestre... não é uma das Cinco Virtudes do Confucionismo?", pergunta Rawlings.

"Sim", responde Ren. "Na verdade, meu nome também é."

"É mesmo?", pergunta William. "Qual delas você é?"

"Eu sou Ren." Ele fica cutucando o punho do uniforme branco.

"*Ren* é benevolência, não é? *Yi* é retidão, *Li* é ritual ou ordem. *Zhi* é sabedoria e *Xin* é integridade." Rawlings conta-as nos dedos enquanto recita: *"Sem Li, como distinguir homens de animais?".*

Ren parece impressionado. "Como o senhor conhece todas elas?"

"Estudei um pouco." Rawlings o observa, pensativo. Ele lida de forma surpreendentemente fácil com crianças, *ao contrário de mim*, pensa William. Claro, Rawlings tem filhos.

William dá uma rápida olhada pelo corredor. Lydia ainda está lá, conversando de maneira ostensiva com alguém. Se ele sair agora, ela vai abordá-lo e tentar descobrir por que Nandani está na cozinha.

"Ren, o dr. Rawlings é nosso patologista-chefe", diz William. Para sua surpresa, o menino se contrai um pouco, em um começo de reconhecimento.

"O senhor cuida do depósito de patologias? Aquele no hospital?", pergunta Ren, hesitante. Não cabe a ele questionar os convidados.

"Por quê, você quer ver?" Rawlings parece estar se divertindo.

Ren balança a cabeça. Uma expressão perplexa aparece em seu rosto, como se estivesse incompreensivelmente desapontado.

Há uma comoção na porta da frente.

"Ah, nossas convidadas", comenta William, com alívio. "Você ouviu sobre a surpresa de Leslie?"

"Qual?", pergunta Rawlings.

"Algumas garotas do salão de dança de Ipoh. Ren, atenda à porta."

Mas Ren está paralisado. Seus olhos estão arregalados, os ombros magros e infantis quase tremendo. Ele parece um cão de caça, pensa William. Exatamente como um cão que, apesar da decepção inicial com uma pista falsa, agora se agarra ao rastro correto. Então, como um pequeno sonâmbulo, Ren sai da cozinha, percorre o longo e estreito corredor, e abre a porta da frente.

A Noite do Tigre
Yangsze Choo

27

Batu Gajah
SÁBADO, 20 DE JUNHO

Havia cinco de nós no sábado à noite: Hui, Rose, Pearl, eu e outra garota, chamada Anna. Ela costumava trabalhar às quintas e aos sábados, então eu ainda não a conhecia. Anna era muito alta — mais alta que eu — e rechonchuda de um jeito voluptuoso. A Mama disse tê-la escolhido para a festa particular porque os estrangeiros não gostavam de se curvar quando estavam dançando.

"Foi por isso que você me escolheu também?", perguntei enquanto esperávamos o carro alugado. Ela me lançou um olhar severo, como se achasse que eu estava sendo atrevida, embora a pergunta fosse séria.

"Claro que não!", disse Hui, apertando meu braço. "Ela escolheu você pela sua popularidade."

O carro que a Mama havia contratado era grande, embora não tão longo e gracioso quanto o de Robert. Anna sentou-se no banco da frente porque era a maior, e o restante de nós se apertou na parte de trás. Um dos seguranças, o que tinha uma verruga no queixo, chamado Kiong, seria nosso motorista e acompanhante.

"Nada de comportamento atrevido", disse Mama, nos alertando com um olhar de navalha. "Serão três horas de dança, das nove à meia-noite. Kiong vai cuidar do dinheiro. Se houver algum problema, falem com ele imediatamente."

Kiong, com seu rosto largo e impassível, assentiu. Havia boatos de que ele era sobrinho da Mama ou um de seus amantes, mas eu estava feliz por Kiong vir conosco. Ele sempre me pareceu confiável e nunca flertava conosco. Rose e Hui davam risadinhas por causa do carro. Pearl disse que nunca tinha andado de carro. Se eu me casasse com Robert, pensei, andaria em sua belezura creme com assentos de couro macio todos os dias. Mas eu também precisaria fazer coisas como sentar no colo de Robert e beijá-lo.

Pensar nisso me deu calafrios. Eu não queria pensar em Robert, mas quando imaginava que era Shin no lugar dele, sentia uma emoção estranha e excitante. No entanto, não adiantava pensar em Shin — isso só me afundava em tristeza.

• • •

No fim das contas, Shin só voltou a Falim no sábado. Ele abriu a porta da frente com um empurrão quando estávamos sentados para almoçar mais cedo que o habitual.

"Pensei que ia voltar ontem à noite", disse meu padrasto.

"Tive que trabalhar."

Shin não olhou para mim, embora eu tenha me levantado com rapidez para pegar um prato de macarrão frito para ele. Tive uma sensação ruim. Talvez ele tivesse pensado em todas as acusações desagradáveis que fiz na terça-feira à noite e decidido que, afinal, me odiava.

"Você vai passar o fim de semana todo aqui?", perguntou minha mãe. Shin assentiu.

Exceto pela pele fina como papel sob os olhos e pela lentidão com que subia as escadas, minha mãe estava quase de volta ao normal, o que me fez sentir menos culpada por deixá-la.

"Vou voltar para Ipoh depois do almoço", lembrei a ela.

"A sra. Tham não pode dispensar você nem num domingo?"

A sra. Tham, na verdade, tinha dito que eu não precisava me apressar para voltar, mas eu não poderia contar à minha mãe que estava sendo paga para dançar com estrangeiros em uma festa particular. Era a primeira e última vez que eu faria algo assim, decidi, porque ia pedir um empréstimo a Robert. É muito melhor dever dinheiro a ele do que ao agiota a quem minha mãe tinha recorrido por causa das dívidas de mahjong. A próxima parcela venceria em menos de uma semana. Cerrei meus dentes. Se meu padrasto descobrisse, não haveria essa tranquilidade na mesa de jantar. Sua raiva era súbita e imprevisível; ele poderia agir de modo frio e prático — ou não. Olhando para a cabeça baixa da minha mãe, eu só sabia que não valia a pena correr o risco.

"*Sambal*", resmungou meu padrasto, segurando o prato sem olhar para mim.

Enquanto eu servia a pasta de pimenta aromática, ouvi os três conversando. Shin perguntou como minha mãe estava se sentindo e discutiu os preços do estanho com seu pai — uma conversa normal e educada, embora causasse ressentimento. Talvez porque os dois estavam tratando Shin como um igual agora. Pelo menos, com mais igualdade do que a forma como me tratavam. Eu me sentei em silêncio, comendo meu macarrão. Shin não falou comigo.

E agora minha mãe estava falando sobre Robert e como ele vinha visitar com frequência. Olhei rápido para Shin, mas ele apenas parecia entediado.

"Seria bom se o Robert viesse jantar conosco. Para agradecermos por tudo", comentou minha mãe, esperançosa.

"Convide-o para vir na próxima sexta-feira", disse meu padrasto. Isso me surpreendeu. Ele nunca se interessou pelos meus amigos. "Você precisa estar em casa também, Shin."

"Claro." O rosto de Shin estava inexpressivo.

"Ji Lin e eu tivemos uma conversa na outra noite", continuou meu padrasto. Alarmada, olhei para ele. O que estava acontecendo com meu padrasto hoje?

"Sobre o quê?" Minha mãe olhou para mim ansiosa.

"Eu disse que se ela se casar, pode fazer o que quiser. Seja trabalhar como enfermeira ou professora ou fugir para se juntar ao circo." Ele colocou uma colherada de *sambal* no prato e espremeu limão sobre ele.

Levantei os olhos. "Você prometeu, não foi?"

"Sim. Quando você for casada, não será mais responsabilidade minha nem da sua mãe." Para minha surpresa, meu padrasto não estava olhando para mim. Em vez disso, olhava para Shin. Com muito cuidado, como um gato observando um lagarto.

Shin continuou comendo com uma indiferença entediada. No último fim de semana no hospital, com raiva, ele tinha me dito para avisá-lo antes de me casar, porque eu estava fadada a tomar uma decisão imprudente, mas não havia nenhum vestígio dessa preocupação agora. Seus olhos estavam frios, e nunca faziam contato com os meus. Empurrando a cadeira para trás, murmurei alguma coisa sobre fazer as malas e subi as escadas. Talvez eu não devesse ter ficado surpresa. Eu sabia que meu padrasto fazia pouco de mim, me achava inútil por ser uma garota e ainda nem era sua filha. Mas o fato de Shin agir com frieza foi mais doloroso do que eu esperava. Eu me perguntei, não pela primeira vez, se o amava ou o odiava.

Enquanto dobrava o cobertor de algodão, minha mãe entrou no quarto. Olhando timidamente para mim, ela se sentou na cama. "Robert vem buscá-la de carro?"

"Não."

"Sabe, eu ficaria muito feliz se as coisas dessem certo com ele."

"Ele não me pediu em casamento", respondi laconicamente.

"Mas se ele pedir, você vai pensar sobre isso?"

"Tudo bem."

Olhei para a frente e vi a cabeça de Shin aparecer. Como sempre, ele não deu um único passo para dentro do meu quarto. Era um velho hábito, mas qual a importância disso agora, já que nenhum de nós morava aqui?

"O pai quer saber onde estão os recibos", disse ele à minha mãe.

"Ah, vou pegá-los." Ela se levantou, e eu, também. Eu não queria ficar a sós com Shin. A lembrança de como levantei meu rosto sob o luar, cheia de expectativas, e de como ele parou e me soltou me encheu de uma humilhação ardente.

"Ji Lin", disse ele em voz baixa enquanto eu percorria rapidamente a passagem estreita. Embora fosse meio-dia, só entrava um pouco de luz no corredor que havia ao longo dos nossos pequenos quartos. A casa era tão sombria, longa e estreita que era como viver no ventre de uma cobra.

"O quê?"

"Preciso falar com você." Shin inclinou a cabeça na minha direção.

"Não, porque você foi bem rude comigo lá embaixo."

Por um instante, ele franziu o cenho. Então o canto de sua boca se contraiu.

"Você é muito direta", disse ele. "Não sabe se comportar como uma garota?"

Indignada, abri a boca para informá-lo de que, na verdade, eu era a garota número dois no May Flower às quartas e sextas, mas fechei-a sem dizer nada.

"Mas é disso que eu gosto em você."

Que punhalada. Sim, ele gostava de mim. Gostava tanto que nem me via como mulher.

Shin disse com mais seriedade: "Meu pai realmente prometeu que não interferiria na sua vida se você se casasse?".

"Ele disse que não se importava com quem eu me casasse, contanto que tivesse um emprego decente."

"Entendo. Isso é bom, não é?"

Por que Shin estava tão satisfeito com isso?

"Você está bem?" Ele me perscrutou com o olhar, e me forcei a parecer alegre.

"Abri o pacote da Pei Ling que você pegou", falei, mudando de assunto. Ele levantou uma sobrancelha. "E?"

"Acho que você deveria contar ao dr. Rawlings sobre os dedos que estão faltando. Afinal, são propriedade do hospital."

"Eu ia fazer isso", disse Shin, "mas quando voltei ao depósito para procurar o dedo original — aquele que você guardou —, ele tinha desaparecido."

"Como assim, *desaparecido*?"

Shin colocou a mão na minha boca. "Não fale alto."

"Coloquei na prateleira, atrás do rato de duas cabeças", falei em voz baixa, não queria que minha mãe nos ouvisse.

"Bem, não está mais lá."

"Você tem certeza?"

Ele me olhou com irritação. "Se eu falar para o dr. Rawlings que consegui localizar um dos dedos que faltavam, mas que ele desapareceu de novo, ele vai achar que estou louco. Ou que eu os roubei. Melhor não falar nada."

"Mas, se alguém checar o catálogo, vai descobrir que estão faltando espécimes. E a última pessoa que arrumou o lugar foi você."

Não ouvi sua resposta porque, naquele momento, um passo pesado na escada nos avisou que meu padrasto se aproximava. Apressadamente, nos afastamos. Shin desapareceu em seu quarto, e eu desci a escada, passando friamente pelo meu padrasto como se não tivesse estado no corredor conversando com seu filho um pouco antes sobre partes do corpo roubadas.

• • •

Mas eu não conseguia parar de pensar nisso, mesmo sentada no carro alugado naquela noite de sábado, ouvindo Hui e Rose conversarem sem prestar muita atenção. Naquele momento o carro estava passando por uma longa entrada curva. Estava muito tranquilo e escuro, como boa parte do nosso caminho por estradas vazias, cercadas por árvores da selva e pelas folhas farfalhantes de propriedades seringueiras e de café.

Quando o carro parou atrás de uma fila de veículos, houve um momento de silêncio. Então Rose e Pearl saíram, arrumando os vestidos e passando a mão pelo cabelo. Eu nunca tinha estado num bangalô privado tão grande antes. As luzes brilhavam nas janelas da frente, então era possível ver as árvores do entorno e a longa extensão de gramado escuro beirando a casa. Sons distantes de risada e a música metálica de um gramofone flutuavam pelas janelas abertas. Olhei para Hui, mas ela encarava a porta. Havia uma expressão dura em seu rosto, e percebi que ela estava nervosa. Estávamos acostumadas com os moradores locais, mas com os estrangeiros era diferente. Para ser franca, eu estava apavorada.

"Porta da frente ou de trás?", ela perguntou a Kiong.

Ele consultou um pedaço de papel. Estava tão escuro que precisou levantá-lo e apertar os olhos. "Frente", resmungou ele.

Kiong bateu à porta e fez as apresentações. Fiquei atrás de Anna, a única garota mais alta que eu, e segui as outras às cegas. O barulho era intenso. Eu mal sabia para onde olhar, mas não tinha problema porque estávamos sendo conduzidas pela lateral.

"Ren, leve as moças para o escritório."

O cabelo na parte de trás do meu pescoço se transformou em agulhas. Eu tinha uma boa memória para vozes, tons e timbres, e não adiantava me dizer que todos os ingleses soavam iguais. Eu deveria ter considerado a possibilidade de William Acton, cirurgião do Hospital Distrital de Batu Gajah, estar nessa festa particular. E agora eu estava sem saída.

Esperamos em outra sala até que estivessem prontos para nos receber, o que era perfeitamente normal, disse Pearl. Além disso, estávamos um pouco adiantadas. Kiong sempre fora um defensor da pontualidade. A sala era o escritório de alguém: uma pessoa muito organizada, a julgar pela mesa com o frasco de tinta e o papel mata-borrão formando ângulos retos. Havia uma pele de tigre — de verdade — no chão. Rose disse que aquilo lhe dava arrepios, mas achei que ele parecia triste, com seus olhos de vidro verde fixos em um olhar petrificado. Essa seria eu, pensei, depois que William Acton me reconhecesse. Adeus a qualquer chance de ter uma carreira em enfermagem, pelo menos nesse hospital específico.

"Você viu aquele garoto, o criado?", disse Rose. "O que abriu a porta para nós? Pensei que seus olhos fossem cair da cabeça, de tanto que ficou olhando."

Eu não havia percebido, mas Hui, sim. "Ele é um pouco jovem para ir atrás de mulheres", disse ela com malícia. Ela estava quase explodindo com uma energia inquieta: a mesma animação que me atraiu para Hui desde o começo.

Kiong bateu à porta. "Hora de entrar."

No fim das contas, foi mais do mesmo. Kiong nos ajudou a sair, como uma fila de pôneis em uma exibição, enquanto um jovem médico ruivo nos apresentava. Este é o cliente de Rose, sussurrou Hui.

"Ótimas instrutoras de dança de um estabelecimento respeitável", anunciou ele em voz alta. Houve algumas piadas leves, mas não muitas. William Acton estava conversando com um convidado mais atrás e não parecia estar prestando atenção, ainda bem. Notei duas damas — era sempre melhor ter um grupo misto, embora eu não soubesse se elas estavam contentes em nos ver. Uma parecia um rato, mas a outra era muito alta e atraente.

Ela colocou a mão no braço de Acton, como se fosse dona dele, e começou a dançar. Éramos cinco garotas, e havia pelo menos uma dúzia de convidados, todos homens, exceto as duas damas que já estavam dançando bravamente. Pensei que ficariam inseguros no início, mas a maioria era jovem e parecia disposta a se divertir. Em geral, eram educados. Não falavam alto nem agiam como donos das garotas, como se fôssemos gado, o que eu secretamente temia na falta do rigoroso sistema de tíquetes. Era fácil ver como algo assim poderia ser um desastre.

Dancei com um homem baixo de cabelo amarelado, depois com outro de mãos suadas. A música era muito rápida, mais rápida do que as que a banda tocava ao vivo no May Flower, e eram de danças populares de cinco ou seis anos atrás, como Charleston e Black Bottom. Percebi que era para ver se éramos boas mesmo. O que era ridículo, porque é claro que sabíamos dançar.

Quando a música parou, estávamos ofegantes de tanto pular e agitar os braços com entusiasmo. Se mantivessem esse ritmo, eu ia desmoronar antes que a noite acabasse, mas felizmente a próxima dança foi uma valsa.

Dessa vez, dancei com um jovem quieto que segurava minha cintura com muita força. Era preciso tomar cuidado com os silenciosos; podiam ser problemáticos de um jeito sorrateiro. Enquanto girávamos tranquilamente pela sala, fiquei de olho em William Acton. Se eu tivesse sorte, ele poderia nem chegar a dançar comigo, e, de qualquer forma, com tanto kohl e pó facial, ele talvez não me reconhecesse. Fizemos uma curva fechada perto da sala de jantar, e vislumbrei uma pequena figura de branco.

É impressionante a quantidade de detalhes que se pode ver em um instante. O lampejo de um rosto antes de ele sumir, como um raio.

Por um momento, não pude acreditar nos meus olhos. Eu queria voltar, mas meu par estava nos guiando na direção oposta.

"O que foi?", disse ele. "Você parece ter visto um fantasma."

Era exatamente assim que eu me sentia. O rosto pequeno e quadrado, os olhos sérios, e os cabelos bem aparados. Era o garotinho dos meus sonhos. Tropecei e quase caí.

"Não foi nada", respondi.

Ele nos girou, mas a porta estava vazia agora. Devo ter tido uma alucinação.

"Vocês, garotas chinesas, são tão magras", disse meu par, sorrindo. Ele deslizou a mão mais para baixo nas minhas costas. "Alguém já disse que você se parece muito com a Louise Brooks?"

Seu hálito cheirava a *rendang* de carne. Fazendo um giro brusco, reajustei o espaço entre nós. Outra olhada na porta da sala de jantar. Ainda vazia. Meu pequeno fantasma tinha desaparecido.

"Ela parece mesmo, não?" Era William Acton. "Posso interromper? Privilégio de anfitrião, você sabe."

Meu par pareceu irritado, mas cedeu. Eu não sabia ficava feliz com isso ou não. No geral, achava que era uma mudança para pior, embora estivesse grata por Acton ter me salvado de um abraço desagradável.

Dançamos em silêncio, meus ombros estavam rígidos, e meu pescoço, duro em alerta. Ele era um bom dançarino, como a maioria dos estrangeiros costumava ser. Todos deviam ter praticado.

Só quando eu estava começando a pensar que William Acton não tinha me reconhecido, ele disse: "Então, como tem passado, Louise?".

A Noite do Tigre
Yangsze Choo

28

Batu Gajah
SÁBADO, 20 DE JUNHO

Ren está entrando e saindo da cozinha, retirando os pratos da mesa de jantar. É angustiante, pois o sinal que sentiu pela primeira vez no hospital agora está aqui. Chamando-o, desde que abriu a porta da frente. Seus ouvidos zumbem, sua pele se contrai. Faz tanto tempo que Yi morreu. Três anos sozinho, o único farol em um deserto, e agora o sinal estava voltando.

Alguém como eu, pensa ele. Ele quer largar tudo e procurar, mas Ah Long lhe dá uma tarefa atrás da outra.

Quando Ren foi abrir a porta mais cedo, as garotas entraram em um farfalhar de saias, vozes suaves e risadas abafadas. Passaram em um borrão, e Ren, atordoado enquanto as observava, não conseguiu identificar exatamente de onde vinha o sinal.

E agora elas estavam dançando na sala de estar, onde o gramofone tocava. O ar estava elétrico com o nervosismo e a curiosidade animal dos convidados. Ren consegue sentir uma névoa de excitação que colore tudo com desconforto esta noite.

Ele espreita a sala sempre que consegue se afastar, para o aborrecimento de Ah Long. O outro garçom chinês olha por cima do ombro de Ren.

"Para qual você está olhando?", pergunta ele, os olhos fixos nas garotas.

Ren franze a testa, tentando sentir a direção com seu senso felino, os filamentos invisíveis flutuando como tentáculos de água-viva. "Não sei. Não sei dizer."

Há cinco meninas, todas chinesas, usando vestidos ocidentais da moda. A música contagia, e a dança é muito rápida. Elas movem as pernas para a frente e para trás e tocam os joelhos, erguendo os braços. Os homens, ofegando com o calor, um por um, tiram os casacos.

"Eu gosto daquela", diz o garçom com um sorriso. Ele aponta para uma garota de vestido rosa, com sobrancelhas arqueadas e sagazes. "Mas ela é boa também." A garota mais alta, com um peito que balança quando dança. Isso faz a nuca de Ren esquentar, embora ele também esteja obscuramente constrangido por ela. No entanto, não é nenhuma delas.

A sala está repleta de pessoas mais altas que Ren. Aqueles que não estão dançando ficam parados, rindo e batendo palmas, enquanto o disco do gramofone é trocado.

"Ohhh... aquela de cabelo curto. Pernas bonitas." O garçom, divertindo-se, estica a cabeça para uma garota magra de vestido azul-claro, o cabelo ondulado revelando a nuca comprida.

O coração de Ren bate violentamente. Sobrancelhas retas, olhos grandes, cabelo preto com uma franja que esvoaça quando ela passa girando nos braços de alguém. O zumbido em sua cabeça é tão alto que ele cambaleia, apoiando-se na parede. A garota olha diretamente para ele, e seus olhos se arregalam quando o reconhece.

Ren se enrijece, pronto para correr e agarrar o pulso da garota, mas o rosto carrancudo de Ah Long aparece. Murmurando como um ganso velho, ele leva Ren e o garçom de volta às suas respectivas tarefas, embora o garoto mal escute suas instruções.

"O que há de errado com vocês dois?", pergunta Ah Long, ácido.

"Só um pouco de diversão", responde o garçom, mas Ren está em silêncio.

Como ela o conhece? Pelo mesmo sinal elétrico que ele sente? Não, era outra coisa, um reconhecimento visual. Isso o incomoda, a expressão chocada no rosto dela.

"Nada de se apaixonar", diz Ah Long. "Já tivemos doses suficientes disso hoje à noite." Ele meneia a cabeça na direção da cadeira vazia à mesa da cozinha, onde Nandani estivera sentada meia hora atrás.

"Ela foi para casa?", pergunta Ren. Estava escuro lá fora, a lua nova era só uma lasca no céu. Ele vai até a porta da cozinha e, ao abri-la, se depara com o rosto do jovem cingalês que havia entregado a carta.

"Onde está Nandani?", diz ele sem cerimônia. "Ela me pediu para vir buscá-la, então aqui estou eu." Ele abre caminho para a cozinha. "Nandani!"

"Ela não está aqui", diz Ah Long. "Foi para casa."

"Ela não consegue andar direito. Como conseguiria ir para casa?"

Ele tinha razão. A garota estava mancando, apoiando-se no ombro de Ren até mesmo quando ele a conduziu pela lateral da casa para encontrar William.

"Bem, ela saiu cerca de vinte minutos atrás." Ah Long franze a testa.

Sem dizer nada, o primo vai embora de novo. Ren encara a porta de vaivém, pensando se deveria ajudá-lo a procurar.

"Ela provavelmente está esperando lá fora", diz Ah Long. "Agora ande logo e recolha os copos vazios."

O outro garçom vai para o bar. Ren o segue, com uma inquietação na boca do estômago. A noite está muito escura. Será que Nandani está do lado de fora, espiando ansiosamente pelas janelas abertas? Mas se esquece dela ao voltar para a sala de estar, porque a garota de vestido azul-claro está dançando com William bem na frente dele.

Os casais rodopiam como flores flutuando em um riacho, e Ren vê seu mestre rir. Mas ela não está sorrindo. Sua expressão é séria, e a garota fala muito pouco, embora dance bem. Todas as dançarinas profissionais são boas. Até Ren percebe isso.

William faz contato visual com Ren e, para sua surpresa, faz um movimento de queixo para ele. A garota se vira e olha para Ren. Novamente, a mesma carga elétrica insuportável que o faz querer agarrar sua mão. Toda vez que passam girando, a cabeça dela se vira, como se estivesse conferindo se Ren ainda está lá.

William diz algo para ela. Sua boca se mexe, mas o que a garota está dizendo? E por que a cabeça do mestre está curvada, como se ponderasse sobre alguma coisa? Ren pensa em Nandani, esperando em algum lugar na noite, e um sentimento de indignação emerge em seu peito. Não é certo William fazer isso, não com a garota de azul, que está franzindo as sobrancelhas escuras e retas.

Ren tenta ler a garota, tenta ler William, assim como conseguiu sentir os rastros de energia no hospital, mas não importa o quanto olhe para os dois, não há nada, apenas um curioso espaço em branco. Ren está vagamente ciente dos ruídos, uma perturbação vem da cozinha. Ele hesita, não querendo deixar seu lugar perto da porta, depois foge.

Na cozinha, furioso, o primo de Nandani está dizendo a Ah Long que não consegue encontrá-la, embora tenha vasculhado o terreno.

"O que temos a ver com isso?" Ah Long fecha os punhos dentro de seu avental branco sujo.

"Ela estava aqui. Se desapareceu, é culpa do seu mestre."

"Vou encontrá-la. Ela pode ter ido para a outra varanda", diz Ren.

"Você, não." Ah Long lança um olhar irritado a Ren. "Você é muito pequeno. Ah Seng!" Ele chama o garçom contratado por meio período. "Vá e ajude-o a procurar de novo. Pegue esta lamparina."

As sobrancelhas grossas de Ah Long baixam bruscamente e, de súbito, Ren entende sua preocupação. Em algum lugar, na escuridão em meio às samambaias farfalhantes, um predador deixou pegadas profundas na terra macia.

"E Nandani?", grita ele, ansioso.

"Eu não quero você lá fora", diz Ah Long. "Ela provavelmente já está na metade do caminho para casa."

É uma suposição razoável e, além disso, agora há duas pessoas procurando por ela. Ren volta para a sala de estar para pegar a bandeja com os copos sujos. O ar está denso de cigarro e suor. William está dançando com outra pessoa agora, a garota de sobrancelhas arqueadas, de rosa. Ren hesita, pensando se deve contar ao mestre que Nandani desapareceu, mas muda de ideia. Se ele for interrompido, só vai acabar se aborrecendo. Quando se afasta, ouve a garota de rosa repetindo seu nome em voz alta para William. "Hui. É *Hui*", diz ela, coquete.

William parece estar prestando tanta atenção nela quanto prestou à garota de Ren, a de azul, e, por algum motivo, isso é um alívio.

Um convidado pede uma bebida gelada, mas o garçom que deveria estar cuidando do bar ainda está do lado de fora procurando Nandani. Ren só sabe preparar uma bebida, *stengah*, e o faz como William gosta, com tanto Johnnie Walker que o copo com gelo fica da cor de chá chinês. Achando graça, o convidado chama um amigo, e Ren se vê cercado de rostos sorridentes enquanto prepara uma bebida após a outra.

"Desculpem, não tem mais gelo", diz Ren, recolhendo o balde de gelo e os pegadores com alívio. Esquivando-se por entre as pessoas, ele faz o caminho mais curto para a cozinha. Talvez o garçom e Nandani tenham voltado agora. Mas resta apenas a figura magra e curvada de Ah Long, olhando ansiosamente pela porta dos fundos.

"Encontraram Nandani?" O estômago de Ren se revira de forma desconfortável.

"Ainda não."

"Me deixe dar uma olhada." Ren tem certeza de que pode encontrá-la. Seu senso felino se contorce uma vez, duas vezes.

Ah Long franze o cenho, o pescoço enrugado anguloso como uma tartaruga. "Verifique a casa. Para o caso de ela ter voltado pelas portas laterais."

Ren sai correndo em silêncio. Ele sabe como se esgueirar sem entrar em nenhum dos espaços públicos onde os convidados se aglomeram, socializando-se e conversando. A passagem dos fundos, o corredor entre o escritório e a sala de jantar. A cada janela, ele para e espreita, caso Nandani esteja esperando do outro lado, no escuro. Há muitas histórias sobre mulheres vingativas que chegam à noite, como nas narrativas sobre a *pontianak*, uma mulher que morre no parto ou durante a gravidez e que bebe o sangue dos homens. Ela aparenta ser uma bela dama com cabelos compridos, e só pode ser contida quando o buraco em sua nuca é tampado por um prego de ferro. Ou será que é quando suas unhas compridas são cortadas e enfiadas no buraco em seu pescoço? Ren não tem certeza, só sabe que ela está muito zangada com os homens. Além dessa, existem outras criaturas, espíritos infantis, como o *toyol*, usado como criado de um feiticeiro para roubar e executar pequenas tarefas. Isso o faz se lembrar, com apreensão, de sua própria tarefa perturbadora. Ren balança a cabeça com um movimento rápido, parecido com o de um cão. Algo nesta noite — um desconforto inquietante, as dançarinas sorridentes, a fisionomia sofrida de Nandani — lhe causa intenso nervosismo.

Seu senso felino se acalmou, os tentáculos invisíveis se enrolaram como se tivessem medo de penetrar os silenciosos limites da casa. Tudo está quieto, tremendo em expectativa. Correr seria mais rápido, mas fugir é pior, como se capitulasse aos seus medos.

Quando chega ao escritório de William, com a mão na porta, ele congela. A pele de tigre no chão, a boca em ricto, não é o que ele quer ver agora. Não na escuridão, com a fraca lua nova dourando os olhos mortos.

Ele solta um gemido. *Yi*, pensa ele. *Não quero ficar sozinho.* Do corredor, Ren olha para um canto bem iluminado de uma sala, e lá está ela, sua garota de azul, encostada na parede. A garota olha diretamente para ele. Dá uma espiada em volta, então vai para o corredor e para ao lado de Ren.

"Sou Ji Lin." Sua voz é baixa e amigável. "Quem é você?"

"Sou Ren." Ele sente um aperto no peito. Um, dois. *Respire.*

"Ren... que significa 'benevolência'?"

"Sim."

"Mas você ficou maior!" De olhos arregalados, ela o estuda, surpresa. Então se dá conta. "Quero dizer, você se parece com alguém que conheci. Você me conhece?"

Ren não sabe como responder. Tecnicamente, ele nunca a viu, mas acredita de todo o coração que os dois precisam ficar juntos. A sensação é tão forte que sua garganta fica muito apertada. "Não", diz ele, por fim, mesmo que isso soe como admitir a derrota.

"Quantos anos você tem?"

"Onze." É a primeira vez que revela sua idade verdadeira a alguém desde que saiu do orfanato. Vista de perto, ela é extremamente bonita. Ou, pelo menos, é bonita para ele, embora alguns possam dizer que seu cabelo curto e sua estrutura esguia a fazem parecer um menino.

"Você tem um irmão?"

"Sim. Não." Ren se atrapalha nessa questão. A tia Kwan disse que ele deveria parar de dizer a todos que tinha um irmão, já que isso confundia as pessoas. Mas Yi ainda existe para ele. "Sim", responde Ren, finalmente.

"Qual é o nome dele?" Ela o observa de perto, como se isso fosse algum tipo de teste. E Ren quer desesperadamente passar.

"Yi."

Um longo suspiro. "Ren e Yi. Bem, o 'Ji' em meu nome é o *zhi* de sabedoria. Isso significa alguma coisa para você?"

"*Ah Jie*", ele deixa escapar. Irmã mais velha. Esse é o jeito certo de chamá-la, ainda que ele entenda exatamente o que ela está dizendo. Os dois fazem parte de um grupo, ele e ela; Ren soube disso desde o início. Uma onda de alegria vertiginosa o atinge, e ela ri, seus olhos brilhando.

"E seu irmão Yi", diz ela animadamente. "Deixe-me adivinhar, ele é mais jovem que você? Tem mais ou menos uns sete ou oito anos?"

"Sim." Ren está prestes a dizer a ela que Yi é mais jovem porque a morte aumentou a distância entre eles, mas faz uma pausa, sem saber como mencioná-lo. Não aqui, na sombra lúgubre das janelas. "Você conhece meu irmão?"

Agora é ela quem hesita, como se tivesse falado demais. "Não tenho certeza. Mas também tenho um irmão. Seu nome é Shin, de *xin*. Com ele, somos quatro de cinco."

"Na verdade, somos cinco. Se você contar meu mestre."

"O que você quer dizer?"

"Ele também tem um nome chinês — ele contou isso hoje à noite. E o nome tem o *Li*, de ritual."

"Tem certeza?" Por algum motivo, ela parece perturbada.

"Sim, mas talvez não conte, já que ele é estrangeiro."

"Ren!" Ah Long aparece no corredor.

Culpado, Ren se vira. Ele deveria estar procurando Nandani, e não falando com jovens estranhas. "Estou indo!", diz ele, mas Ah Long já está segurando-o pelo ombro.

"Você a encontrou?"

"Não." Ren não entende por que Ah Long está tão preocupado.

"Não saia agora."

"Por quê?"

"*Aiya!* Porque o tigre está no jardim. Ah Seng e aquele menino, primo de Nandani, juram que acabaram de vê-lo."

"Onde?"

"No limite do jardim, onde você enterra o lixo — lembra a pegada? Fique aqui dentro por enquanto!"

"Você avisou o mestre?"

"Ele foi pegar a espingarda."

"Para matá-lo?", pergunta Ji Lin.

Ah Long olha para ela como se notasse sua presença pela primeira vez. "Para assustá-lo, para que os convidados possam ir embora. Você não pode matar um tigre com esse tipo de arma."

Ele se vira e desaparece. E agora Ren percebe que o clima na casa mudou. Há um murmúrio crescente, gritos de alarme e uma empolgação prazerosa. *Um tigre! O mesmo que os colegas do clube ficaram esperando na outra noite?* A sra. Banks está se lamentando para o marido, *eu sabia que deveríamos ter ido embora mais cedo*, mas os homens estão entusiasmados. É para isso que tinham vindo ao Oriente: aventuras, como tigres no jardim, dançarinas orientais e cobras na cama. Rawlings diz em voz alta: "Provavelmente já foi embora", mesmo que ninguém queira acreditar nele.

Mas Ren tem a sensação de que algo ruim vai acontecer. Houve coincidências demais hoje à noite, muitos sinais de alerta. Ele deveria ter prestado atenção, mas estava distraído. Agora Nandani desapareceu, e o tigre está esperando, exatamente onde suas pegadas foram encontradas ontem. Que tipo de animal retorna tão cedo quando não há presas abatidas na caça?

Ren sabe que o local é onde ele enterrou o dedo. Se ele devolver o dedo, talvez o tigre devolva Nandani. Com um grito sufocado, ele vai para a varanda.

"O que você está fazendo?" Ji Lin o segura pela manga.

"Preciso recuperá-lo." Ele tem a estranha sensação de que ela o entenderá. "Ele quer o dedo."

"Que dedo?" À luz fraca, seu rosto tem uma palidez esverdeada.

"O dedo do dr. MacFarlane! Preciso devolvê-lo!"

Com um puxão rápido e forte, Ren se desvencilha e sai correndo pelas portas da varanda. É o momento de pegá-lo, antes que William saia com uma espingarda. Ele tenta se convencer que não tem medo do tigre. Desse tipo de tigre-fantasma, que só caça mulheres de cabelos longos.

Mas é mentira, Ren está apavorado. Sua cabeça lateja, seus pulmões estão queimando. Mas Ren tem certeza, até a medula dos ossos, de que resta muito pouco tempo para Nandani. Talvez já esteja morta. Ou não, o tigre voltou como um sinal para ele. Uma última chance.

Desculpe, ele ofega. Ele deveria ter obedecido ao pedido do dr. MacFarlane desde o começo. Ele tinha prometido, não tinha? É isso que acontece quando as promessas são quebradas.

Lá fora, a escuridão tem um aroma verde e úmido, como se a própria terra estivesse expirando. Ren corre às cegas pelo gramado, indo em direção ao depósito de lixo. A respiração está ofegante quando ele tropeça, engatinha, se levanta. Atrás dele, gritos distantes. Portas batendo, janelas se abrindo.

E agora ele está revirando a terra macia, deixando de lado a pedra que usou como marco. Sem pá, sem nada além de mãos nuas e unhas quebradas.

Rápido, rápido!

Então ele ouve um rosnado retumbante. É tão baixo que o ar treme; ele consegue sentir as reverberações em seus ossos. Cada músculo de seu corpo congela, os cabelos ficam em pé. Nesse momento, Ren não é mais um garoto, nem mesmo é humano. Ele não é nada além de um macaco pelado preso ao chão.

O rosnado continua sem parar, uma ondulação constante que preenche o ar. Atordoado, Ren não consegue precisar de que direção vem. Então há um ladrar rouco, um ruído desagradável que é interrompido de repente e silencia.

Ele consegue ouvir gritos fracos vindo da casa. A voz de uma garota gritando *pare* e *não*.

Mas Ren está cavando como louco. Está tão perto que consegue sentir a borda da lata de biscoito. A unha do polegar dilacerada. Desliza a tampa da lata. Está aberta e o pequeno frasco de vidro tilinta em sua mão suja. Ren solta um suspiro. Agachado, ele vira em direção à casa. E então há um lampejo e um rugido ensurdecedor.

De olhos arregalados, Ren cai no chão. Ele está tão surpreso, não sente nada além de torpor. Levanta a mão esquerda. Está molhada, escorregadia e parece carne crua. Então a dor o atinge no flanco. Ren se dobra, amassado como jornal velho. A última coisa que vê é sua garota de azul. Ela o está segurando no colo; há sangue por todo o seu lindo vestido. Tudo bem se for ela, pensa ele enquanto passa o frasco de vidro da sua mão direita para a mão dela.

A Noite do Tigre
Yangsze Choo

29

Ipoh
SÁBADO, 20 DE JUNHO

Kiong foi quem nos tirou de lá naquela noite, assim que percebeu que havia problemas, por causa de todos os gritos e do alvoroço e, depois, é claro, o tiro, o som que atravessou a noite. Foi ele que, procurando por mim, a última retardatária, correu para fora com a multidão se espalhando naquele gramado escuro e me segurou. Eu não me lembrava disso. Quando eu fechava os olhos, ainda estava lá. O brilho branco da boca da arma, o grito alto e agudo de um animal jovem.

Meu vestido estava coberto de sangue, manchas escuras no tecido azul-claro de seda. Nenhuma das outras garotas queria se sentar muito perto de mim. Elas se acotovelavam do outro lado do carro, conversando em voz baixa. Pearl estava chorando. Tinha um filho pequeno, lembrei.

Eu deveria tê-lo impedido. Quando o menino saiu correndo pelas portas da varanda, eu deveria ter voltado para a casa e avisado que ele tinha saído, mas, como uma idiota, corri atrás dele, cambaleando no escuro naquele jardim desconhecido, tropeçando, caindo e andando de volta para a casa. Se eu não tivesse desperdiçado todo esse tempo! E então o vulto do homem, saindo da casa com uma arma. Eu a reconheci de imediato — um dos amigos do meu padrasto costumava caçar javalis —, aquela sombra parecida com um galho e a maneira como ele a carregava, enfiada debaixo do braço.

"Pare!", gritei quando ele levantou a arma. "Não!"

Mas era tarde demais.

Gritos atrás de nós: *Acton, você o pegou?* Mas eu já sabia o que ele tinha acertado. Passei correndo por ele, soluçando. O velho cozinheiro abriu caminho com uma lamparina, o rosto cinzento. E no círculo da luz da lamparina, o menino caído no chão.

Tão pequeno. Foi a primeira coisa em que pensei quando vi o pobre corpinho, as sombras das árvores e dos arbustos pairando sobre ele. Ele devia ter cavado a terra, porque seus braços estavam sujos até os cotovelos. Havia um olhar de espanto absoluto em seu rosto. Eu não conseguia olhar para o seu flanco esquerdo e seu braço, tão encharcado de sangue que parecia preto como carvão. Aquele braço — será que ainda havia uma mão esquerda? Eu estava de joelhos ao lado dele, sobre a grama áspera e a terra revirada. Ele olhou para mim, e sua boca se mexeu.

"Coloque de volta", disse ele fracamente. "No túmulo do meu mestre. Eu prometi." Ele colocou algo na minha palma com sua mão direita, que estava boa. Homens se empurrando, vociferando ordens.

"Afastem-se! Afastem-se, por favor!"

Uma mão agarrou meu cotovelo. Era Kiong. "Precisamos ir."

"Espere!" Eu queria ouvir o que os homens estavam dizendo quando o levantaram, seu corpo mole como o pé pendurado de Pei Ling. Havia médicos no local; eles saberiam avaliar seus ferimentos e se ele viveria ou morreria.

Kiong me arrastou para longe. Não pude me livrar do aperto ferrenho no meu braço. "Estamos indo embora agora."

Então fomos embora. As outras garotas já estavam esperando no carro. Houve uma enxurrada de perguntas quando me viram, mas eu não tinha palavras para respondê-las.

"Mas o que você estava *fazendo* lá fora?", perguntou Hui. Ela parecia nervosa, mais do que eu, na verdade. Uma dormência paralisou minhas mãos e meus pés; minha língua estava espessa e seca.

"Eu o vi sair correndo", falei, enfim. "Então tentei detê-lo."

"Você poderia ter sido baleada!" Hui me apertou com força.

"Não faça isso", respondi. "Meu vestido está ensanguentado."

• • •

O caminho de volta pareceu mais curto que o de ida, quilômetros e quilômetros de estrada opaca, estendendo-se como uma fita. Depois de um tempo, as outras garotas começaram a conversar de novo, especulando sobre o que havia acontecido.

"Que idiota, atirar no próprio criado", disse Rose.

"Bem, parece que ele é órfão, então não tem família para falar em seu nome se morrer", disse Anna.

Eu não dizia nada, apenas olhava para fora da janela. Meus dedos ainda apertavam o objeto que o menino, Ren, tinha me entregado. Senti um aperto no estômago — eu sabia exatamente o que era pela forma do cilindro de vidro escorregadio. Não precisava olhar. Não queria olhar.

Não havia bolsos no meu vestido, e a pequena bolsa que levei ficara para trás na pressa de ir embora. De qualquer forma, não havia muita coisa, apenas as chaves da minha casa e o batom. Hui tinha me ensinado a não deixar informações reveladoras, como meu nome ou endereço, na bolsa, caso tivesse que sair para trabalhar. Sem a bolsa, não tinha onde colocar meu fardo, esse presente indesejado dado por Ren.

Por que ele estava com o dedo? Era como uma maldição, como uma dessas histórias sombrias nas quais você tenta descartar alguma coisa, mas ela sempre volta para você. A imagem do garotinho dos meus sonhos e o rosto de Ren se embaralhavam. Eram parecidos, mas não o mesmo.

Agora estávamos passando por ruas que eu conhecia, o vilarejo de Menglembu e, muito em breve, Falim, onde ficava a *shophouse* do meu padrasto. Kiong tinha planejado nos deixar em casa porque estava muito tarde. Mas como eu poderia entrar na oficina da sra. Tham com um vestido manchado de sangue e sem as chaves?

"Fique na minha casa", sussurrou Hui, como se tivesse lido minha mente. "Vou emprestar roupas para você."

Hesitei, e ela deve ter percebido, porque disse: "Você passou por um choque. Venha, vou cuidar de você".

Hui falou isso de maneira tão gentil que minha garganta se fechou. Seria muito bom, pensei. Que alguém abrisse meus dedos cerrados e levasse embora o frasco de vidro com o dedo de um homem morto. Quando passamos pela loja do meu padrasto, na rua Lahat, contive a vontade de saltar e correr para casa. Eu queria minha mãe. Queria enterrar meu rosto no colo dela, sentir sua mão macia no meu cabelo e esquecer tudo, menos nós duas.

Eu não queria pensar em Shin — naquele olhar de satisfação em seu rosto quando falou sobre a promessa do meu padrasto quanto ao meu casamento. *Isso é bom, não é?*

"Tudo bem", falei para Hui. "Vou com você."

• • •

No quarto alugado de Hui, me lavei e peguei um pijama emprestado. Enquanto limpava o rosto com um creme, Hui se sentou à penteadeira.

"Você está bem?"

Assenti, entorpecida.

"Vá dormir", disse ela.

Hui tinha uma cama de solteiro estreita, e, assim que minha cabeça tocou o travesseiro ao seu lado, senti uma forte correnteza me arrastando para longe. Uma paralisia gelada se infiltrou em meus braços e pernas. Tentei manter os olhos abertos, mas eu estava caindo. Vagamente, ouvi Hui dizer alguma coisa, mas não consegui entendê-la. A correnteza era forte demais. Então caí, mais fundo do que o lago mais profundo, até chegar àquele lugar que estava começando a conhecer tão bem.

• • •

Dessa vez eu estava na margem ensolarada, os pés descalços mergulhados na água límpida até a altura do tornozelo. Não estava nem um pouco frio, o calor era o mesmo da tarde onírica que fazia as árvores à distância brilharem. E, como antes, eu estava embalada pela calma, mas fui rápida em sair da água. Aquela água cristalina e enganosamente limpa que abrigava uma sombra escura ascendente.

Não havia ninguém por perto, nem mesmo o garotinho. Mas, como eu estava ali, comecei a procurá-lo pela grama ondulante, mas, quando cheguei à estação ferroviária abandonada, não havia ninguém. Não havia nem o trem, como nas vezes anteriores.

O tempo passava — não pude estimar sua duração. A ansiedade me corroía enquanto a luz do sol permanecia fixa na diagonal. Eu não queria ficar presa ali. O que o garotinho tinha dito mesmo? Se eu descobrisse seu nome, poderia chamá-lo.

"Yi!", chamei suavemente.

O silêncio estava me deixando nervosa. Virei para o outro lado da plataforma e lá estava ele, bem atrás de mim. Tão perto que poderia ter estendido uma das mãozinhas para tocar minhas costas. Soltei um grito.

"Você chamou." Ele parecia muito sério. Nenhum sorriso, nenhum sinal de alegria. Agora, observando-o com cuidado, havia diferenças entre os dois. Ren era mais alto, o rosto mais longo e mais adulto. Uma distância de talvez dois ou três anos os separava.

"Conheci seu irmão."

Ele assentiu, cauteloso.

"Ele foi baleado hoje à noite." Ao me lembrar da escuridão e da luz trêmula da lamparina, o sangue se espalhando sobre o corpo fraco, meus olhos se encheram de lágrimas.

"Eu sei. É por isso que o trem se foi."

O trem que percorria uma única linha, ia apenas em uma direção.

O garotinho subiu em um banco de madeira, e eu me sentei ao lado dele. Era mais fácil conversar assim. "Você está morto, não está?", perguntei. "Disseram que Ren era órfão... que toda a família dele havia morrido."

Ele virou a cabeça, aquela cabecinha redonda, agora tão familiar. Embora ele e Ren fossem desconcertantemente semelhantes, também eram diferentes. Os maneirismos, as vozes. Eu me lembrei do olhar de contentamento que Ren havia me dado algumas horas atrás. Ele ficou tão feliz em me ver, como se tivesse esperado por mim a vida inteira, e senti vontade de chorar novamente. "É isso. Estou morto." O rosto de Yi se virou para o meu. Parecia calmo e sincero, mas eu tinha a sensação de que ele estava se concentrando muito. Isso me inquietou: como ele parecia mais jovem que Ren e, apesar disso, mais velho. Talvez fosse a maneira como falava às vezes, como um adulto.

"Por que você não me contou?"

Ele balançou um pezinho com sandália, franzindo a testa. "Ninguém mais apareceu do jeito que você aparece. Todos vêm de trem. Mas você apenas... aparece. Isso é bom, acho."

"Por quê?"

"Porque se viesse de trem, você seria como todos os outros. Como eu."

Eu tinha muitas perguntas, mas ele olhou para mim, balançando a cabeça de leve.

"Ren vai morrer?"

"Não sei." Aquela expressão pensativa em seu rosto. "O trem foi embora. Isso significa que outro virá em breve, mas não sei quem estará nele."

"Foi isso que você fez? Desceu nessa estação sozinho?"

"Sim. Muito tempo atrás. Éramos gêmeos, Ren e eu."

Gêmeos. "Como Shin e eu. Não somos gêmeos, mas nascemos no mesmo dia."

"Não conheço Shin", disse ele, franzindo a testa. "Ele não sonha como você."

"Não, ele não sonha", respondi lentamente, lembrando-me do amuleto de papel que a mãe de Shin tinha lhe dado. Um amuleto contra pesadelos para invocar o *mo*, aquele animal preto e branco, símbolo de um devorador de sonhos, para que ele pudesse engoli-los. Mas, se o *mo* fosse invocado com muita frequência, também devoraria suas esperanças e seus desejos.

"Com ele, somos quatro. Você encontrou o quinto?", disse Yi.

"Acho que sim." Pensei em William Acton, e no que Ren tinha dito, que o *Li* em seu nome era de ritual. Ordem. Algo me incomodou nisso. Talvez porque ele fosse estrangeiro, e eu não conseguisse entender como ele podia ter um nome chinês.

"Eu disse a você, há algo errado com cada um de nós. As coisas não estão indo pelo caminho certo."

"O que preciso fazer? E o dedo que Ren me deu?" Eu o escondera, enrolando-o em meu vestido de dança manchado de sangue, quando Hui estava no banheiro.

Yi suspirou e balançou as pernas curtas. "Isso é problema do mestre dele. Faça o que achar certo."

A apreensão aumentava em mim, como um sino distante e tênue que começava a tocar. Não, já estava tocando havia algum tempo, eu é que não tinha prestado atenção. "Olhe para mim, Yi. Por que você não está mais preocupado com Ren?"

Ele se curvou, virando e afastando o corpo, como se não conseguisse suportar me olhar nos olhos. De repente, ele era uma criança de novo.

"Você está esperando ele morrer, não está?"

Aquele olhar repleto de culpa. O rosto franzido e triste, prestes a chorar. Eu queria sacudi-lo, mas nunca o havia tocado antes. Nem quando fui perseguida e expulsa da água pela forma escura em suas profundezas.

"Como você pôde fazer isso?", falei amargamente. "Seu próprio irmão."

Ele estava chorando agora. Ombros tremendo, as mãos fechadas sobre seus olhos.

"Não era a minha intenção. Pelo menos, não no começo." Soluços. Lágrimas manchando seu rosto. "Eu amo Ren. Ele é tudo para mim."

"Então por que você ficou aqui?"

Ele balançou a cabeça. "Nós nunca tínhamos nos separado. E eu sabia que ele estava infeliz sem mim. Como ele lidaria com as coisas sozinho? Então, quando o trem atravessou o rio, eu desci. Essa é a primeira parada deste lado. Tenho certeza de que há lugares melhores mais adiante, mas eu não queria ir sem o Ren."

"Então você ficou." Olhei de maneira dura para ele.

"Não fui o único. Alguns de nós sempre descem. Você os viu antes."

Lembrei-me dos contornos de pessoas ao longe, vagando pela margem, na primeira vez que desci o rio.

"Mas, no fim, todos desistem e seguem caminho. Não faz sentido, sabe. Deste lado, você não pode chamar ninguém nem falar com as pessoas."

Eu o observei com cuidado. "Mas você conseguiu."

Ele assentiu. "Sempre tivemos essa coisa de gêmeos. Quando saí do trem, descobri que ainda conseguia sentir. Era muito fraco, como um sinal de rádio. Então não continuei. Não enquanto ainda pudesse sentir Ren do outro lado."

Ele parecia tão pequeno e triste: uma criança esperando o seu irmão havia três anos. Esperando sozinho, em uma margem deserta. Isso me cortou o coração, mas, ao mesmo tempo, eu sabia que ele tinha feito algo terrivelmente errado.

"Descobri que, enquanto eu estiver aqui, posso chamá-lo para este lado do rio, e então coisas acontecem com ele. Acidentes e outras coisas. Às vezes, acho que vou pegar o trem e ir embora. Mas sempre fraquejo. Não quero que Ren me esqueça."

"Não acho que ele esqueceu você."

Mas ele não estava me ouvindo. "No começo, pensei em apenas assistir e esperar. Às vezes posso ver o que ele está fazendo. Então percebi que teria que esperar muito, muito tempo até que ele vivesse o resto da vida dele. E Ren está sempre mudando. Está crescendo. Um dia ele se esquecerá completamente de mim."

"Então você tentou atraí-lo?"

Yi virou para olhar para mim. Havia tanta tristeza em seus olhos que não consegui ficar brava com ele. "Pensei que seríamos mais felizes juntos. Só que nunca consegui recuperá-lo. Não de verdade. Mas, numa noite dessas, ele teve uma febre alta e apareceu naquele banco de areia." Ele apontou para uma fina lasca de branco no meio do rio.

"Ele queria atravessar. Chegou a fazer isso! Ele pulou no rio por conta própria. Eu estava apavorado por causa da água. Há algo nela que impede que as pessoas voltem nadando para o outro lado."

Estremeci com a lembrança daquela forma escura, subindo das profundezas da água.

"Mas eu o convenci a voltar. Não adiantava vir daquele jeito. Ele teria se separado de seu corpo, e isso seria ainda pior."

"Uma espécie de coma, você quer dizer?"

Yi piscou. "Eu não sei o que essa palavra significa."

"Quando seu corpo está vivo, mas a mente se foi."

"Sim. Então nós dois ficaríamos presos aqui esperando o corpo dele morrer."

"Bem", eu disse, cansada, "seu desejo foi atendido. Seu irmão está morrendo agora."

Yi abaixou a cabeça. Fitou os pés desconsolado.

"Então, o que você vai fazer?"

Ele começou a chorar de novo. "*Yi* significa retidão. Eu deveria ser capaz de fazer a coisa certa, mas não consigo!"

"Não chore", falei, resistindo à vontade de abraçá-lo. Agora que eu sabia exatamente onde estava, senti um frêmito de perigo. "Suas intenções eram boas."

"Mas não é o suficiente!", gritou ele, esfregando o rosto vermelho e angustiado. "Ter boas intenções não é o mesmo que fazer a coisa certa. Talvez todos nós estejamos amaldiçoados. Deveríamos ter nascido juntos na mesma família, ou até como uma mesma pessoa, não separados por tempo e lugar desse jeito."

Nós cinco deveríamos ter gerado uma espécie de harmonia. Afinal, as Virtudes do Confucionismo não deveriam descrever o homem perfeito? Um homem que abandona a virtude perde sua humanidade e se iguala a uma fera. Atordoada, pensei se isso estava acontecendo com todos nós.

"É tudo um problema com a ordem — a forma como as coisas estão sendo distorcidas e reorganizadas. Quanto mais cada um de nós se desgarra, mais tudo se deforma", disse Yi, infeliz. "E o quinto é o pior."

"O que você quer dizer?"

Mas ele estava desaparecendo. O mundo estava ficando cinzento e, por mais que eu me esforçasse, só conseguia respirar com dificuldade e me debater enquanto minha boca e meu rosto eram cobertos com uma suavidade sufocante.

"Yi!", gritei. "Deixe Ren em paz!"

30

Batu Gajah
DOMINGO, 21 DE JUNHO

Ren abre os olhos trêmulos. Fecha. Abre de novo. Há uma secura em sua boca, uma sensação densa em sua cabeça, como se alguém a tivesse enchido de algodão. Um rosto desconhecido flutua diante de sua vista. Uma mulher estrangeira, cabelo bem preso para trás com uma touca branca.

"Ele está acordado."

Outro rosto. É William. Boca apertada e tensa. Duas linhas profundamente marcadas sob seus olhos. "Ren, você consegue me ouvir? Estamos no hospital."

O hospital. Isso explicava a sensação de ar vazio ao seu redor, o comprimento profundo de uma enfermaria de hospital. A cama era maior, também, mais comprida do que a cama onde Ren dorme. Havia um peso em seu lado esquerdo, e ele não conseguia sentir o braço.

"Dói?"

Sob as camadas de entorpecimento, havia dor no corpo de Ren. Uma dor profunda, encoberta por meios artificiais. A luz está intensa; já era dia.

"Sr. Acton, é melhor ir para casa agora." É a enfermeira. "O senhor passou a noite toda aqui."

"Só um momento, Irmã." William se vira para ele.

Que estranho. Ren consegue ver todos esses fios saindo de William agora. Fios diáfanos sendo expelidos, como o desenrolar de um bicho-da-seda. Ele nunca tinha sido capaz de enxergá-los, apenas sentia a fagulha de energia deles. Mas agora seu senso felino estava mais forte do que nunca, ou talvez fosse só seu corpo, que estava muito debilitado. Ele sabe disso sem sequer olhar para o rosto assombrado de William.

"Ren, peço mil desculpas. Eu atirei em você ontem à noite."

Então foi isso que aconteceu, o lampejo e o estrondo que o despedaçaram. Ren olha para William com os olhos arregalados, sem piscar.

"Mas você vai ficar bem. Quero dizer, quase. Você perdeu muito sangue, mas conseguimos tirar a maior parte do projétil. Era a área ao redor dele que realmente me preocupava — infecção dos tecidos moles, sabe." A mandíbula de William se move como um brinquedo mecânico em que deram corda demais.

"*Sr. Acton!*" É a enfermeira novamente. "Já chega!"

William para. Passa a língua pelos lábios secos. "Sim, claro. Se precisar de alguma coisa, me avise."

É difícil falar; a garganta de Ren está muito seca. "Nandani", diz ele. Seus olhos sinalizam uma pergunta.

William olha para ele sem expressão. "Ah. Nandani. Não sei onde ela está. Não se preocupe, certamente vai aparecer."

Não, você precisa encontrá-la! A expressão angustiada de Ren é cortante como uma faca. William faz uma careta. "Claro que vamos encontrá-la. Certo? Apenas... descanse agora. É muito importante que você descanse um pouco."

• • •

Ren mergulha de volta em seu sono parcial. Vagamente, ele percebe portas se abrindo e fechando. O sol está mais alto e começa a minguar, embora Ren não saiba que dia é hoje. Em algum lugar, seu corpo está ficando mais fraco e mais frio, ou será que está extremamente quente? Seu lado dolorido é examinado, o volumoso curativo em seu braço é aberto.

"... sangrando de novo. Parece ruim."

"... risco de infecção."

• • •

Ren fecha os olhos. Atrás deles, outra paisagem se desdobra, brilhante e ardente como um sonho febril. E lá está o tigre que ele temeu por tanto tempo. Está diante do garoto, inacreditavelmente grande. A musculatura definida e volumosa se afunila até a cauda que balança. Não é a pele de tigre abandonada, comida pelas traças, estendida no chão do escritório de William, nem a criatura branca semelhante a um fantasma que Ren imaginava, vagando pela selva com o rosto do dr. MacFarlane. É apenas uma fera enorme e radiante. Um animal que ele não consegue compreender. Para sua surpresa, Ren não sente medo, apenas uma espantosa sensação de alívio.

Então é assim que você é, pensa, embora pareça indigno se dirigir a ele.

As listras em sua pelagem brilhante ondulam; os olhos amarelos reluzem como lamparinas. Ren só consegue baixar o olhar. O tigre solta um rugido profundo, então se vira e vai embora com um passo determinado que é, ao mesmo tempo, pesado e delicado. Aonde ele está indo?

Na paisagem reluzente, Ren vê um contorno familiar que lembra um galpão — uma estação de trem, exatamente como aquela em que ele embarcou em Taiping, quando fez sua primeira e única viagem de trem depois da morte do dr. MacFarlane. Parece bastante natural ir atrás do tigre. Ele dá um passo para a frente. E se lembra de algo.

"Nandani... onde ela está?", grita ele para o tigre.

Não há resposta, só a ponta branca da cauda balançando hipnoticamente. Então ele consegue ver: os rastros irregulares de uma mulher. Pegadas esguias e bonitas, a perna esquerda mancando.

"Nandani está aqui?" Se estiver, deve estar indo rumo à estação. Ren dá outro passo. O tigre vira a cabeça e rosna. É um aviso? Ren não sabe, mas seu flanco dói, uma dor ardente que se espalha por seu corpo, até o braço e a mão esquerdos, ambos inúteis. Apertando os dentes, Ren se força a caminhar, seguindo as pegadas em direção à estação de trem.

A Noite do Tigre
Yangsze Choo

31

Ipoh
DOMINGO, 21 DE JUNHO

Uma colisão. A respiração foi arrancada do meu corpo, meu rosto pressionado contra uma superfície dura e fria. Por um momento fiquei ali, imóvel.

"Ji Lin, você está bem?" Hui me observava de cima; eu estava deitada no chão do quarto, enrolada no fino cobertor de algodão. O sol que entrava no cômodo estava alto e quente.

"Você caiu da cama, estava tendo um pesadelo", disse ela. "Se debatendo e gritando para alguém chamado Yi. Fiquei com medo de acordar você."

Os chineses são avessos a acordar as pessoas de repente, temendo que a alma se separe do corpo. Não achava que Hui fosse tão supersticiosa, embora eu estivesse grata por isso. Quem saberia dizer por onde eu estivera vagando?

Eu me sentei, atordoada, meus pensamentos como um formigueiro. Tive a sensação de quase ter conseguido entender algo escorregadio, a parte final de uma ideia que desapareceu com um movimento, assim como o rosto choroso de Yi.

"O que foi?", perguntou Hui.

Olhei para o vestido azul que usei na noite passada. Ainda estava enrolado sobre uma cadeira, exatamente como eu o deixara. Eu não queria contar a Hui sobre o dedo no frasco de vidro. Isso só a aborreceria. Havia outras preocupações mais urgentes, como se Ren tinha sobrevivido à noite, e o que fazer com o pequeno frasco de vidro embrulhado no meu vestido manchado de sangue.

• • •

E então, o dedo voltou para mim. Examinei-o com uma sensação de inevitabilidade e horror quando Hui saiu para resolver alguma incumbência, depois de me emprestar um vestido. Era o mesmo, do número na tampa até uma parte ligeiramente amassada na rosca.

O dedo do dr. MacFarlane, Ren tinha dito antes de correr noite adentro. Como ele tinha saído do depósito de patologias, onde eu o havia deixado, e ido parar na festa da noite passada? Fiquei enjoada. Se ao menos eu tivesse impedido Ren de sair correndo. Ou se tivesse gritado mais alto quando William Acton saiu decidido da casa, a espingarda embaixo do braço direito. A trilha dava voltas e mais voltas, o dedo aparecendo e reaparecendo, mas tive a leve sensação de que havia um padrão nisso tudo. No meu sonho, quando perguntei a Yi o que fazer com o dedo, ele pareceu estranhamente desinteressado. *Faça o que achar certo*, ele tinha dito. Mas talvez fosse só porque a única coisa com que se importava era Ren. E Ren, como ambos sabíamos, estava morrendo.

• • •

Inquieta e agitada, fui ao May Flower. Talvez Kiong tivesse mais notícias sobre o que aconteceu com Ren. Era quase meio-dia; o salão de dança ainda estava fechado, então entrei pela porta dos fundos e esperei no corredor do lado de fora do apertado escritório da Mama. Era um ninho de esquilos, com uma escrivaninha repleta de papéis amontoados, mas eu sabia que não devia subestimá-la. Ela era uma excelente empresária.

Kiong não estava por ali, disse a Mama, mas ela estava bem ciente do fiasco da noite anterior.

"O garoto está bem?", perguntei, incapaz de esconder a minha preocupação.

"Não faço ideia. Mas provavelmente ainda está vivo, já que ninguém veio nos procurar ainda. Também não fomos pagos. Bem, é por isso que não gosto de fazer festas particulares. Ouvi dizer que você viu o garoto que levou um tiro. Foi grave?"

Assenti, não querendo falar sobre isso.

"Pobre criança."

"Acho que não consigo mais trabalhar aqui."

Parecia o momento perfeito para sair. Era improvável que eu encontrasse outro emprego de meio período que pagasse tão bem, mas o risco não valia a pena. Eu pediria a Robert para me emprestar o dinheiro.

Ela não parecia surpresa. "Achei que você poderia se sentir assim. Bem, não vou dizer que não lamento, você é uma das minhas melhores garotas do turno da tarde. Se mudar de ideia, me avise. Você pode trabalhar mais uma vez no próximo sábado? Vou ter duas garotas a menos."

Concordei com um meneio de cabeça. Quando saí, me ocorreu que essa seria uma das últimas vezes que eu andaria pelo sujo corredor verde-menta. Todas as risadas e o companheirismo, os pés doloridos e os tapas nas mãos-bobas chegariam ao fim. Se bem que, talvez, fosse melhor assim.

A Noite do Tigre
Yangsze Choo

32

Batu Gajah
SEGUNDA-FEIRA, 22 DE JUNHO

Tudo está desmoronando, pensa William.

É segunda-feira de manhã, e ele está voltando para o hospital para dar uma olhada em sua pequena vítima. Vítima era a palavra certa. William repassou a cena daquela noite várias vezes: Ah Long chamando-o de lado para falar do tigre no jardim, a excitação febril que recaiu sobre a festa inteira, e ele destrancando o armário de armas para pegar sua espingarda. Por que raios ele foi pensar nisso?

William não costumava caçar muito; a Purdey era mais uma relíquia cara dos Acton, como a boa prataria e os copos de cristal que tinha transportado para o outro lado do mundo. Por que se dar ao trabalho, quando sua família praticamente o renegara? É que títulos e berço abriam portas em todos os lugares, mesmo que ele fingisse desprezá-los. Talvez tenha sido que o levou a pegar a arma: o pensamento de que seria um gesto grandioso atirar algumas vezes na escuridão e assustar um tigre. Como era idiota!

Todos os seus erros tinham sido cometidos por agir de modo excessivamente emocional. Na verdade, ele já estava receoso naquela noite, mas pensou que tivesse a ver com Nandani e com o fato de precisar se afastar dela. Quando saiu da casa, a arma debaixo do braço direito, na posição que o pai lhe ensinara tanto tempo atrás, ele teve outro momento de dúvida, mas já era tarde demais, embora a garota tivesse gritado para ele parar.

Como aquela garota, Louise, sabia que o farfalhar nos arbustos era Ren, e não um animal? Se ele fechasse os olhos, ainda conseguia vê-la, saindo da escuridão para o círculo de luz derramado pela lamparina de Ah Long. Vestido azul-claro, o rosto contraído de terror. E, mesmo assim, sua parte sombria, aquela que William sempre tentou reprimir, considerou sedutor o pânico dela, com aquelas pernas esguias e cílios longos — como uma corça assustada.

Graças a Deus, ele tinha carregado a arma com uma bala de calibre 6. Se tivesse sido uma bala de chumbo grosso, mesmo àquela distância e com a inevitável dispersão, Ren com certeza teria morrido. Rawlings disse que foi um dos ferimentos mais graves que viu em uma criança. Um dos dedos da mão esquerda tinha sido praticamente arrancado. O quarto dedo, o anelar. William se pega pensando, de maneira ilógica, se isso significa que Ren nunca vai se casar, porque não há onde colocar um anel. Mas tais pensamentos são inúteis porque Ren, inexplicavelmente e apesar de todos os cuidados ministrados, está morrendo.

• • •

Ele não consegue entender. Ninguém consegue. Os ferimentos foram limpos e suturados. Nenhum órgão vital foi atingido. Talvez seja o choque. William tinha ouvido falar de homens que caíram mortos em campos de batalha, o coração parou como um relógio. Ainda assim, isso não explicava o declínio precipitado de Ren. O medo era a sepse, em especial nos trópicos, onde as lesões ficam pútridas rapidamente.

"Quantos anos esse garoto tem?", perguntou Rawlings naquela noite, enquanto os dois trabalhavam, procurando resquícios da bala em meio à bagunça ensanguentada. Era vital remover o máximo possível deles, havendo pouco a ser feito para combater a infecção além de lavagens com ácido carbólico.

"Treze, ele disse."

"Bobagem! Não deve ter mais que dez ou onze, no máximo."

William se sentiu encolher de vergonha. Claro que ele deveria saber. Se Ren morresse, ninguém se importaria de verdade. William seria considerado o tolo que atirou no próprio criado, mas tudo seria esquecido porque Ren era órfão, e não havia ninguém para falar por ele. *Exceto eu,* pensa William.

• • •

Quando William sai e vai até o carro, encontra Ah Long parado ao lado dele. Está segurando marmitas de ferro, do tipo usado para transportar o almoço. As linhas no rosto dele pareciam mais profundas do que nunca.

"*Tuan,* deixe ir no hospital."

"Você quer ver Ren?"

Ele confirma com a cabeça.

"Tudo bem." William sente uma pontada de culpa. Claro que o velho devia gostar de Ren.

No hospital, William analisa a ficha do garoto. A situação não era boa. Ele continua tendo uma febre baixa. Pior ainda, o rosto tinha começado a assumir o aspecto encovado que William temia. Ah Long coloca as marmitas em uma mesa e senta perto da cama de Ren, falando com baixinho em cantonês com o garoto. Ren não responde; seus olhos estão fechados, e há sombras azuis embaixo deles. Não havia mais nada que William pudesse fazer. Indeciso, ele permanece parado no mesmo lugar, imaginando o que Ah Long está dizendo.

"Dormindo?", pergunta ele.

"Ou vagando."

William franze a testa. Não fazia sentido algum. Ah Long procura algo no bolso e tira um frasco de vidro pequeno e estreito, no qual as anchovas costumam vir. William observa, incrédulo. É a ponta despedaçada do dedo de uma criança, flutuando num líquido de cor de chá.

"É de Ren?", pergunta, tentando engolir a bílis em sua garganta.

"Sim. Eu procurar."

Deus. É infinitamente triste. William se lembra do dedo de MacFarlane, o que ele precisara amputar por causa da septicemia na viagem, mas é pior, porque é o dedo de uma criança e está preservado dessa forma horrível.

"Você sabe que não podemos colocá-lo de volta", diz William, pensando que Ah Long deve ter passado horas vasculhando minuciosamente os arbustos e a grama por causa desse dedinho. É espantoso que ele o tenha encontrado antes dos corvos.

Ah Long meneia a cabeça. Ele está prestes a colocá-lo sobre a mesa ao lado da cama de Ren quando William o impede. Se Ren acordar, pode se assustar. O que será que Ah Long pretende, com suas superstições bárbaras? William coloca o frasco de vidro no bolso.

"Vou ficar com ele, por precaução." Ele se vira, prestes a retomar suas tarefas. "A propósito, o que é esse fluido?"

Ah Long está pálido.

"Em que você preservou o dedo?", pergunta William pacientemente. Ele precisa saber, pois terá de mudar o fixador.

"Johnnie Walker, *Tuan*."

• • •

Quando William volta ao consultório, há uma visita esperando por ele. Sentindo um aperto no coração, ele reconhece a figura alta e magra do inspetor de polícia local, o capitão Jagjit Singh. Ele não o encontrava desde a descoberta do corpo de Ambika na plantação de seringueiras; não havia motivos para isso, uma vez que a morte de Ambika tinha sido considerada uma fatalidade. Mas lá estava ele no consultório de William, sem nenhuma cerimônia. O mesmo policial malaio o acompanhava.

"O que posso fazer por você, capitão?", pergunta William cordialmente. "É sobre o tiroteio? Fiz uma ligação ontem, e disseram que eu poderia ir até a delegacia para prestar depoimento."

"Na verdade, eu gostaria do seu depoimento sobre outra coisa."

"Depoimento sobre o quê?" William está ficando mais aflito. Ainda tinha a ver com Ambika?

O capitão Singh estuda o rosto de William. "Então você não soube? É sobre uma de suas pacientes, Nandani Wijedasa."

"Aconteceu alguma coisa com ela?"

"Lamento informar, mas está morta."

William afunda. "Morta? Como isso é possível?"

"Sr. Acton, quando foi a última vez que a viu?"

William pensa rapidamente, sua mente se dispersando e voltando a se realinhar. "Sábado à noite. Ela foi até minha casa."

"Para quê?"

William pensa em mentir, mas o instinto lhe diz para não se incomodar com isso. "Ela queria me ver antes de ir embora. O que aconteceu com ela?"

O capitão Singh observa William com os olhos astutos cor de âmbar. "Ela estava aborrecida?"

"Um pouco." William tira os óculos e os limpa. "O pai dela descobriu que nós dois tínhamos uma relação amigável e a estava mandando para longe. Para a casa de um tio, acredito."

"E que tipo de relacionamento você teve com ela?"

Era a pergunta que William temia. "Eu flertava com ela. Eu a achava atraente, passei algumas vezes onde ela morava, e saímos para alguns passeios."

"Você não a conhecia fazia muito tempo?"

"Ela sofreu o acidente com a perna recentemente."

O capitão Singh meneia a cabeça. "Sim, não houve muito tempo para um relacionamento se desenvolver."

"Posso perguntar qual é o objetivo desse interrogatório?" A voz de William é ríspida e fria.

O capitão Singh estende as mãos. "De acordo com a família dela, a única mudança incomum em sua rotina nesse fim de semana foi ter ido vê-lo. O primo disse que ela estava muito aborrecida quando saiu de sua casa."

"Sim, eu já disse isso. Ela não queria ir para a casa do tio, mas eu achava que deveria fazer a vontade do pai. E que estava dando muito significado para nossa amizade. Agora, por favor, me diga o que aconteceu com ela."

O capitão de repente se torna abrupto. "No sábado à noite, ela desapareceu da casa do senhor por um curto período, mas depois foi vista pelo primo andando na estrada, e ele lhe deu carona para casa de bicicleta. Nandani foi para a cama como de costume. Às 8h30 do domingo, seu corpo foi encontrado no meio dos arbustos, num local próximo da casa dela."

"Foi um tigre?" A mente de William imediatamente salta para o pobre e triste cadáver de Ambika.

"Não, mas parece que havia um tigre no seu jardim sábado à noite."

"Sim", responde William, distraído.

"Receio que, no caso da srta. Wijedasa, ela estivesse bastante doente. Estamos investigando a possibilidade de ter ocorrido algum acidente. Ou suicídio." Seus olhos repousam pensativamente em William.

"Suicídio? Ela estava aborrecida, mas não era suicida!"

"A família também acha que ela não era suicida. Hoje de manhã o corpo foi levado para a autópsia."

"Quem fez a autópsia? Rawlings?"

"Sim. De acordo com suas primeiras impressões, ela ingeriu alguma coisa no início da manhã, antes do desjejum. Talvez algum remédio da medicina popular — a mãe disse que ela se queixou de dores no estômago."

"Então, por que você precisava de um depoimento meu?" A cabeça de William está enevoada agora, seus joelhos fraquejam com a tensão.

"Só queríamos confirmar os movimentos dela nesse fim de semana. Mas parece que você passou a maior parte da noite de sábado no hospital atendendo seu criado", diz o capitão Singh com delicadeza. É imaginação de William ou o policial o está enrolando? "Quando pesquisei mortes recentes nessa área, percebi que outro paciente seu morreu há pouco tempo. Um vendedor, o sr. Chan Yew Cheung, de Papan, que pelo jeito morreu na estrada."

"Li sobre isso nos jornais. Pobre rapaz."

"Segundo a esposa dele, você foi o último médico a vê-lo."

"Foi por causa da apendicite, seis meses atrás."

"Nada relacionado com sua subsequente insuficiência cardíaca ou o pescoço quebrado, é claro."

"Foi isso que aconteceu com ele?" Era a primeira vez que William ficava sabendo dos detalhes da morte do vendedor. O obituário só dizia "morte súbita", mas a insuficiência cardíaca e o pescoço quebrado pareciam basicamente um exagero.

"Pelo jeito, ele estava bebendo, caiu em uma vala de escoamento de chuva e quebrou o pescoço. Mas uma testemunha ocular disse que ele se queixou de dores no peito pouco antes disso. No entanto, não houve autópsia."

William supõe que não, pois as causas de morte tinham sido plausíveis e suficientes.

O capitão Singh agradece a William por seu tempo e se vira para sair. "Você teve bastante afinidade com mortes e acidentes recentemente."

• • •

Depois que o capitão vai embora, William afunda em uma cadeira. Então Nandani está morta. Um vazio se forma em suas entranhas, uma tristeza apertada. Teria morrido por causa dele? Não, não fazia sentido. Ainda assim, a emoção esmagadora que sente é culpa. Sábado à noite não tinha desejado, fervorosa e irritantemente, que Nandani apenas desaparecesse?

O que faria uma jovem saudável morrer de repente? William coloca as mãos sobre os olhos. Uma suspeita terrível está crescendo dentro dele: existe um poder sombrio que reorganiza os acontecimentos de modo que sejam convenientes para ele. Toda essa história com Iris e Ambika, quando começou a pedir mais dinheiro. Então o vendedor, que morreu de forma conveniente depois de flagrá-lo com Ambika. E, por fim, Nandani. O que o assustava era a volubilidade dos acontecimentos, como se ele só precisasse dizer: "Eu gostaria que não fosse assim!", e o padrão fosse reordenado para se adequar a ele. Como um conto de fadas sombrio em que todos os seus desejos, por mais malignos e insensatos que sejam, são concedidos.

E talvez, como nos contos de fadas, haja um preço a ser pago em sangue.

A Noite do Tigre
Yangsze Choo

33

Ipoh/Batu Gajah
SEXTA-FEIRA, 26 DE JUNHO

Durante toda a semana, examinei fervorosamente os jornais para ver se havia alguma menção a uma morte em Batu Gajah, mas não apareceu nada. Embora, talvez, um criado órfão não fosse notícia. Quando olhei para o pequeno frasco de vidro, não pude evitar a lembrança da voz fraca e rouca de Ren. "Coloque de volta. No túmulo do meu mestre", ele dissera.

Os chineses às vezes exumavam as sepulturas. Era chamado de coleta de ossos, quando os restos eram desenterrados sete anos após a morte para ser enviados de volta a um vilarejo ancestral. Caso não tivesse família e morresse em uma terra estrangeira, a pessoa se tornaria um fantasma faminto, vagando e passando fome para sempre. Para evitar isso, os ossos eram cuidadosamente lavados com vinho e colocados em um pano amarelo, antes de serem guardados em um pote. Se estivesse faltando um ossinho sequer, um substituto deveria ser feito.

Conjuntos incompletos e promessas quebradas. Pensamentos sombrios, como uma enguia se contorcendo na minha cabeça. Eu estava tão preocupada que, na sexta-feira, a sra. Tham me disse para tirar o resto do dia de folga.

"Preocupada com a sua mãe, certo?", disse ela.

Eu agradeci, me sentindo culpada, embora estivesse menos ansiosa com a saúde de minha mãe — que estava melhorando — do que com suas dívidas. As coisas estavam calmas até demais na loja, sem dúvida porque meu padrasto de repente percebeu que poderia ficar viúvo de novo. Mas toda essa boa vontade poderia desaparecer num piscar de olhos se um cobrador de dívidas aparecesse. Apertando as mãos, tentei controlar minha apreensão crescente. Se Shin estivesse por perto, teria algum conforto. Ele era a pessoa com quem eu mais queria falar sobre Ren ter levado um tiro e como o dedo tinha voltado para mim, embora estremecesse ao pensar na reação de Shin ao descobrir que eu estava trabalhando como entretenimento pago. Havia uma sombra entre nós; eu não podia sair correndo e contar para ele. No entanto, a preocupação mais urgente era Ren — se estava vivo ou morto, e se meu pedido de última hora a Yi tinha feito alguma diferença. Então, quando a sra. Tham me liberou da loja, fui direto para Batu Gajah. Depois de dar o aviso prévio do meu pedido de demissão à Mama, pedi a Kiong o endereço da casa aonde havíamos ido. Ele ficou relutante.

"Se o menino morreu", expliquei, "eu gostaria de fazer uma oferenda para sua alma. Ele era órfão, não era?"

Kiong grunhiu, depois rabiscou o endereço em um pedaço de papel. "Mas eu iria primeiro ao hospital distrital. Provavelmente o levaram para lá, caso tenha sobrevivido."

∙ ∙ ∙

Cheguei à Estação de Batu Gajah no meio da tarde, e estava tão quente quanto o dia em que limpamos o depósito de patologias. O hospital parecia agitado o suficiente para que eu pudesse arriscar uma visita rápida sem me deparar com Shin ou com o rosto estreito de Y. K. Wong.

Quando saí do trem, notei dois homens se aproximando, as cabeças inclinadas um na direção do outro. Um era muito alto e tinha ombros caídos e um grande nariz aquilino. Ele parecia familiar, e percebi que o tinha visto naquela malfadada festa. O outro era William Acton. Corri para trás de um pilar, esperando que passassem, mas os dois pararam bem do outro lado.

"Obrigado pela carona." Era o homem alto.

"Fico feliz em poupá-lo da caminhada. Você realmente acha que foi assassinato, Rawlings?"

Quem morreu? Meus pensamentos foram imediatamente para Ren. Mas Rawlings estava falando de novo. "Isso ou suicídio. Não tenho dúvida nenhuma de que ela mesma tenha se envenenado ou alguém tenha feito isso com ela."

"Meu Deus. Não consigo acreditar."

"Ela não estava na sua casa no sábado à noite, a garota local sentada na cozinha?"

"Sim. Era uma paciente minha e amiga de Ren." Ele parecia estranhamente na defensiva.

"Não precisa se culpar. Ela morreu no começo da manhã de domingo, então quem sabe o que aconteceu?" Isso era um pouco amigável demais, como se o outro homem também tivesse notado a negação de Acton. "Provavelmente foi uma toxina vegetal, embora talvez não possamos fazer o teste. Vou consultar o laboratório em Ipoh. Nosso orçamento não será suficiente para enviar tudo para Kuala Lumpur, ainda mais se for apenas o caso de uma garota local que se suicidou ou tomou algum remédio idiota. Farrell pediria minha cabeça por isso."

Houve um suspiro. "Certo. Obrigado por me avisar."

Passos rápidos. Fiquei onde estava, raciocinando sem parar. Se William Acton realmente fosse a quinta Virtude, então deveria ser *Li*, ordem e ritual. Ele estava junto quando o dr. MacFarlane teve o dedo amputado, e seu nome também estava na misteriosa lista de Pei Ling. E, agora, outra pessoa tinha morrido.

Esperei alguns minutos até ter certeza de que eles tinham ido embora. O frasco de vidro com o dedo estava no meu bolso, já que eu não podia deixá-lo em nenhum lugar onde a sra. Tham pudesse bisbilhotar. Considerei devolvê-lo ao depósito de patologias, mas tive um mau pressentimento. De alguma forma, ele havia saído de lá e sido enterrado na terra escura do lado de fora do bangalô de William Acton, como se tivesse um plano. A ideia me fez estremecer.

Imersa em pensamentos, desci do meio-fio sem olhar e ouvi uma buzina. Assustada, levantei os olhos e vi que o carro era um Austin, e William Acton estava na direção. Senti vontade de bater em mim mesma — qual era o sentido de me esconder para ser atropelada por ele cinco minutos depois?

"Louise", disse ele, inclinando-se para fora da janela. "Quer uma carona?"

Como ele já tinha me descoberto e a subida até o hospital seria longa, entrei no carro. Acton não pareceu surpreso em me ver, estava distraído, como se estivesse pensando em alguma coisa.

"Como está Ren, seu criado?", perguntei. "Ele está bem?"

"Ainda está no hospital. Você vai trabalhar lá hoje?"

Ele provavelmente imaginou que eu tivesse um emprego lá, por causa da limpeza do depósito de patologias. Fui tomada por uma onda de alívio. Um alívio maravilhoso e sincero. Ren tinha sobrevivido!

"Meu irmão é assistente hospitalar. Eu estava só ajudando."

"Seu irmão, quer dizer, o sujeito que estava com você outro dia?"

"Sim."

Acton me lançou um olhar rápido. "Não tinha percebido."

"Não somos parecidos." Fiquei pensando por que eu sempre me desculpava por isso.

"Não era nisso que eu estava pensando." Ele sorriu. "Então, quer visitar Ren? Estou voltando para vê-lo."

William Acton era um motorista muito melhor do que Robert. Pelo menos trocava as marchas sem dar guinadas angustiantes. Livre do terror de morrer num acidente de carro, pude observá-lo furtivamente, mais uma vez impressionada com sua conduta serena. Eu suspeitava que William Acton agia de modo tão casual por não me ver como uma pessoa de fato, mas apenas como mais uma garota local substituível.

Quando o carro começou a subir a colina, ele disse: "Escute, Louise... Sábado à noite, na festa, por acaso você viu uma garota cingalesa? O nome dela era Nandani".

Devia ser a garota sobre a qual eles estavam falando na estação de trem. A que morreu. "Ela foi lá por sua causa?"

Ele olhou rapidamente para cima e para fora da janela. *Culpado.* "Ela foi para a cozinha, e Ren lhe serviu um pouco do jantar." Ele estava escondendo alguma coisa. Uma lembrança me inquietou: o rosto assustado de Ren, branco na escuridão de um corredor, e depois o velho cozinheiro chinês aparecendo para lhe dizer alguma coisa.

"Acho que Ren estava procurando por ela na casa."

Uma contração. "Ele disse alguma coisa para você? Por que ela estava lá?"

Balancei a cabeça. Com o que ele estava preocupado? Agora estávamos passando por construções coloniais brancas, lindamente ornadas com gramados verdes bem cuidados. A visão de dentro do carro era muito diferente de quando se fazia uma longa caminhada. Era como um sonho, a forma como a paisagem deslizava suavemente, e eu comentei isso com ele. Era só conversa fiada, mas ele pareceu impressionado, e também ansioso para pararmos de falar sobre Nandani.

"Que tipo de sonhos você tem, Louise?", Acton emanou a mesma sensação pegajosa de solidão que eu sentia em alguns clientes do May Flower, aqueles que ficavam muito tempo, pagando por uma dança atrás da outra. Mas agora era a minha chance de descobrir se ele de fato era o quinto elemento do nosso grupo.

Yi disse que todos nós tínhamos dado um pouco errados, talvez por não conseguirmos viver de acordo com nossas Virtudes. Minhas próprias escolhas — trabalhar num salão de dança, me envolver com o dedo de um homem morto, e contar mentira atrás de mentira — dificilmente poderiam ser chamadas de sábias, apesar da minha suposta inteligência na escola. Imaginei nós cinco formando um padrão. Um conjunto que se encaixava naturalmente como os dedos em uma mão. Quanto mais nos afastávamos, mais o equilíbrio em nossos mundos se distorcia. Menos humano, mais monstruoso. Como a garra de uma fera.

E o misterioso quinto? *O pior de todos,* de acordo com Yi. Claro, *Li* significava ordem. Ritual. Fazer as coisas da maneira correta, não pegar atalhos por causa de desejos egoístas.

"Às vezes sonho com um rio", falei devagar. "Há um trem e um garotinho me esperando."

"Que engraçado, eu também sonho com um rio."

"É sempre o mesmo sonho? O meu é... noite após noite, como um sonho que continua; uma história que se desenrola."

"Uma história que se desenrola." Ele parecia admirado. "Que maneira poética de dizer isso."

"O que acontece no seu sonho?" Eu estava avançando com cuidado, sondando o terreno. Fiz isso dezenas de vezes no May Flower. Eles diziam que queriam dançar, mas, na verdade, só queriam falar sobre si mesmos.

"No meu sonho, vejo uma pessoa parada no rio. Ela está sempre lá. E sempre diz a mesma coisa."

Estremeci, me lembrando do rosto ruborizado e aflito de Yi, de sua confissão cheia de culpa por atrair Ren. "Ela pede para você se aproximar?"

"Não. Ela está muito brava comigo." Um sorriso fraco. "E é por isso", acrescentou ele em voz baixa, "que escrevo cartas."

"Quem é ela?"

Mas o feitiço havia se quebrado. Acton riu desconfortável. "Devo estar entediando você."

"Nem um pouco", respondi rápido. "É muito interessante."

Ele me olhou atentamente. "Você não fala como a maioria das garotas locais."

Não, eu falo como uma instrutora de dança. Mas é claro que não expliquei isso. O objetivo de prolongar conversas como esta era conseguir dinheiro. Ou, nesse caso, obter mais informações.

Uma faísca ardia nos olhos de Acton agora, uma pequena chama que me deixava nervosa. "Você é uma garota muito interessante, Louise. Parece destino, não parece, como temos nos esbarrado por aí?"

Chegamos ao hospital, e ele estacionou o carro, mas não fez nenhuma menção de sair. De repente, lembrei-me do aviso de Hui: *não entre em carros com homens.*

"Obrigada pela carona", falei, puxando a maçaneta, que era diferente daquela do carro de Robert, e, por um instante, ficou emperrada. Tive um momento de pânico quando Acton se inclinou sobre mim, mas ele só estava me ajudando a abrir a porta. Estava mesmo? Sua mão roçou meu joelho. Não havia seguranças ali, não havia Kiong com seu olhar atento, e senti um espasmo de medo. Se ele me segurasse, eu não conseguiria fugir. Empurrei a porta com força e quase caí.

"Você está bem?", perguntou ele. E então estava ensolarado de novo, um dia luminoso e inofensivo, e eu parecia ridícula, quase caindo do carro. Eu disse a mim mesma que deveria ter imaginado aquele súbito sentimento predatório enquanto olhava para as mãos dele. Hábeis, mãos de um cirurgião. Deviam ser fortes.

"William?" Era a voz de uma mulher. A dama alta e loira da festa de sábado. Ela estava na área externa coberta do hospital como se esperasse alguém para vir buscá-la, e agora vinha em nossa direção, seus passos rápidos em sandálias de couro envernizado. Brancas, de um estilo que eu nunca tinha visto por aqui. Levantei-me com esforço, o rosto ruborizado enquanto alisava meu vestido, esperando que ela não se lembrasse de mim da festa, mas seu olhar perspicaz dizia que tinha se lembrado.

Acton virou-se afável para ela. "Olá, Lydia. Não sabia que você estava aqui hoje."

A distração culpada que ele deixara transparecer antes havia sumido, e percebi que era porque uma garota local como eu não importava. Lydia, no entanto, era diferente. Ela era uma pessoa de sua classe.

"Obrigada pela carona", falei, me preparando para fugir. Meneei a cabeça educadamente para Lydia — não parecia certo ignorá-la, embora ela estivesse fazendo o possível para fingir que eu não existia —, mas Acton disse: "Espere. Vou levar você até a enfermaria".

Não adiantou dizer que eu conhecia o caminho. Ele foi bastante rápido, explicando para Lydia: "Ela está aqui para visitar Ren. Meu criado, sabe".

"Ah, é?" Sua expressão se tornou mais suave. "Pobre garoto. Como ele está?"

"Nada bem. Está numa ala de adultos. Não havia cama disponível na ala infantil."

"Ah, foi por isso que não o vi mais cedo, quando fui lá com a biblioteca móvel." Ela se virou rigidamente para mim. "Você é parente dele?"

Balancei a cabeça. Era muito difícil explicar o forte instinto de proteção que eu sentia em relação a Ren.

"William, precisamos conversar", disse Lydia em voz baixa.

Ele olhou para o relógio, subitamente atarefado. "Agora não é um bom momento. Preciso ir para as enfermarias."

"Vou com você", disse ela. "Eu gostaria de visitar seu criado também."

Eu estava andando atrás deles quando ele me lançou um olhar conspiratório por cima do ombro. Yi tinha me dito para tomar cuidado, o quinto era o pior de todos. O que será que Acton queria de mim?

A Noite do Tigre
Yangsze Choo

34

Batu Gajah
SEXTA-FEIRA, 26 DE JUNHO

Era sexta-feira, mas Ren não tinha noção da passagem do tempo. Ele estava indisposto, embora indisposto não fosse a palavra certa para a forma como se sentia. Seria mais algo como deteriorado ou quebrado. Algumas das bandagens tinham sido retiradas, incluindo o volumoso curativo da mão esquerda. Aquela em que agora faltava um dedo. As enfermeiras não queriam lhe contar, tinham demorado muito tempo para decidir o que fazer e, por fim, convenceram um médico local a dizer aquelas simples palavras para ele. Como se fizesse alguma diferença.

De modo repentino e inexplicável, Ren sentiu saudade do dr. MacFarlane. De suas sobrancelhas bagunçadas, da voz rouca. Ele teria explicado tudo de forma clara e nada sentimental. *Melhor perder um dedo que a mão inteira.* Ou a vida. O que é que ele precisa lembrar sobre o dr. MacFarlane? Um contador invisível em seu cérebro sussurra que restavam apenas dois dias para o cumprimento da promessa, mas Ren estava cansado, tão cansado que mal conseguia manter os olhos abertos. As enfermeiras medem sua temperatura e, em voz baixa, fazem comentários. William tem aparecido duas vezes por dia.

"Você teve um choque", diz ele jovialmente, embora seus olhos sejam sombrios. "Às vezes o corpo precisa de um pouco de tempo."

"Eles a encontraram?" Aquele desconforto corrosivo de novo.

"Você quer dizer Nandani? Não se preocupe, ela chegou em casa naquela noite."

Ren balança a cabeça debilmente. "Não, ela ainda está vagando. Em algum lugar por aí."

Uma expressão tensa aparece no rosto de William. Abruptamente, ele puxa a enfermeira de lado para falar algo, chamando-a com um movimento de cabeça antes de sair da enfermaria. Uma febre baixa percorre as veias de Ren. Há outro lugar para onde ele precisa ir com urgência, embora nunca consiga lembrar onde fica esse lugar até que esteja dormindo. Ren sente que está no meio de uma jornada; todo o resto é uma interrupção.

• • •

Ao acordar, uma sensação dolorosa. A enfermeira mede sua temperatura e não parece satisfeita. Com esforço, Ren flexiona o braço esquerdo, ainda envolto em bandagens, e pensa se ainda conseguirá trabalhar: polir sapatos, passar camisas e fazer omeletes. E se o William não o quiser mais? Havia tantos outros garotos que precisavam de trabalho — garotos mais velhos e fortes, com dez dedos. Ren gostaria de ter alguém com quem conversar, mas a enfermaria está vazia, as outras camas lembram casulos brancos.

Uma das enfermeiras comentou que Ah Long tinha vindo ontem quando Ren estava dormindo e deixado marmitas com a sopa de feijão azuki de que Ren gosta tanto. Será que Ah Long conseguiu limpar a casa toda sozinho depois da festa? Os olhos de Ren estão ressecados. Seus ossos doem. *Hora de ir*, pensa ele. Mas para onde?

Vozes no corredor. É William de novo, fazendo a segunda visita do dia. E, atrás dele, outra pessoa. Aquela vibração ruidosa que ele não consegue esquecer. Ren se esforça para se levantar e sentar. Ela está aqui! A garota da festa. Ele nota sua aproximação, percorrendo o longo corredor branco. Seu senso felino estremece, o entorpecimento em torno de Ren se esvai. Mas está ficando mais lenta, recuando. Por quê?

William entra na enfermaria. Sorrindo, feliz por ver Ren sentado dessa vez. "Eu trouxe uma visita para você."

Mas a pessoa que espia por trás de William não é a garota vestida de azul, mas Lydia. "Olá!", diz ela, com aquele tom de entusiasmo excessivo adotado pelas pessoas que não ficam confortáveis com crianças. "Eu trouxe alguns livros para você."

Ela empurra um carrinho com livros e revistas, e Ren imediatamente se sente culpado por julgá-la mal. "Fui para a ala infantil hoje de manhã, mas não tinha ideia de que você estava aqui tão longe."

William olha para a ficha de Ren e examina seus curativos. Os olhos de Ren se desviam para o carrinho de livros. Lydia escolhe um livro de alfabeto com o logotipo da editora Ladybird. "Que tal este?", pergunta ela.

Ren abre o livro em *A de Ambulância*. "Obrigado", sussurra ele, tentando esconder sua decepção.

"Dê outro livro a ele, Lydia", diz William em voz baixa. "Ele sabe ler muito bem."

"Oh!" Lydia enrubesce. "Bem, estamos com poucos livros hoje."

Ren sente pena dela, sendo repreendida assim. No entanto, o brilho esperançoso em seus olhos mostra que ela não se importa. A mulher lhe entrega um livro com o nome de uma garota, Jane Erre ou algo assim. *Quem é Jane, e por que o sobrenome dela é uma letra?*, pensa Ren. Havia mais um livro, um volume fino que escorrega. *Coração das trevas*. Mas Lydia o apanha rapidamente: "Oh, não, querido. Esse, não".

Mas, nesse momento, Ren sente aquele zumbido elétrico. Está se movendo de novo, chegando à porta. A garota da festa, com seu olhar sério, está procurando Ren. E, ao vê-lo, o rosto dela se ilumina.

• • •

Ren está feliz. Muito feliz. Ela se senta a seu lado, não está vestindo azul hoje, mas um vestido fresco de algodão branco. "Estou contente que você esteja bem", diz ela, servindo-lhe um copo de água. William e Lydia estão do outro lado da enfermaria vazia; aparentemente, Lydia está recatalogando os livros do carrinho. Ren ouve pequenos trechos da conversa dos dois, mas isso não interessa, porque Ji Lin está sentada na cadeira ao lado de sua cama, sorrindo para ele.

"Dói muito?"

Ren quer tranquilizá-la e dizer que está muito, muito melhor, mas uma fraqueza anestesiante o domina. Ele suspira em silêncio. Ji Lin olha para seu rosto pálido, consternada.

"Você não parece bem. Devo chamar a enfermeira?"

Não, Ren não quer que ela saia, mas pode sentir aquele véu cinzento que o paralisa e o leva para longe, fazendo-o cair, conduzindo-o de volta àquele outro lugar onde ele não terminou sua tarefa. Alarmada, Ji Lin olha para William e Lydia, conversando no outro extremo da ala. A tensão nos ombros de William impede a interrupção.

"Vou chamar a Irmã", diz Ji Lin, levantando-se com seu jeito rápido de menino. No canto mais distante da enfermaria, a cabeça de William se move de repente, surpreso com a saída repentina da garota.

Lydia inclina o rosto, aproximando-se do dele. Eles formam uma bela dupla, perto da janela. A boca dela se move. O que ela está dizendo para que a expressão de William se endureça, sua boca se tornando uma linha fina?

"... sabe sobre Iris", diz ela.

Esse é o nome da dama para quem William sempre escreve cartas. Aquelas cartas cor de creme em papel espesso e macio, que fica marcado quando alguém pressiona a unha nele. William não parece feliz.

"Não vamos falar sobre isso agora", diz ele, virando-se.

"Então quando?" Ela o está seguindo, sem se importar em ser ouvida agora, já que apenas Ren está na enfermaria. "Somos iguais, você e eu", diz ela. Seus olhos brilham, embora Ren não saiba dizer se com lágrimas ou com alguma outra emoção. "Quero ajudar. Por favor, me deixe ajudar."

William lhe dá um sorriso forçado. "Preciso ir."

Lydia fica com o olhar parado depois que ele se afasta. Uma brisa pelas janelas abertas faz as cortinas brancas tremularem; está tão silencioso que é possível ouvir o tique-taque do relógio do corredor. Sem jeito, Lydia leva seu carrinho de livros de volta por entre as camas vazias. Ela para na cama de Ren, como se quisesse fazer uma pergunta, mas, nesse momento, Ji Lin retorna. Ela parece perturbada, os olhos baixos.

Lydia lhe lança um longo olhar de soslaio. "Você é Louise, não é?", diz ela.

Uma breve pausa. "Sim."

"Eu estava aqui pensando em como você conheceu o sr. Acton."

"Eu não o conheço. Ele estava passando pela estação hoje de manhã e me deu uma carona."

Lydia não parece muito satisfeita com a resposta e faz várias outras perguntas. Onde ela trabalha, o que sua família faz, quantos anos ela tem. Ji Lin é educada, mas cautelosa.

"Posso perguntar por que quer saber?"

Entorpecido, Ren observa os dois perfis de maneira hesitante. Um com cabelo claro e encaracolado, o outro com cabelo curto e franja escura.

"Eu estava apenas curiosa sobre o seu... trabalho. Se você teve algum problema ou precisou de ajuda." Ao dizer a palavra *problema*, os olhos de Lydia se estreitam com preocupação. Mas Ji Lin é cuidadosa, dizendo apenas que trabalha meio período em um salão de dança, e que está tudo bem.

Lydia a observa por um instante. "Bem, me avise se precisar de um ouvido amigo. Tenho interesse em ajudar as garotas locais a procurar emprego, para que possam se aprimorar. Há tantos trabalhos que as garotas podem fazer hoje em dia, se os homens as permitirem."

"Obrigada." As palavras de Lydia a emocionam; os olhos escuros de Ji Lin se suavizam, e ela parece genuinamente tocada. "É muita gentileza da sua parte."

"Nós, mulheres, precisamos nos unir. Aliás, dou aulas de saúde para as garotas nas propriedades seringueiras."

"Que tipo de aulas?" Ji Lin parece interessada.

"Bem, principalmente sobre cuidados básicos de saúde, necessidades femininas." Elas trocam um olhar confidente. "Se precisar de algum material, me avise. É uma das formas que encontrei de fazer algo de bom por aqui. Aliás", Lydia abaixa a voz, "tome cuidado com o sr. Acton."

"Por quê?"

"Ele é... bem, coisas estranhas acontecem ao redor dele. Você percebeu?"

Uma expressão curiosa aparece no rosto de Ji Lin. "Que tipo de coisas?"

"As pessoas que se envolvem com ele tendem a ter má sorte. Especialmente mulheres jovens."

• • •

William inspira com força. Seu estômago dói quando ele se inclina sobre a pia de porcelana branca no banheiro, as duas mãos segurando a superfície escorregadia. Uma sensação de queimação, de torção. Ele levanta o rosto pálido e suado, olhando para o espelho.

Então Lydia sabe sobre Iris. Ele deveria ter previsto isso. Na verdade, William tinha ficado perplexo com a semelhança entre as duas. Por mais que fossem primas de segundo ou terceiro grau, ou o que quer que Lydia tivesse dito. Ele estava desconcertado demais para prestar atenção.

E agora, o que deveria fazer? O que Lydia queria? Isso seria um problema. Lydia, com sua atitude mandona e bem-intencionada. Era exatamente o que ele odiava. William limpa a boca. Antes de se encontrarem de novo, ele precisava descobrir todas as informações que pudesse sobre ela: qualquer segredo de seu passado que a tivesse feito se exilar na Malaia por mais de um ano, sem marido, sem emprego e sem nada para fazer, além de jogar tênis no clube e fazer trabalho voluntário. *Conheça o seu inimigo*, pensa ele.

Então, num espasmo de angústia furiosa, ele deseja que Lydia simplesmente desapareça.

35

Batu Gajah
SEXTA-FEIRA, 26 DE JUNHO

Em poucos dias, Ren havia perdido peso de forma chocante. Bochechas afundadas, veias azuis aparecendo sob a pele fina como papel. A voz fraca e rouca, como se cada palavra fosse uma luta. Mas ele parecia feliz em me ver.

"Sobre o dedo que você me deu", falei, hesitante, quando Lydia foi embora. Eu não queria trazer o assunto à tona, mas temia que ele estivesse preocupado com isso. "Eu o guardei para você."

Um espasmo passou pelo rosto dele. Um olhar de sobressalto, ou seria urgência? "Faltam dois dias", sussurrou ele. "Devolva. No túmulo dele."

Eu me inclinei, tentando ouvir suas palavras. Ele tinha um olhar cinzento e vidrado.

"O que quer dizer?", perguntei, mas ele não me ouviu. Os olhos de Ren se fecharam. Não havia nada além de seu corpo frágil e leve, a casca de um gafanhoto, deixado para trás na cama. Por um instante, fiquei apavorada ao pensar que ele tinha morrido. Toquei sua mão. Fria, mas o peito estreito subia e descia irregularmente. A enfermeira disse que Ren não estava bem, embora não conseguissem encontrar uma causa, e que eu não deveria cansá-lo. Ela estava certa; havia algo muito errado com o garoto.

"Você é parente dele?", perguntou ela.

"Não. Por quê?", respondi, ansiosa.

Seus olhos passaram por mim de um jeito desconfortável. "Bem, se você conhecer os parentes dele, peça para virem fazer uma visita. Logo."

. . .

Saí da enfermaria com um aperto no coração. Eu ainda tinha tantas perguntas para Ren: como o dedo acabou enterrado no jardim e por que ele queria que eu o colocasse em um túmulo. Pensamentos inquietantes, movendo-se como formas subaquáticas. Quando perguntei se Pei Ling já havia se recuperado da queda, a enfermeira balançou a cabeça. Ela não havia recobrado a consciência. A enfermeira me lançou um olhar estranho, como se perguntasse por que eu estava relacionada a todas essas pessoas desafortunadas.

A tarde estava caindo, e as pessoas começavam a ir embora. Não consegui tirar o preocupante aviso de Lydia da cabeça. O que ela quis dizer com tomar cuidado com William Acton? O fato de ter baixado a voz, como se tivesse medo de ser ouvida, fez com que eu me perguntasse o que a preocupava. Ela mencionara a sorte também, o que me fez lembrar o vendedor. Quando as pessoas falavam em ter sorte, talvez quisessem apenas se sentir poderosas, como se pudessem manipular o destino. Como aqueles jogadores obcecados com números da sorte, ou os que compravam bilhetes de loteria de acordo com o número de escamas coloridas nos peixes. Tudo isso soava como uma má ideia para mim.

Virando o corredor, reconheci a área externa do refeitório, onde eu tinha falado com Pei Ling pela última vez. Se eu continuasse por esse caminho, descendo a colina, passaria pelo lugar onde ela sofreu aquela queda desastrosa. Aqui, Pei Ling caiu da escada e foi parar a uma distância considerável do último degrau. Os corrimãos resistentes em cada lado da escadaria estreita me fizeram lembrar a observação de Shin. Se ela tivesse tropeçado, era estranho não ter conseguido impedir a queda. Ela poderia muito bem ter sido empurrada.

Olhei para cima, atraída por um movimento repentino. Uma cabeça escura tinha aparecido no topo das escadas, mas o sol de fim de tarde estava em meus olhos. Tive o vislumbre de um uniforme branco e, por um instante, achei que poderia ser Shin, vindo me encontrar com suas passadas longas. Mas, quem quer que fosse, desapareceu. Hora de ir embora. As passagens sombreadas estavam vazias enquanto eu atravessava a lateral do hospital. Ao passar pela porta familiar que dava para o depósito de patologias, parei. E se o dedo do vendedor ainda estivesse lá, e o dedo que Ren me entregou fosse uma cópia, nascida como um verme, proveniente da terra escura de onde ele o desenterrou? O pensamento era tão perturbador que senti que precisava ver por conta própria. Tentei a maçaneta. Inesperadamente, ela girou.

Dentro do depósito, tudo estava como Shin e eu deixamos. Arrastei a escadinha até a prateleira de espécimes. Estendendo a mão, alcancei um rim, e depois o vidro com o rato de duas cabeças. Olhei atrás deles. Nada. O espaço onde o pequeno frasco estivera, contendo um dedo seco e escurecido, estava vazio. Então ele não tinha se multiplicado como um pesadelo. *Ainda bem.* Eu estava prestes a descer quando a porta se abriu.

• • •

Era Y. K. Wong. Eu não deveria ter ficado surpresa. Ele era como um pesadelo, aparecendo em todos os lugares aonde eu ia. Com o coração batendo forte, prendi a respiração quando ele fechou a porta, deliberadamente.

"Procurando algo?", perguntou ele. "Algo como um dedo?"

"Não há dedos nessa prateleira", falei num tom desafiador.

"Eu sei. Dei uma olhada no outro dia." Ele chegou mais perto e, nervosa, olhei para ele do ponto mais alto onde eu estava. "Shin sabe do seu trabalho no May Flower?"

Então ele tinha me reconhecido no hospital naquele dia, apesar das minhas tentativas de esconder o rosto. Eu me senti absurdamente vulnerável, em pé na escadinha, como uma vítima esperando pelo enforcamento.

"Vamos começar de novo", disse ele. Sorriso forçado. O vislumbre de um dente canino afiado. "Você mentiu para mim sobre aquele dedo. Você era uma das garotas de Chan Yew Cheung, do salão de dança?"

"Não... eu o peguei por acidente."

Ele me lançou um olhar incrédulo. Outro passo, encurralando. "E Pei Ling? Ouvi você perguntando sobre ela. Ela deu alguma coisa para você?"

O que Pei Ling tinha dito? Que o vendedor tinha um amigo de quem não gostava no hospital, alguém que ela temia que pudesse pegar seu pacote. As listas, pensei. Aquelas listas de médicos e pacientes e somas de dinheiro escritas com letra diferente. Eu ainda estava em pé naquela escadinha ridícula e me ocorreu que, se ele me empurrasse para trás, eu racharia a cabeça. Como Pei Ling ao cair das escadas.

Virando-me, tentei em apoiar em algo atrás de mim. Percorri os recipientes de vidro com a mão. Arremessei em Y.K. Wong o frasco com o rato de duas cabeças, que estourou contra seu braço, lançando um jato de um líquido fétido. Ele soltou um grito de nojo quando se dobrou para a frente. Então eu pulei, o maior salto da minha vida, tentando passar por ele, mas ele me pegou pelo pulso. Sem fôlego para gritar, só consegui cerrar os dentes e puxar com força. Escorregando no chão molhado, fazendo barulho, ele passou por mim e alcançou a porta. Por um instante, ficou parado, a expressão fechada, como se estivesse decidindo o que fazer. Então, girando a maçaneta, ele saiu e me trancou ali dentro.

"Me deixe sair!", gritei, golpeando a porta.

Ele encostou a boca contra a porta. "Pense no que perguntei a você", disse ele. "Vou voltar e quero uma resposta."

• • •

Gritei até ficar rouca, embora, àquela hora, Y. K. Wong já tivesse ido embora havia muito tempo. Era sexta à noite; haveria apenas uma equipe mínima para os pacientes que estavam nas enfermarias no fim de semana. Em pânico, tentei as janelas. Eram muito altas, e quase todas tinham sido pintadas quando estavam fechadas. A única janela aberta era um caixilho que se abria horizontalmente pela parte de cima. Do tipo que precisava de um longo gancho para ser destrancado. Mas ficava lá no alto.

Arrastando a mesa em direção à janela, subi. Ainda não conseguia alcançá-la. Coloquei a escadinha em cima da mesa. Os vapores do formaldeído derramado faziam meus olhos lacrimejarem, mesmo quando eu os desviava do rato de duas cabeças estendido no chão. Eu ia ter pesadelos com isso. Subi, sentindo a dupla oscilação, do banquinho e da mesa, com medo de olhar para baixo. Coloquei a cabeça para fora pelo caixilho. No fim, alguém me encontraria, embora eu tivesse medo de que Y. K. Wong pudesse voltar antes se eu gritasse. Respirando fundo, joguei minha cesta pela abertura e me ergui. Era apertado, mesmo que eu me espremesse de lado. Apertado demais. Eu estava presa a dois metros e meio do chão. *Por favor*, pensei, *nunca mais vou comer outro pãozinho cozido no vapor.* Ouvi o barulho de algo se rasgando quando minha saia ficou presa na dobradiça. A parte de cima do caixilho arranhou as minhas costas, então consegui passar, me debatendo loucamente no peitoril, as pernas balançando.

Não consegui me segurar e escorreguei até cair. Senti uma dor aguda no tornozelo quando atingi o chão, a palma das mãos ardendo por se esfolar na parede. Passos apressados virando o corredor. Congelei, com medo de que fosse Y. K. Wong voltando, mas era apenas Koh Beng. Fiquei contente em ver seu rosto amigável e rechonchudo.

"Ouvi um grito", disse ele. "Você está bem?"

"Torci meu tornozelo."

Felizmente, Koh Beng parecia mais interessado em olhar para a minha saia, que puxei para baixo, enquanto o encarava, do que fazer perguntas sobre como eu tinha conseguido cair atrás de um prédio.

"Você viu Y. K. Wong passar por você?"

"Não." Koh Beng me deu um olhar astuto. "Ele queria alguma coisa?"

Tudo o que eu queria era sentar em silêncio em algum lugar até minhas mãos pararem de tremer. Eu deveria denunciar Y. K. Wong? Ele podia alegar que tinha sido uma brincadeira, ou que eu o atraí para o depósito para seduzi-lo. Na verdade, o fato de as pessoas saberem que eu trabalhava num salão de dança era suficiente para desconsiderar minha declaração. Se Shin descobrisse, haveria problemas; apesar de toda sua tranquilidade, ele tinha um temperamento explosivo. Distraída, comentei: "Ele estava procurando um pacote".

"Era de Pei Ling? Vi vocês duas conversando um pouco antes do acidente."

"Ela precisavaa de ajuda." Não que isso tenha adiantado. "Que tipo de pessoa é Y. K. Wong?"

"Ele é um sujeito complicado. Muito próximo do dr. Rawlings, o patologista. Y. K. Wong fazia muitos trabalhos para ele."

Rawlings era mais um nome daquela lista — era por isso que Y. K. Wong tinha a chave do depósito? Franzi a testa, pensando concentradamente.

"Então, o que tinha naquele pacote?"

Até que ponto eu poderia confiar em Koh Beng? Ele parecia saber muito sobre o que acontecia no hospital. Respondi com cautela: "Listas de nomes e números. Mas, por favor, não conte a Shin sobre hoje. É um assunto pessoal".

"Não se preocupe, pode contar comigo", disse Koh Beng, solidário.

Ele parecia satisfeito por termos um segredo e, ao me lembrar da conversa sobre crânios e homens-tigre, perguntei: "Você conhece alguma superstição sobre dedos?".

"Bem, os malaios dizem que cada dedo tem uma personalidade: o polegar é o dedo-mãe, ou *ibu jari*. Depois, você tem o dedo indicador, *jari telunjuk*, que aponta o caminho. O terceiro dedo, *jari hantu*, é o dedo fantasma, porque é mais longo que os outros. O quarto é o dedo anelar; em alguns dialetos, é chamado de 'o inominável'. O mindinho é o dedo esperto."

A ideia de dedos com personalidade me incomodou, era como se fossem cinco pessoas pequenas. Koh Beng me olhou de soslaio; tive a certeza de que ele sabia que eu estava escondendo alguma coisa. No entanto, com seu amigável jeito bonachão, ele disse apenas: "Pei Ling era uma boa amiga. Eu gostaria de ajudar. Essas listas de nomes, você pode trazê-las para me mostrar?".

Assenti. Se ele conseguisse decifrá-las, eu poderia ter algum poder de barganha para lidar com Y. K. Wong.

A Noite do Tigre
Yangsze Choo

36

Batu Gajah
SEXTA-FEIRA, 26 DE JUNHO

Na tarde quente e sufocante, Ren continuava dormindo. Tentando atravessar o véu de neblina que o cercava e entorpecia. Ele precisava chegar ao outro lugar. Aquele lugar brilhante e febril, onde tudo era claro como vidro e afiado como pedra. O empenho exigia toda sua força, mas, de repente, lá estava ele. A vasta grama desbotada, os arbustos baixos e emaranhados. Havia um tigre aqui antes, ele lembra, mas não agora. Ele procura algo no chão lamacento. O que ele estava fazendo de tão importante? Sim. Nandani. Precisava encontrá-la.

William dissera que ela chegara em casa em segurança naquela noite depois da festa, mas Ren não acreditava nele. Ela não estava em Batu Gajah. Estava aqui. Ele tinha certeza disso.

Naquela paisagem abrasadora e onírica, Ren segue as pegadas na terra macia. Elas continuam, o pé esquerdo se arrastando pela grama na altura da cintura até a estação de trem que ele vislumbra ao longe. Deviam ser de Nandani, pensa ele, ansioso. Desde que tinha cuidado de sua perna naquele dia, Ren se sentia responsável por ela, ainda que fosse mais novo. Por alguma razão, as palavras do dr. MacFarlane retornam, aquela repreensão afetuosa. *A bondade vai ser o seu fim, Ren.* Mas não era verdade, ou era?

Ele segue as pegadas com obstinação. A trilha oscila, como se quem a traçou tivesse enfraquecido ao longo do caminho. Seu senso felino fica atiçado, tremendo em uma única direção, apenas para encontrar um muro alto e branco, tão vasto quanto o céu. Do outro lado, está Yi.

Ren caminha devagar, a luz brilhante queimando a paisagem

diante de seus olhos apertados. A estação ferroviária está cada vez mais próxima. Fica na mesma direção do muro que o separa de Yi. Por alguma razão, uma garota de azul lhe vem à mente. Qual era o nome dela mesmo... Ji Lin? Seus pensamentos flutuam de um lado para o outro. William dançando com ela. Os olhos da garota se arregalando ao ver Ren. Correndo, ele dá a volta na casa no escuro, verificando as janelas, procurando Nandani, ou será que alguma outra criatura pálida e fria poderia estar espiando ali dentro pelas janelas? As mulheres vingativas de cabelos compridos, traídas pelo amor. E, por fim, o clarão estrondoso que atravessa a noite — mas ele não consegue se lembrar de nada além disso. Essa é a realidade agora, esta terra brilhante e ensolarada que estremece com expectativas desconhecidas.

As pegadas o impelem para a frente, ao redor de um arbusto com folhas cerosas verde-escuras. Oleandro, pensa ele, olhando para as flores que parecem espuma, embora não consiga se lembrar da pessoa que as detesta. Um velho chinês, limpando as mãos em um avental e dizendo de modo desaprovador que o mestre deveria cortá-lo. Ren pisca, e a lembrança desaparece.

Conforme caminha ao redor do arbusto, Ren quase tropeça em uma mulher. Ela está sentada no chão, cuidando do tornozelo esquerdo. Seu cabelo escuro e comprido está emaranhado e, quando levanta o rosto para ele, Ren tem um choque terrível. Não é Nandani. Na verdade, ele nunca viu essa mulher.

Os dois se olham em silêncio. Ela é chinesa, tem a aparência pálida de coelho. Seus olhos estão rosados nos cantos, como se ela estivesse chorando e, quando se levanta desajeitadamente, não é muito maior que Ren. "Quem é você?"

"Sou Ren."

Ela o encara. "Você é uma pessoa de verdade?"

"Sim."

Inesperadamente, a mulher o segura pelo cotovelo. Seu toque é muito frio, e Ren solta um grito de surpresa.

"Você está quente", diz ela e, inclinando-se, agarra o próprio tornozelo. "Não consigo andar direito. Deve estar torcido." Com uma careta, ela se endireita, e agora Ren pode ver que há algo errado com ela. Um braço está dobrado, e o ombro forma um ângulo estranho, quando ela caminha arrastando o pé. Ela parece quebrada, uma marionete cujas cordas foram cortadas.

"Está doendo?", pergunta ele.

"Não muito. Sou enfermeira", diz ela. "Talvez eu tenha quebrado o braço ou deslocado o ombro."

"Você não consegue se lembrar?"

"Foi uma queda." Ela franze a testa. "Minha cabeça dói. Seja como for, tudo vai melhorar quando embarcarmos no trem. Você também."

Ren olha para baixo e percebe que também está ferido. O braço e o lado esquerdo de seu corpo estão envoltos em bandagens, e ele tem a sensação desconfortável de que deveria se lembrar por que está assim, mas não lembra. Os dois dão a volta nos arbustos de oleandro e, dali, têm uma visão clara da estação de trem. A companheira de Ren parece se animar com a vista.

"De onde você veio?", pergunta ela.

"Não sei." Ren olha para trás, mas não há nada além da grama ondulante.

"Vamos lá", diz sua companheira. "Precisamos ir."

A Noite do Tigre
Yangsze Choo

37

Falim/Ipoh
SEXTA-FEIRA, 26 DE JUNHO

Abalada, peguei o ônibus para Falim. Se fechasse os olhos, ainda podia ver a mandíbula torta de Y. K. Wong naquele instante, o olhar calculista antes de me trancar no depósito. Imaginei sua expressão quando voltasse e descobrisse que eu não estava lá. Sem dúvida eu precisaria lidar com ele em breve. *Coragem, garota,* pensei, pressionando as mãos contra a ansiedade que crescia no meu peito.

Passei uma noite tranquila na *shophouse* ajudando minha mãe. Observando seu porte frágil, pensei em Ren. Eu tinha a terrível suspeita de que ele estava morrendo; a cor acinzentada em seu rosto me assustou, seus olhos se fecharam como uma alma que se desprendia. O que eu poderia fazer por ele?

"Não se preocupe", a voz da minha mãe interveio. "Tudo vai ficar bem. Ele gosta de você."

Meu coração deu um salto, assustado. Mas ela estava se referindo a Robert, claro. Escutei sem prestar muita atenção enquanto minha mãe tagarelava sobre como ele era bondoso.

"Sim", falei, meneando a cabeça, pensando que eu precisaria confiar nessa bondade muito em breve. Senti uma onda de vergonha. Robert com certeza não recusaria se eu pedisse dinheiro emprestado... Era bem diferente de aceitar uma caçarola de sopa de galinha. Tantas coisas tinham dado errado recentemente que fui tomada pela preocupação. E o que Ren quis dizer com *faltam dois dias*?

• • •

Na manhã seguinte, saí sem fazer alarde e voltei para Ipoh, explicando para minha mãe que eu estava ajudando a sra. Tham a terminar um vestido. "Um pedido urgente", falei, embora a razão verdadeira fosse a promessa que fiz à Mama de trabalhar como substituta num último turno no May Flower.

Já passava da hora do almoço quando cheguei à casa da sra. Tham. "Então, aqui está você!", disse ela, sem nenhum preâmbulo. "Pensei que passaria o fim de semana todo em Falim."

"Vou ajudar uma amiga", respondi culpada.

Por sorte, a sra. Tham não demonstrou interesse, pois estava cheia de novidades. "Seu irmão veio procurar você. Ele e aquele jovem também."

"Que jovem?"

"Aquele que levou você para casa na outra noite. Você disse que o nome dele era Robert."

Por que diabos Robert e Shin estavam me procurando? Eram uma dupla improvável e nem sequer se davam bem.

"Primeiro, seu irmão passou por aqui, e, quando estava saindo, Robert também chegou. Eu disse aos dois que você tinha voltado para casa."

"Eles deixaram algum recado?"

"Não, seu irmão disse que precisava encontrar alguém." A sra. Tham se aproximou um pouco mais. "Você está firme com esse Robert?"

"Somos só amigos."

Ela me lançou um olhar incrédulo, e eu não podia exatamente culpá-la. Robert e seu enorme barco sobre rodas chamavam atenção. A maioria das garotas, no meu lugar, provavelmente estaria explodindo de felicidade.

"Se terminar cedo, pode ser que eu volte para Falim hoje à noite", falei.

"Tudo bem." A sra. Tham acenou alegremente quando saí. Essa era a vantagem de ter dois lugares para morar — eu sempre podia afirmar que estava no outro. Eu precisava de pelo menos um dia se fosse fazer o que tinha planejado.

• • •

No escuro corredor do May Flower, a Mama me parou e colocou um envelope na minha mão, que fez um som delicioso de algo espesso se amassando. "Pagaram pela festa particular. Bem, Kiong foi pegar o pagamento com aquele médico ruivo. É a sua parte, mais o salário que você ainda não tinha recebido. Já retirou suas coisas?"

"Quase."

Eu tinha um vestido reserva no vestiário, que planejava usar hoje. Todas nós fazíamos isso, em caso de rasgos ou manchas. Pensativa, saí depressa pelo corredor cuja pintura verde-menta estava descascando. Hui estava no vestiário aplicando rouge nas bochechas. Ela trabalhava aos sábados desde a tarde e durante todo o turno da noite.

"Você vai trabalhar hoje?" Ela pareceu surpresa.

"Ela me pediu para ajudar", respondi, brigando com meu vestido.

"Venha aqui, me deixe ajudar." Hui abriu o colchete do meu vestido com habilidade. Eu precisava dizer logo a ela que estava saindo, mas agora não parecia ser a hora certa, não quando estávamos correndo para nos arrumar.

• • •

Eu nunca tinha trabalhado numa tarde de sábado; o salão estava lotado, e a banda tocava mais danças locais, como *joget*. A música era animada e, esquecendo as minhas preocupações por um breve momento, me diverti bastante, embora não tenha visto nenhum dos meus clientes regulares. Eu ia sentir falta de tudo: da pista de dança encerada, dos rostos suados dos membros da banda, que agora eu conhecia bem o suficiente para acenar com a cabeça e sorrir quando passávamos uns pelos outros. Do cheiro de cigarro e de suor, das minhas panturrilhas doloridas e dos comentários mordazes e engraçados de Hui. Quando entrei na área cercada para as dançarinas, depois de dançar com um funcionário do governo rechonchudo, senti uma pontada de arrependimento. Talvez eu não devesse sair, afinal.

Eu conhecia apenas algumas das outras garotas que estavam trabalhando, já que em geral tínhamos turnos diferentes, mas Anna estava lá. Eu não a via desde a noite da festa particular.

"Acabei de ver uma coisa boa." Anna sempre tinha um ar sonolento e pesado, e hoje isso a fez parecer, de alguma forma, muito mais voluptuosa.

"O quê?"

"Um sujeito bonito de verdade. Estava esperando um amigo do lado de fora. Eu o fiz prometer dançar comigo quando entrasse."

As outras meninas riram. Ouvi sem prestar muita atenção.

"O que você quer dizer com bonito *de verdade*? Você está sempre dizendo isso!"

"Mas ele era! Deve ser um ator de Singapura ou de Hong Kong."

As meninas reviraram os olhos, mas estávamos bastante curiosas, incluindo eu. Muitos cantores de ópera chineses famosos eram bombardeados com cartas de amor, refeições caseiras e dinheiro de fãs exaltadas. A única pessoa que eu conhecia que poderia estar nas telas de cinema era Shin. Então um pensamento terrível me ocorreu: talvez fosse Shin.

"Ele era alto, com ombros bonitos. Quadris estreitos", disse Anna. "E tinha a aparência de alguém do norte da China, com maçãs do rosto e nariz altos."

O alerta estava se espalhando; um enxame de formigas-lava-pés sendo derramado nas minhas costas.

"Olhem, lá está ele!"

Meu estômago se embrulhou. Era mesmo Shin — e com ele estavam Robert e Y. K. Wong. Os três abriram caminho pela multidão, Y. K. Wong os liderava. O rosto estreito com mandíbula alongada estava atento enquanto inspecionava o rosto das garotas. Nossos olhos se encontraram. De onde estava, com uma grande roseta e um número preso ao peito, como uma mercadoria à venda, eu não tinha nada, nem mesmo um leque, para bloquear seu olhar triunfante. Em pânico, desejei que minhas pernas congeladas dessem um salto. Um estrondo surdo chegou aos meus ouvidos quando eles se aproximaram. Mesmo que Y. K. Wong tivesse me visto, não significava nada enquanto Robert e Shin não me vissem. *Corra!*

Com a respiração ofegante, levantei da cadeira, tropeçando enquanto passava pelas outras garotas com seus gritos de surpresa. Y. K. Wong agarrou meu pulso. "Eu estava procurando você."

Vi a fisionomia chocada de Robert atrás dele. Não consegui olhar para Shin. Os olhos de Robert estavam arregalados, mostrando toda a parte branca. Ele abriu a boca. Fechou-a, e voltou a abri-la. "Ji Lin, você está trabalhando aqui?"

Baixei a cabeça com tristeza.

"Você está mesmo trabalhando aqui? Como uma prostituta?"

Sua voz estava incrédula. Muito alta, como um tapa na cara. O tempo parou, arrastando-se como em um pesadelo. Vi a mandíbula de Shin se enrijecer, o movimento revelador de seus ombros. Eu conhecia os sinais de perigo de quando meu padrasto estava prestes a estourar. Eu podia ver o futuro se desenrolar em um cinejornal, nu e cru, pulando da tela: Shin batendo na boca de Robert, quebrando seus dentes e seu nariz, e indo para a prisão por causa das minhas escolhas idiotas demais.

Eu me joguei na frente de Robert. Um golpe de raspão atingiu um lado da minha cabeça, forte o suficiente para meus ouvidos zumbirem, embora Shin provavelmente tivesse se contido no último instante. Caí em um emaranhado de braços e pernas com Robert. Gritos, uma briga maluca. Notas destoantes saíam dos trompetes enquanto os músicos hesitavam, para depois, com coragem, começarem a tocar de novo. Shin segurou meu rosto com as duas mãos. "Sua idiota", disse ele.

"O que você está fazendo?", gritava Hui, como uma harpia.

"Está tudo bem." Ofegante, fiz um esforço para me levantar. "Ele é meu irmão."

Eu o puxei com força. O desespero entorpeceu minha orelha, que ardia. Determinados, os seguranças vinham em nossa direção, e, no canto, o rosto da Mama tinha a aparência de um trovão.

"Ji Lin!", chamou Robert, mas eu estava correndo, avançando pela multidão que me dava passagem, rostos surpresos, bocas escancaradas em *oh* e *ah*. Arrastava Shin comigo, sua mão na minha. Atrás de nós, Kiong abria caminho em meio aos casais que dançavam, esbarrando neles e pedindo desculpas. Atravessamos a porta lateral, passando pelo longo do corredor verde-menta com a indicação de *acesso restrito*. A porta do vestiário se abriu com um estrondo. Peguei minha bolsa — o dedo!

O grito de Kiong ecoou ao irromper no corredor. Então saímos, pela porta dos fundos, para a estrada de terra atrás do salão de dança, onde corremos cada vez mais, como se o demônio em pessoa estivesse nos perseguindo.

A Noite do Tigre
Yangsze Choo

38

Ipoh/Taiping
SÁBADO, 27 DE JUNHO

Era o fim de tudo, pensei. Não sei o que nos possuiu, mas corremos como crianças, Shin e eu. Como se tivéssemos dez anos e tivéssemos sido pegos roubando mangas da árvore do vizinho. Corremos rua após rua até eu não reconhecer mais onde estávamos, e nos inclinamos, ofegando, contra um muro.

"Não tem ninguém atrás de nós", disse Shin.

Kiong não fez nada além de pôr a cabeça para fora da porta dos fundos e gritar: "Louise! O que houve?". E, provavelmente, se eu tivesse parado e falado com ele, não teria dado em nada. Kiong era bastante razoável; discussões entre clientes aconteciam o tempo todo, e a única pessoa que tinha se ferido era eu mesma.

"Está doendo?" Shin me examinou, procurando por contusões. "Eu não queria bater em você."

"Estou bem", respondi, afastando sua mão.

"Tenho certeza de que está", disse ele, áspero. "Qualquer um que consegue correr quase um quilômetro provavelmente está com uma boa saúde. Por que você estava correndo, afinal?"

A vergonha ardeu em meu rosto. "Não consegui suportar. O olhar de Robert. E todos vocês aparecendo juntos." As palavras *como uma prostituta* ainda ressoavam nos meus ouvidos.

Shin se abaixou contra a parede grosseiramente rebocada. Minha mãe havia martelado em nós a ideia de que apenas mendigos, bêbados e viciados em ópio se sentavam na rua em plena luz do dia, mas não havia ninguém por perto naquele momento, então me sentei também.

"Por que você pulou na frente dele daquele jeito?"
"Porque você ia bater nele."
"Ele merecia. Desgraçado."
"Você está com raiva de mim também?"
"O que você acha?" Ele me olhou demoradamente.

Fiquei encarando uma rachadura na calçada. Parecia um mapa do rio Kinta. "Não havia muitas opções. Opções que pagassem bem. Mas não sou uma prostituta." Era uma conversa terrível de ter com meu meio-irmão, por quem eu poderia estar apaixonada, pensei. Eu deveria ter um diário com todos os piores momentos da minha vida. Poderia ser divertido daqui a cinquenta anos, mas não agora. Definitivamente, não agora.

"Não achei que você fosse. Lugares como esse são bastante cuidadosos com as garotas."

"Como você sabe?" Eu o observei por entre os cílios, franzindo a testa.

"Já fui a salões de dança. Há muitos deles em Singapura."

De repente, fiquei tão irritada com Shin que mal conseguia olhá-lo nos olhos. "Imagino que eu nem deveria ter me preocupado em contar a você, então."

Ele inclinou meu rosto para cima. "Você estava preocupada comigo?"

Perto demais, pensei. Ele estava perto demais, e esse toque casual me desarmou. Com um puxão, me afastei. "Não só com você", respondi. "Minha mãe, a sra. Tham. E Robert, claro. Aos olhos dele, estou arruinada."

A voz de Shin foi fria. "Ele é um idiota se não conseguir ver que você obviamente é virgem."

Eu estava tão envergonhada que não sabia para onde olhar. Orelhas queimando, o rosto ardendo. Suponho que eu deveria ficar feliz por Shin nunca ter duvidado da minha castidade, já que isso era algo tão estimado em uma mulher, mas o jeito como ele estava fazendo as coisas era tão arrogante que senti vontade de estapeá-lo. "Não é da sua conta", retruquei, me levantando.

Shin agarrou meu braço, me puxando para baixo. "Claro que é", disse ele com os dentes cerrados. "Eu não gosto disso. Não gosto que você faça um trabalho como esse. É estúpido e perigoso, e você tem sorte por nada ter acontecido — até agora."

"Eu não tive escolha!" Como Shin ousava me dizer essas coisas quando ele não tinha nada com que se preocupar além de estudar e se divertir em Singapura? Enterrei o rosto nos joelhos.

Shin colocou a mão suavemente na minha cabeça, como se tivesse receio de que eu me esquivasse. "Por que você não me escreveu e disse que precisava de dinheiro?"

"Como, se você nunca respondia?"

"Não respondia porquê...", ele conteve as palavras. Fosse o que fosse — outra garota, outro mundo que eu não conhecia —, ele claramente não queria contar, e eu não o pressionei. "Eu pressentia que você estivesse fazendo algo assim."

"O que você quer dizer?" Minha voz ficou abafada.

Shin balançou a cabeça. "Algum tipo de trabalho duvidoso. A mãe me contou sobre as dívidas de mahjong, depois do aborto espontâneo. Ela disse que você estava pagando as parcelas para ela com o emprego na oficina de costura, mas não poderia estar ganhando tanto dinheiro."

"Foi por isso que você veio hoje?"

"Não, eu não tinha ideia de onde você estava trabalhando. Foi Y. K. Wong que me levou lá."

Eu me endireitei. "Por quê?"

"Não sei. Mas ele tem perguntado sobre você de forma indireta. E também perguntou se eu tinha notado que um dos espécimes na sala de patologia havia sumido. Me fiz de tonto, claro. Disse a ele que eu não tinha terminado de contar os espécimes."

Então Y. K. Wong ainda não havia dito nada para Shin sobre me trancar no depósito. Levar Shin para o salão de dança era uma forma de me pressionar? Uma dona de casa saiu de um portão vizinho e nos olhou de esguelha. Era sábado à tarde, e jovens saudáveis não deveriam estar sentados na calçada desse jeito, então começamos a andar sem rumo de novo. Se chegássemos a uma rua principal, encontraríamos um ponto de ônibus, e então, imaginei, Shin voltaria para Batu Gajah. O pensamento me entristeceu.

"Ele também perguntou se eu tinha ouvido falar do dedo de um homem-tigre."

"Um o quê?"

"Aparentemente, o hospital tem o dedo de um homem-tigre em seu acervo."

Minha mente foi parar na noite da festa e na reação peculiar de Ren, como ele correu para a escuridão quando ouviu sobre o tigre. Franzi a testa. "Koh Beng comentou algo sobre isso quando estávamos limpando o depósito de patologias."

"Bem, Y. K. disse que as pessoas sempre queriam comprá-lo."

Chegamos a um ponto de ônibus. Havia outras pessoas, então tivemos que parar de falar sobre dedos amputados e homens-tigre, mas me perguntei se Y. K. Wong estaria vendendo espécimes de patologia às escondidas. Ouvi dizer que o olho de um tigre e os bezoares formados na barriga das cabras e dos lagartos-monitores eram vendidos por valores exorbitantes no mercado ilegal Dizia-se que traziam boa sorte, que podiam enfeitiçar um amante ou um inimigo até a morte. Pensei no dedo seco e escurecido que misteriosamente tinha voltado para mim e que, mesmo agora, sacudia dentro da minha bolsa.

"Shin", falei, abrindo a bolsa para que ele pudesse ver dentro dela. Seus olhos se arregalaram. "Onde você conseguiu isso?"

Nesse momento, o ônibus chegou. Tivemos a sorte de encontrar dois lugares vagos e, enquanto o ônibus avançava chacoalhando, contei-lhe tudo o que havia acontecido. Tudo, incluindo os sonhos, Ren e seu gêmeo perdido, Yi, do outro lado do rio. Precisei me inclinar e falar baixo em seu ouvido para ninguém ouvir. Às vezes, acho que nunca vou esquecer essa jornada pela cidade. O calor escaldante do sol da tarde, a brisa empoeirada soprando em nós, trazendo o cheiro das folhas de limão kaffir despedaçadas no colo da mulher à nossa frente. O perfil bem delineado de Shin enquanto olhava pela janela, ouvindo atentamente as minhas palavras. Eu nunca me cansaria de olhar para ele, pensei.

• • •

Por sorte, o ônibus atravessou a cidade até a Estação Ferroviária de Ipoh, uma exuberância imperial branca e dourada à luz do sol da tarde.

"Vou ficar até você partir", falei, tentando parecer alegre.

"E aonde você vai?"

Agarrei minha bolsa com mais força. "De volta para a casa da sra. Tham."

"Mentirosa", disse ele, sem rancor. "Aonde você vai de verdade?"

Não adiantava esconder. "Estou indo para Taiping. Um trem vai sair à tarde." Eu não conseguiria voltar para a casa da sra. Tham, com medo de que Robert aparecesse, todo ruborizado e com ares de indignação. Ou, pior, cheio de recriminações desconsoladas. Além disso, havia outra coisa que eu tinha prometido fazer.

Para minha surpresa, Shin apenas olhou para mim. "Quanto dinheiro você tem?"

Uma quantia considerável, na verdade. A Mama tinha me dado não só o dinheiro da festa, mas também o pagamento que ela devia.

"Também tenho dinheiro. Vamos." Ele começou a andar rapidamente, as pernas longas vencendo o piso de ladrilhos da estação. "Hora de assaltar alguns túmulos."

• • •

Claro que não íamos desenterrar cadáveres, falei, indignada, depois que Shin comprou nossas passagens. Íamos colocar algo de volta, então era mais como restaurar um túmulo. Shin disse que era praticamente a mesma coisa. Eu não sabia como explicar o que sentia, a convicção premente de que se eu fizesse o que Ren havia pedido, talvez ele não morresse.

"Yi disse que a ordem estava toda bagunçada e que deveríamos tentar consertá-la."

"Que ordem?"

"A forma como as coisas vêm sendo feitas. Como um ritual." Franzi a testa, tentando lembrar o que eu sabia sobre Confucionismo.

"Você já pensou que pode estar apenas alucinando sobre tudo isso?"

Dessa vez, pegamos o trem rumo ao norte. Mais um vagão de terceira classe com assentos duros de madeira, mas meu ânimo melhorou. Eu adorava trens.

"Mas o que mais posso fazer? E como você explica os sonhos e Yi?"

"Ele só diz o que você já sabe", disse Shin, em sua lógica exasperante. "É como uma conversa com você mesma."

"E Ren? Ele é igualzinho ao Yi, só que mais velho. E ele me reconheceu naquela noite."

"Coincidência. Todos os garotinhos chineses são parecidos."

"E o dr. MacFarlane e o dedo dele? Nós cinco e nossos nomes, e como tudo se encaixa — como você explica tudo isso?"

Ele deu de ombros. "Não sei."

"Se Ren morrer, pelo menos terei feito o que ele pediu." Estremeci. As palavras de Yi, *o assunto envolvendo o mestre*, ecoaram na minha cabeça. Escuridão. Folhas farfalhando. Pensei no artigo de jornal sobre o torso sem cabeça de mulher encontrado em uma plantação. Quem, ou o que, era o mestre de Ren?

"E o polegar no pacote de Pei Ling?"

"Você deveria falar com o dr. Rawlings sobre isso. Diga que suspeita que alguém, talvez Y. K. Wong, esteja roubando partes de corpos."

Shin disse, de um jeito ameaçador e em voz baixa: "Vou matar Y. K. quando o encontrar de novo. Trancar você lá dentro daquele jeito...".

"Não!" Alarmada, olhei para ele. "Mas você deveria denunciá-lo. Se ele está vendendo dedos de homens-tigre e sabe-se lá o que mais como amuletos, isso explica por que o vendedor tinha um dedo no bolso. Eles eram amigos — Pei Ling disse que seu amante tinha um amigo no hospital e que não gostava muito dele."

"E o restante do pacote de Pei Ling?"

Isso era mais complicado. Talvez fosse chantagem ou eles tivessem se desentendido por alguma razão. Eu tinha uma vaga consciência de que os padrões estavam mudando, para uma nova configuração, como a imagem dos dedos que eu tinha em mente. Cinco dedos tocando uma melodia desconhecida. Tive a sensação desconfortável de que era um canto fúnebre.

• • •

A observação ao lado do nome J. MacFarlane na lista manuscrita do pacote de Pei Ling dizia *Taiping/Kamunting*. Eu tinha certeza de que devia ser a pessoa a quem Ren se referiu quando correu pela escuridão naquela noite. E eu também tinha certeza de que ele estava morto, já que Ren havia mencionado um túmulo.

Taiping era uma cidadezinha tranquila, capital do estado de Perak, embora houvesse rumores de que Ipoh logo receberia essa honra. Eu não sabia onde ficava Kamunting. Talvez fosse um dos vilarejos ao redor de Taiping, assim como Falim em relação a Ipoh. Se o dr. MacFarlane era um estrangeiro que morreu naquela área, só havia um lugar onde poderia estar: no cemitério anglicano.

Expliquei isso para Shin, e ele concordou, o que me deixou desconfiada. Ele estava sendo dócil demais quanto a essa viagem inesperada.

"Você precisa trabalhar amanhã?", perguntei. Taiping ficava a sessenta e cinco quilômetros de Ipoh, de trem, mas demoraria um pouco para chegar lá por causa do caminho sinuoso e de todas as paradas em Chemor e Kuala Kangsar. Nesse ritmo, não chegaríamos antes das cinco da tarde. Para a volta, havia um último trem que saía às oito da noite, tempo mais que suficiente para visitar o cemitério, mas eu estava preocupada com Shin.

"Meu turno de amanhã só começa à tarde", disse ele, fechando os olhos. "Pare de falar. Preciso pensar."

Eu não sabia se Shin só estava usando isso como desculpa para dormir, mas o deixei em paz. O trem sacolejava lentamente, as árvores passavam num constante borrão verde. A brisa vinda da janela aberta afastou as teias de aranha no meu cérebro.

Ren, pensei. *Você ainda está vivo?* Yi disse ter descoberto que, enquanto continuasse naquela margem, poderia atrair Ren para o outro mundo. O mundo dos mortos. Talvez o dedo, aquele dedo seco e escurecido que sacudia na minha bolsa, tivesse o mesmo poder de atração. Ren parecia determinado a cumprir qualquer promessa que tivesse feito, a ponto de correr noite adentro mesmo com um tigre lá fora. Ou talvez tivesse sido atraído para fora para ser atingido, e morto, no escuro.

O melhor que eu poderia fazer seria cumprir a tarefa por ele e enterrar aquele dedo. Cortar pelo menos uma das persistentes conexões que o levavam em direção aos mortos. No entanto, eu temia que a outra conexão fosse forte demais. O trem seguia em frente, sacudido, a selva passando como um sonho. Fechei os olhos.

Houve um chiado de fricção. De repente, descobri que o trem havia estremecido até parar.

"Dormiu bem?" Shin parecia estar achando graça. Eu tinha dormido bem, mas percebi, constrangida, que minha cabeça estava apoiada em seu ombro. As pessoas estavam tirando a bagagem dos maleiros na parte superior. Éramos os únicos sem pertences.

"Você também apagou", falei enquanto descíamos do trem. "Ou estava apenas 'pensando'?"

Ele parecia estar com um notável bom humor. "Não, chega disso. A propósito, quem era aquela garota no salão de dança? A que tentou arrancar meu cabelo?"

"Era minha amiga Hui", respondi.

De alguma forma, fiquei desconfortável com o interesse. *Por favor, Shin,* pensei, *a Hui, não.* Até agora, Shin nunca tinha namorado nenhuma das minhas amigas mais próximas, por mais que flertassem para ele. Antes eu não dava importância, envolvida com Ming como eu estava, mas agora, era diferente.

• • •

A Estação Ferroviária de Taiping era um edifício baixo e bonito, que seguia as mesmas linhas coloniais da estação em Batu Gajah, com recuos e frontões profundos e sombreados. Situada em uma exuberante bacia ao pé das colinas de calcário, Taiping era famosa por ser uma das cidades mais chuvosas da Malaia, e também por sua proximidade com Maxwell Hill, um pequeno resort nas montanhas, popular entre os casais em lua de mel. Não que isso tivesse a ver comigo, já que era bastante improvável que eu me tornasse a sra. Robert Chiu num futuro próximo.

"Por que você está com essa cara?", perguntou Shin.

"Robert", respondi. "Acho que não vai mais querer me ver."

"Isso importa para você?"

"Eu esperava que ele me emprestasse dinheiro. Para pagar as dívidas da minha mãe."

Shin estacou. "Não peça para ele. Se você precisa de dinheiro, eu tenho um pouco." Irritado, ele começou a andar de novo.

"Aliás, por que ele estava com você hoje?", perguntei, correndo para alcançá-lo.

"Ele foi procurar você na casa da sra. Tham, depois continuou me seguindo. Não consegui me livrar dele de jeito nenhum."

"Suponho que Robert estivesse fadado a descobrir. Embora eu tenha dito a ele, há muito tempo, que não formávamos um bom par."

"O que você quer dizer com 'há muito tempo'?"

Tarde demais, lembrei que Ming tinha me pedido para não contar sobre o beijo de Robert. "Antes de você ir para a faculdade de medicina."

"Por que você não me contou?"

"Contei para Ming", respondi, na defensiva.

Por alguma razão, isso pareceu deixá-lo ainda mais incomodado, mas Shin não disse nada. De qualquer forma, por que ele se importava, sendo que tinha me dito na semana passada que seria bom se eu me casasse? Continuamos caminhando em silêncio; fiquei triste, pois estávamos discutindo de novo.

• • •

De acordo com o bilheteiro, o cemitério anglicano ficava a cerca de um quilômetro e meio, perto do Jardim Botânico. Shin parou em duas lojas diferentes perto da estação e saiu com um saco de papel pardo. Eu não o acompanhei porque ainda estava usando meu vestido extra, para emergências, que havia colocado no May Flower — um tipo de combinação amarelo-canário. Parecia mais adequado para ir a uma festa do que para viajar pelas Ferrovias dos Estados Federados Malaios.

"O que você comprou?"

Ele abriu o saco de papel e, dentro, havia uma pá novinha em folha. Havia outras coisas também — uma escova de dentes, curativos e outro pacote achatado — e perguntei por que ele havia comprado tudo isso.

"Porque parece suspeito comprar só uma pá. Eles ficariam intrigados, pensando no que estou planejando desenterrar."

"Sempre soube que você tinha uma mente criminosa", disse eu.

Shin riu, e o mal-estar entre nós se dissipou. Fizemos um lanche rápido em um café próximo, embora eu estivesse ansiosa para chegar ao cemitério. E se o dr. MacFarlane não estivesse enterrado lá? Mas Shin disse que não iria sem comer e que eu também não deveria fazer isso.

"Mais tarde é melhor. Menos gente por perto", disse ele, enquanto raspava um prato de *char kway teow*, macarrão de arroz frito com brotos de feijão, ovos e amêijoas.

"E se chover?"

Shin deu de ombros. "Não se esqueça, isso tudo foi ideia sua."

Seus olhos escuros se fixaram nos meus e, contra toda a minha força de vontade, enrubesci. Ser olhada dessa maneira me deixou atordoada. Havia uma luz nos olhos de Shin, uma centelha estranha que fazia meu estômago se revirar como se eu estivesse caindo num buraco. Seu olhar percorreu lentamente o meu pescoço, a concavidade da minha garganta. O vestido amarelo-canário que eu estava usando tinha um caimento lisonjeiro, porque tinha sido cortado em viés. Um novo método, explicara a sra. Tham, que acentuava o contorno natural. Involuntariamente, cruzei os braços sobre meus seios.

"Você sempre se veste assim para trabalhar?", perguntou ele.

"Não." Comecei a explicar que esse era um vestido reserva, que eu não costumava usar. Shin escutava enquanto eu tropeçava nas palavras, o tempo todo me observando com aquele olhar ilegível, tão direto que parecia mais um toque do que um olhar. "Você não gosta do vestido?"

"Gosto. Acho que muitos homens também iriam gostar." Ele virou a cabeça, então não pude ver a expressão em seu rosto.

"Tenho certeza de que as garotas de Singapura se vestem melhor do que isso", falei, me esforçando para fazer uma piada.

"Nenhuma delas se parece com você."

De repente me dei conta de como estávamos sentados perto um do outro, e como suas pernas e as minhas estavam cruzadas embaixo da mesinha redonda com tampo de mármore. Se eu quisesse, poderia estender a mão debaixo da mesa e pousá-la em sua coxa. Deslizá-la aos poucos e sentir os músculos firmes se contraírem. Em vez disso, coloquei as duas mãos sobre a mesa e olhei fixamente para elas.

"Shin...", falei.

"O que foi?"

"Sinto muito por tê-lo envolvido em tantos problemas. Eu gostaria de ser uma irmã melhor para você." Fui tomada por uma tristeza insustentável.

"Você sente muito de verdade?" Sua expressão era severa e feroz.

"Sim, eu lamento."

"Não se sinta assim. Também não fui um bom irmão para você."

Shin se levantou abruptamente e pagou a conta.

A Noite do Tigre
Yangsze Choo

39

Batu Gajah
SÁBADO, 27 DE JUNHO

William estava ocupado. Ocupado de um jeito que não gostava, jogando conversa fora e buscando informações, mas continuava mesmo assim, pressionado pela lembrança da insistência carente e voraz de Lydia, dos olhos brilhando de emoção. *Precisamos conversar,* ela dissera na enfermaria do hospital. O que ela estava planejando? Era melhor preparar uma emboscada do que ser pego numa armadilha, ele pensou.

A primeira pessoa em sua lista é Leslie. Se alguém sabia alguma fofoca, era ele.

"Lydia?", pergunta Leslie, erguendo os olhos de sua fatia de abacaxi. Os dois estão no intervalo para o chá no refeitório do hospital. "Você finalmente está interessado nela? Sempre achei que vocês dois formavam um belo par."

William disfarça uma expressão de desdém. Pelo visto, Lydia não era a única que tinha essa impressão. "Por que ela está aqui?"

"Ela não está procurando um marido?"

"Não acho que ela teria problemas nesse departamento." Lydia é atraente, e Londres tem mais homens do que uma cidadezinha na Malaia. Nem sequer era como Delhi ou Hong Kong, onde ela poderia conhecer as estrelas em ascensão no funcionalismo público.

Leslie esfrega o nariz. "Bem, há rumores sobre a razão de ela ter partido. Um noivado rompido — aparentemente, ele morreu."

"Morreu de quê?"

"Afogamento. Um acidente de barco."

William acha que deveria ser mais compreensivo com Lydia, mas pensar em sua sofreguidão ansiosa, no modo como ela disse que os dois eram parecidos, ainda o deixa nervoso. Devia haver algo mais. Ele podia sentir isso.

A próxima da lista era a esposa de um dos gerentes de plantação, uma amiga da mãe de Lydia. Era fácil encontrá-la na cidade quando estava fazendo compras no sábado de manhã com sua cozinheira chinesa. William desconfia que a cozinheira a estivesse enganando; a conta parecia alta demais.

"A pobre Lydia passou por poucas e boas", diz ela, anotando números em seu caderno de despesas domésticas. "O noivo dela, uma pena."

"Talvez eu o tenha conhecido", mente William, sem remorsos. "Andrews, não era esse o nome dele?"

"Não, era o sr. Grafton. Um homem gentil e erudito; os pais de Lydia gostavam muito dele."

"Ele se afogou?"

"Ah, não. Foi insuficiência cardíaca, num trem, veja que improvável. Parece que estava muito doente. Um infortúnio para a família." E ela não tinha mais nada a acrescentar, apesar de William ter suportado mais meia hora de conversa fiada.

A última pessoa que William procura é Rawlings.

"Lydia andou nervosa esses dias. Diz que quer falar comigo, mas não tenho ideia do porquê." Ele joga a isca, mas Rawlings parece distraído. Talvez fosse o calor, envolvendo-os como um cobertor úmido e sufocante.

"Bem, ela sempre teve interesse em você. Quando apareceu pela primeira vez, perguntou se você era o mesmo Acton que ela conhecia."

Essa seria a conexão com Iris, pensa William. Então Lydia sabia quem ele era há algum tempo. Será que o estava investigando? Pensar nisso faz sua nuca queimar. Como ela ousava? Ele reprime o pensamento e responde de forma amigável: "Eu não fazia ideia. Talvez tenhamos amigos em comum".

"Seja gentil com ela", diz Rawlings. "Lydia tem um pouco de complexo de salvadora, mas tem boas intenções. E ela é boa no que faz. Eu já disse que o hospital deveria estar pagando a ela por todo o trabalho voluntário."

Sim, Lydia estava se esforçando, à sua maneira amadora, para se conectar com ele. A questão era: como transformar isso em uma vantagem?

"Por que ela está na Malaia, afinal?"

"Ah, ela estava noiva de um sujeito rude e veio para cá para se livrar dele. Minha esposa conhece alguns familiares dela — diziam que não formavam um bom casal."

William mal se lembra de que Rawlings tinha uma esposa, pois ela voltara à Inglaterra com os filhos. Ainda assim, nenhuma das informações coletadas sobre Lydia fazia sentido. Não havia dúvida de que tinha perdido um noivo, mas todos os fatos se contradiziam.

Ele queria fazer mais perguntas a Rawlings, mas o patologista parece preocupado.

"Você confia na equipe local?", pergunta ele de repente.

William ri. "Não confio em ninguém." Exceto em Ah Long, em alguns aspectos. E, claro, em Ren. O garoto não estava se recuperando, mas William não podia pensar nisso agora.

Ele levou a conversa de volta para Lydia. "Você disse que ela teve um relacionamento difícil?"

"Parece que ele tentou agredi-la durante uma discussão. Pobre garota. Talvez por isso seja tão tensa."

Então Lydia era uma vítima. Interessante como o termo muda a maneira como ele a via. Por que ela estava tão interessada em William? O que sabia sobre ele? Ele pensa rápido: o pai de Lydia administrava a propriedade de seringais onde Ambika trabalhava. Sim, ele conseguia imaginar que Lydia, intrometida como era, pudesse ter conhecido Ambika e até lhe dado conselhos sobre o marido alcoólatra. Mas ela também disse que conhecia Iris. Isso era pior. Ambika e Nandani eram apenas duas mulheres locais com quem ele se envolveu, mas a questão relacionada a Iris era algo que já o tinha obrigado a sair da Inglaterra.

William respira fundo. Será que Lydia tinha ouvido a versão contada por ele, de ter tentado salvar Iris? Ele estava profundamente envergonhado, mas era tarde demais para se retratar. Além disso, boa parte das pessoas parece acreditar. Até ele acreditava, na maioria dos dias. Exceto quando aqueles sonhos ressurgiam, os sonhos de Iris no rio, a saia pesada e encharcada com algas. O cabelo liso grudado na testa branca e ossuda.

O que aquela garota Louise tinha dito durante aquela carona? Ela disse que sonhava com um rio: como uma história que ia se desenrolando. William não desejava isso. Ele nunca desejava ver o que vinha depois em seus sonhos com Iris.

A Noite do Tigre
Yangsze Choo

40

Taiping
SÁBADO, 27 DE JUNHO

Pegamos um riquixá até o cemitério anglicano na Igreja de Todos os Santos. Era um belo passeio por aquela cidade baixa e agradável, com suas construções coloniais brancas e suas lojas, e grandes árvores *angsana* floridas, as pétalas douradas pairando como chuva. As densas nuvens cinzentas que haviam engolido a tarde davam à grama do *padang* diante do quartel um tom verde sinistramente vívido. Por impulso, parei para comprar um maço de flores, crisântemos brancos e roxos. Era a segunda vez que eu comprava flores para os mortos neste mês.

No cemitério, Shin pagou o riquixá, e eu entrei, procurando o local de descanso do dr. MacFarlane. A igreja era um grande prédio de madeira com um telhado íngreme e arcos góticos esculpidos. Alguns túmulos eram elaborados, feitos em pedra e com esculturas de anjos, enquanto outros eram apenas cruzes simples. Pareciam dispostos numa ordem meio aleatória, então procurei uma seção mais nova.

Shin atravessou a grama aparada. "Achou?"

"Ainda não."

Não havia ninguém por perto. Nem sequer um pássaro se movia no profundo silêncio, o céu cinzento como uma abóbada, como se o mundo todo estivesse esperando a chuva chegar.

"Robert tinha algumas informações para te dar — ele disse que você mostrou as listas para ele", disse Shin, após uma pausa. "Era por isso que ele estava procurando você."

"Por que não me contou isso antes?"

"Pensei que você estava triste por causa dele, mas deve estar bem, já que conseguiu comer tanto."

Revirei os olhos. "O que ele descobriu?"

"Aparentemente, havia um dr. John MacFarlane na área de Taiping. Alguém muito experiente que passou vinte anos aqui na Malaia; antes disso, esteve na Birmânia. Ele tinha uma vaga ligação com o Hospital Distrital de Batu Gajah — às vezes substituía alguém, quando necessário. Um pouco excêntrico, não tinha esposa nem família. E, como vimos nas fichas de patologia, ele doou um de seus dedos cerca de cinco anos atrás, depois de uma viagem rio acima com Acton."

"E o que ele estava fazendo aqui em Taiping?"

"Não em Taiping, mas algum lugar mais distante. Um dos vilarejos."

"Kamunting", falei de imediato. "Esse era o nome no papel."

"Aqui, ele viveu uma vida de semiaposentado, com um consultório particular. Disse que nunca voltaria para a Escócia, de onde tinha fugido quarenta anos antes, deixando três irmãs intragáveis por lá. E isso é tudo."

"O quê? Deve haver mais."

Ren havia dito *meu mestre*, embora a maneira como pronunciara as palavras, com uma fidelidade irrefletida, tenha me dado um calafrio na espinha. Quem era seu verdadeiro mestre — William Acton ou esse dr. MacFarlane, cujas instruções ele havia seguido sem questionar?

"Essas são todas as informações que Robert conseguiu encontrar. Ele disse que havia fofoca também, mas pode ter sido calúnia etc. Muito escrupuloso, o nosso Robert."

"Robert é uma boa pessoa."

"Tão boa que te largou como uma batata quente hoje", disse ele com amargura.

Não respondi porque acabei encontrando o que procurava. Um túmulo recente, com uma fina camada de grama. Na lápide, umas poucas palavras gravadas de forma precisa, como se tivessem sido talhadas ontem:

John Alexander MacFarlane
15 de julho de 1862 — 10 de maio de 1931
Livrai-nos, ó Senhor.

Congelei, calculando as datas. Ontem, Ren havia sussurrado que restavam apenas dois dias; somando tudo, fazia exatamente quarenta e nove dias que o dr. McFarlane tinha morrido. Minha mãe me disse que a alma ficava vagando durante aqueles quarenta e nove dias, ponderando de maneira incansável seus pecados.

"Ele morreu de quê?", perguntei.

"Malária, ao que parece. A doença foi e voltou durante anos."

Coloquei o maço de flores sobre o túmulo, já que não havia vaso nem fenda na pedra. Elas pareciam desprotegidas e abandonadas no chão vazio, as hastes longas e desfolhadas. Havia algo peculiar no túmulo: um pedaço de madeira tinha sido enfiado ali, na diagonal. Tinha cerca de quinze centímetros de comprimento e parecia um pedaço de um cabo de vassoura. Não ousei tocá-lo — parecia tão proposital —, mas eu nunca tinha visto nada assim.

"Me passe a pá", falei. Shin balançou a cabeça, cauteloso. "Por quê?" Então eu vi a idosa senhora tâmil, o cabelo fino preso em um coque, vestindo um sarongue marrom-escuro. Ela estava vindo até nós e gritando alguma coisa. "Será que quer que a gente vá embora?"

Nós nos afastamos da sepultura, mas a mulher continuou avançando. Percebemos que ela estava nos dando as boas-vindas com um aceno. Presumivelmente, não havia muitos visitantes no cemitério, e ela ficou satisfeita em nos ver.

"Tinggal, ya, tinggal!", disse ela em malaio. "Fiquem, fiquem. Vocês querem água para as flores?" Ela era a mãe do zelador; no momento, o filho estava fora. "Vai chover", disse ela, olhando para o céu. "Por que vieram tão tarde? Vocês são amigos? Pacientes?"

Eu não sabia o que dizer, mas Shin apenas sorriu. "Você o conhecia?"

Para minha surpresa, ela assentiu com um rápido movimento de cabeça. "Sabemos quem são todos os *orang puteh*, os brancos, por aqui, embora ele morasse mais longe, para os lados de Kamunting. Ele tratou meu sobrinho, que tinha micose. É uma pena ter morrido. Era mais novo que eu."

Ela se afastou para pegar um pouco de água para as flores. O fato de estarem sobre o túmulo parecia afligi-la, então eu as recolhi com cuidado. Voltando com um pote de geleia, ela disse: "Então, de onde vocês são?".

"Ipoh", disse Shin. "Sou estudante de medicina. Sinto muito que o dr. Mac-Farlane tenha falecido."

"Ah, um de seus alunos. Bem, ele passou um tempo doente. Na verdade, as pessoas disseram que enlouqueceu. A governanta foi embora, então era só o velho e um menino chinês."

Apurei meus ouvidos. "O nome dele era Ren?"

"Não sei. Um criado pequeno, de uns dez ou onze anos. Era um bom menino. Tomou conta de tudo na casa quando a governanta se foi. Não deve ter sido fácil com o médico daquele jeito. Eu o vi no funeral. Todo abalado e tentando não chorar, pobrezinho. Você o conhece?"

"Sim, ele é um parente", respondi devagar. Shin me olhou.

"Como estava o velho médico no fim?", perguntou ele.

A mãe do zelador fixou os olhos no túmulo. Notei que ela continuava olhando para o pedaço de madeira enfiado ali, e, por fim, soltou um agudo muxoxo e o arrancou. Agora eu conseguia ver que era um pouco mais comprido do que eu pensava, parte de um cabo de vassoura com cerca de um metro, a ponta afiada como uma estaca.

Ela o jogou de lado com desprezo. "Bem, ele sempre foi estranho, mas não mais do que os outros *orang puteh*. Comprava qualquer animal raro que um caçador levasse até ele. Apesar disso, era um homem gentil. Ele tratou muita gente de graça. Mas, no fim, ficou tão estranho que as pessoas não queriam mais ir vê-lo." A mãe do zelador claramente estava gostando da conversa. "Na verdade, antes de morrer, ouvi dizer que ele foi à delegacia local e confessou todo tipo de crime."

"Que tipo de crimes?"

"Deixe-me lembrar... acho que roubar ou matar gado. Até cães eram levados nessa área. Não importava se estavam amarrados perto da casa ou não. Ele também disse que tinha matado duas mulheres desaparecidas. Ambas eram seringueiras que trabalhavam numa propriedade nas redondezas."

Alarmada, olhei para Shin; não esperávamos algo assim.

"Então o prenderam?"

"Eles o mandaram para casa. Ele não estava bem da cabeça. Tinha uns ataques de vez em quando." Ela parecia apavorada. "Todas essas coisas que aconteceram foram feitas por um tigre. Um tigre devorador de homens. Houve muitas aparições. Não viram nos jornais?"

"Deve ter sido terrível para vocês." Shin usou sua expressão mais solidária, e a velha senhora não pôde deixar de sorrir com uma certa afetação.

"Disseram que era um macho velho que não podia mais caçar. Enfim, tudo acabou agora."

"Eles o pegaram?"

"Não, mesmo tendo montado armadilhas e até trazido um *pawang* para encantá-lo. No fim, simplesmente desapareceu. Bem na época em que o velho médico morreu."

Meus pensamentos foram parar no tigre no jardim em Batu Gajah, na semana passada. O matador de homens sobre o qual falavam já havia atacado uma trabalhadora rural algumas semanas atrás. Sem muita lógica, também me lembrei da morte do vendedor que teve o pescoço quebrado e imaginei se alguma coisa o havia perseguido naquela noite escura até cair na vala de escoamento. Mas era uma especulação maluca. Uma distância de quase cem quilômetros separava Batu Gajah de Taiping. Será que um tigre conseguiria chegar tão longe?

"Para que serve essa estaca?", perguntou Shin, apontando para o cabo de vassoura que ela havia tirado do túmulo.

A mãe do zelador parecia constrangida. "Isso é só bobagem. De vez em quando acontece. Moradores locais, sabe. Meu filho sempre tira essas coisas daqui. Ele diz que é desrespeitoso com os mortos."

"Mas por que fazem isso?"

"Dois ou três dias depois que o velho médico morreu, alguém ou alguma coisa tentou desenterrá-lo. Meu filho encontrou um buraco perto do túmulo, como se uma criança ou um animal tivesse cavado a noite toda. Não conseguiu chegar até o corpo —costumamos enterrá-los bem fundo. Ele ficou de olho por algumas noites, mas nunca mais aconteceu. Quando os moradores locais ficaram sabendo, disseram que o velho queria sair do túmulo. Que bobagem, porque se você visse o buraco, claramente era algo que estava tentando entrar e não sair! Mas, de tempos em tempos, as pessoas colocam estacas no túmulo para garantir que ele não saia. Já eu não me preocupo; sou da Igreja Anglicana", disse ela com orgulho.

A luz estava sumindo, o céu cinzento pesava sobre eles com um fardo quase palpável. Eu não sabia como enterraríamos o dedo no túmulo com a mãe do zelador por perto. Será que teríamos de voltar à noite? Senti uma inquietação ao pensar nisso.

"Vocês têm um banheiro público?", perguntou Shin.

"A sacristia ainda está aberta, mas eu estava prestes a fechar."

"Pode ir", falei rapidamente. "Quero ler as inscrições nos túmulos."

Assim que os dois sumiram de vista, fiquei de joelhos, cavando a terra com a pá. Ainda bem que Shin pensou em comprar uma! A terra do túmulo era um barro vermelho devido ao minério de estanho pelo qual a região era conhecida. Escolhi o local de onde a estaca tinha sido tirada, já que a terra estava revirada ali. *Rápido!* Com o coração acelerado, às pressas, fui tirando a terra e jogando para o lado, o tempo todo de olho para ver se a velha senhora estava voltando. O buraco precisava ser fundo o suficiente para que o dedo não fosse encontrado com facilidade, principalmente se as pessoas continuassem cravando estacas no túmulo.

Quando cavei mais ou menos um braço de profundidade, peguei o frasco de vidro. Parecia mais frio e mais pesado que antes. Hoje era o quadragésimo oitavo dia da morte do dr. MacFarlane. Será que cheguei a tempo para fazer o que Ren queria? Uma sombra se moveu no canto do meu olho. Era o galho de uma árvore se agitando com a brisa, mas isso me estimulou a agir. Suspendendo o dedo que eu tinha tirado do bolso do vendedor, deixei-o cair bem no fundo do buraco.

A Noite do Tigre
Yangsze Choo

41

Batu Gajah
SÁBADO, 27 DE JUNHO

Ren está andando, seguindo o leve rastro que oscila como a listra de um tigre pela grama alta. Ele tinha a vaga lembrança de uma cama de hospital, mas a imagem desaparece. A realidade era esse mundo banhado pela luz do sol e pelo vento, com a mulher baixinha e pálida, aquela que ele encontrou sentada na grama. Ela o apressa sempre que Ren faz uma pausa para olhar em volta.

"Não podemos perder o trem", diz ela.

Ren franze a testa. "Existe outro?"

Ela lança um olhar de soslaio. "Não sei. Vamos!"

Ele não gosta da maneira como a mulher se move, o corpo quebrado avançando devagar, um ombro envergado e uma perna se arrastando. Ninguém conseguiria andar com ferimentos assim, mas ele não fazia perguntas sobre isso, temendo que ela pegasse seu cotovelo de novo, como antes, com aquele aperto gelado e ossudo. Mas Ren sente pena dela e não pode deixá-la ir sozinha. Além disso, havia um tigre no emaranhado de grama e arbustos. Às vezes ele vislumbra uma forma listrada e magra, embora não saiba se a visão o está conduzindo ou alertando. Ren se lembra subitamente de um velho, um estrangeiro, vagando entre as árvores. A solidão obscura do velho o inunda de horror, piedade e amor. Ele abaixa a cabeça e continua andando.

Eles seguem rumo à estação de trem, ainda distante. Fazia quanto tempo que estavam caminhando — meses, dias ou minutos? Mas, por fim, chegam. Essa estação era incrivelmente semelhante à Estação de Batu Gajah. Longa e baixa, com um extenso recuo coberto para se proteger da chuva e do sol, bancos de madeira e um grande relógio redondo. Um trem está aguardando, a grande locomotiva a vapor sibilando baixinho. As pessoas circulam pela estação, mas quando Ren olha diretamente para elas, tremulam e desaparecem. Ele só enxerga suas figuras borradas com o canto do olho. A sombra de uma criança atravessa a plataforma, segurando a mão da mãe, que a abraça quando entram num vagão. Por um instante, Ren inveja aquele gesto caloroso.

"Rápido!", diz sua companheira.

"Aonde estamos indo?"

Ela parece impaciente e distraída. "Apenas entre!"

"Eu nem sei seu nome." Um momento de dúvida o atinge. Por que deveria embarcar com essa moça desconhecida num trem — afinal, ele não estava procurando outra pessoa? Ele se esforça para lembrar. Sim, Nandani. "Não posso ir com você, estou procurando alguém."

"Não seja bobo! Meu nome é Pei Ling", diz ela. "Sou enfermeira, então você precisa vir comigo." Mas até ela franze a testa, não conseguindo entender sua própria lógica.

"Não, obrigado", responde Ren educadamente.

"Céus! Que menino bobo você é! Vamos, não quero ir sozinha." Ela faz uma cara triste, como se fosse a criança, e não ele, e Ren hesita.

"Tudo bem", diz ele, colocando a mão na barra da porta do trem. Assim que a toca, sente uma vibração profunda, um tremor que abala seu campo de visão. Naquele instante, ele consegue ver todo mundo com clareza — todos os outros passageiros que estão sentados ou em pé ou entrando no trem. Mas ninguém desce, e nenhum deles tem bagagem.

Ren embarca e lá está Nandani, seu rosto em forma de coração olhando pensativamente pela janela. Encantado, Ren se aproxima do assento ao lado dela. "Olá!"

Mas, para sua surpresa, ela parece assustada. "O que você está fazendo aqui?"

"Eu estava procurando você."

"Não, você não pode! Não venha atrás de mim."

Ren olha para Nandani, para o seu cabelo ondulado e seu corpo belo e rechonchudo. Por que ela não está feliz em vê-lo?

"Venha cá, garotinho", chama a enfermeira, Pei Ling, dando tapinhas no assento. "Sente-se ao meu lado."

Ele balança a cabeça. Prefere sentar-se com Nandani do que com essa dama pálida de ombro torto e andar cambaleante. Na verdade, quanto mais olha para Pei Ling, mais assustado fica. Ele corre para sentar ao lado de Nandani, mas ela balança a cabeça, ansiosa. "Por favor, saia. Vão fechar as portas em breve."

Ren sente um zumbido baixo e profundo, como se o trilho inteiro fosse um circuito elétrico. Yi está nessa direção, em algum lugar no fim desse trilho. Ele tem certeza disso. As duas jovens estão discutindo em sussurros ásperos. Nandani quer que ele vá embora, mas Pei Ling é teimosa e diz que ele deve ficar se quiser. Ela estende o braço para pegar a mão dele, e Nandani dá um suspiro de indignação.

"Não encoste nele", diz ela.

"Por que não? Já fiz isso." E é verdade, o cotovelo que Pei Ling agarrara antes agora está frio e dormente.

Ren se sente cada vez pior enquanto as duas brigam. "Quero ficar", diz ele a Nandani. A expressão dela se suaviza.

"Tudo bem", diz ela. "Vamos juntos."

Ren fecha os olhos, dizendo a si mesmo que está tudo bem. Está indo encontrar Yi.

Surge um calafrio. Um formigamento elétrico. A solidão silenciosa e seus tons de tristeza e sangue — aquela que o está puxando adiante, que o faz lembrar do velho vagando na escuridão — pisca e se apaga abruptamente. Seu senso felino fica aceso. O cabelo se arrepia, a pele se contrai. Ele não tinha um sinal assim tão forte desde o hospital. Imagens o inundam. Uma garota cavando com uma pá. Um frasco de vidro caindo em um buraco. E o buraco se amplia, tornando-se um túmulo. O quê... não, quem é? O coração de Ren está batendo de forma descontrolada, é a primeira vez que ele nota isso desde que chegou nessa terra estranha. E, de repente, percebe que não quer mais andar nesse trem, não com Nandani e, menos ainda, com a pequena e torta Pei Ling e suas mãos geladas.

No entanto, as portas estão se fechando. Ele consegue ouvi-las ao longe no trem enquanto se fecham com força, o som se aproximando. *Bang. Bang.* Esse leve zumbido, a promessa de Yi no fim da linha, pesa soibre ele, puxando-o para baixo mesmo que se esforce para se levantar, cada nervo em seu corpo se contorcendo.

"O que houve?", grita Nandani.

Bang. A porta do vagão seguinte se fecha, como se um criado invisível a tivesse batido com força. Ren vê a porta de seu vagão tremer, como se estivesse prestes a se fechar também. Desesperado, dá um mergulho louco. O ar parece cortar seus ouvidos, a força da porta passa raspando em sua pele. E agora está tão claro, tão brilhante que ele só consegue franzir a testa e apertar os olhos enquanto lágrimas escorrem pelas suas faces.

• • •

Alguém está passando pano no chão. Dá para ouvir o barulho da água escorrendo do pano torcido, o tinido de um balde. Ren está deitado em uma cama — uma cama de hospital, como agora consegue se lembrar. Seu peito arfa, o coração dispara, afinal, ele não acabou de mergulhar por uma porta de trem? Ele estava aqui, mas ainda estava lá, os fragmentos dos dois lugares se sobrepondo. Quando fecha os olhos, ainda consegue ver a expressão chocada de Nandani, o leve sorriso malicioso no rosto pálido de Pei Ling. Não, ele não quer pensar nela.

"Você está acordado?" Um homenzinho magro está olhando para ele. Em uma das mãos, segura um esfregão. Ren pisca dolorosamente e se esforça para se sentar. Sua boca está ressecada, e o faxineiro lhe serve uma xícara de água morna. "Devo chamar a enfermeira?", pergunta ele em cantonês.

Ren balança a cabeça. "Que dia é hoje?"

"Sábado."

Há um alvoroço, um barulho no corredor, e uma das enfermeiras coloca a cabeça para dentro. De forma solene, ela acena para o faxineiro. "Você pode dar uma mão?"

Ele a acompanha. Ren consegue ouvir vozes, vindas da ala ao lado. "... levar para o necrotério?"

"Sim, a família dela foi contatada."

Depois de alguns minutos, o faxineiro volta para pegar o esfregão com uma expressão preocupada. Pela porta aberta atrás dele, Ren vislumbra uma maca sendo empurrada para fora. Alguém está deitado nela, coberto com um lençol branco. "Quem é?"

"Outra paciente."

É possível ver dois pés pálidos saindo do lençol. Pequenos o suficiente para pertencerem a uma mulher. Há algo na inércia deles que faz o estômago de Ren se embrulhar.

"Por que o rosto dela está coberto?", pergunta Ren. "Ela está morta?"

O faxineiro hesita, murmurando: "Às vezes chega a hora de as pessoas irem".

Hora de ir. Isso deixa Ren confuso. "Você a conhecia?"

"Era uma enfermeira daqui."

Ren está nauseado. Aqueles pés estreitos, o esquerdo pendurado em um ângulo estranho. Ele tenta sair da cama, precisa ver o rosto dela! Mas a dor em sua lateral o atinge. Ren solta um grito de angústia. Alarmado, o faxineiro tenta segurá-lo. "O que você está fazendo?"

"Acho que a conheço. Por favor, deixe-me vê-la!"

Atraída pela agitação, a enfermeira volta a olhar para dentro. "O que está acontecendo?"

"O garoto diz que a conhece."

Ela franze os lábios e balança a cabeça. "Nem pensar!" E lança um olhar irritado e desaprovador a Ren, como se ele tivesse feito algo perverso.

A maca está sendo levada, e Ren quer chorar. Em vez disso, afunda suavemente os dedos no travesseiro. "Qual era o nome dela?"

"Pei Ling."

Agora Ren está soluçando. Não por aquela enfermeira baixinha, Pei Ling, mas por Nandani, porque finalmente entende para onde ela foi.

A Noite do Tigre
Yangsze Choo

42

Taiping
SÁBADO, 27 DE JUNHO

Logo depois de ter colocado o frasco de vidro com o dedo ressecado no buraco que cavei no túmulo do dr. MacFarlane, ouvi a voz de Shin, propositalmente alta para me avisar da aproximação deles. Empurrei depressa a terra de volta para o buraco e me afastei. Quando Shin e a mãe do zelador reapareceram, acenei e me juntei a eles, colocando a pá de volta no saco de papel.

"Você viu tudo o que queria?", perguntou a velha senhora.

Shin segurou minha mão. "Sim, precisamos ir." Agradecemos pela atenção dela e saímos do cemitério o mais rápido possível.

"Qual é o problema?", perguntei em voz baixa, enquanto ele andava num ritmo acelerado. "Por que você está segurando a minha mão?"

Em resposta, ele a virou para cima. Estava suja de barro vermelho.

"Você acha que ela notou?"

"Espero que não. Tem algumas manchas nos seus joelhos também."

Olhei para baixo. Nos últimos tempos, todas as minhas excursões tinham terminado em sujeira e imundície. Teias de aranha e poeira no depósito de patologias, manchas de sangue de Ren e, por fim, isso. Terra do túmulo de alguém.

"Conseguiu enterrar?"

"Tudo certo", respondi em voz baixa.

Nuvens ameaçadoras tinham escondido o pôr do sol e davam ao céu um aspecto nebuloso e azulado. Um crepúsculo trêmulo desceu. Eu conseguia sentir a umidade no fundo da garganta a cada respiração.

"Que horas são?" Absortos como estávamos com a história da velha senhora, me esqueci de verificar o relógio da igreja.

Shin olhou para o seu relógio de pulso. "Vinte para as oito."

O último trem para Ipoh partia às oito da noite, e ainda estávamos a um quilômetro e meio da estação. Olhei em volta, ansiosa, mas a rua estava deserta, não havia nenhum riquixá à vista.

Shin olhou para o céu. "Acho que vai..."

Os céus se abriram, e as primeiras gotas de chuva se esparramaram, como girinos achatados, na estrada poeirenta.

"Corra!"

...

Nunca consegui entender aqueles livros ingleses em que as pessoas faziam longas caminhadas pela charneca (seja lá o que for uma charneca) na chuva, só com um gorro de caçador e um sobretudo para protegê-las. A chuva nos trópicos era como uma banheira virada de ponta cabeça no céu. A água caía com tanta força e rapidez que em poucos minutos você estava encharcado. Não havia tempo para pensar, apenas a imensa necessidade de correr para buscar proteção. Então corremos.

O abrigo mais próximo era um ponto distante com várias *shophouses*, e corremos para o recuo coberto em frente a elas, ofegando. A água escorria do teto com um som sibilante, transformando a estrada de terra em lama.

"O que vamos fazer?", perguntei, depois de termos esperado uns bons cinco minutos. Havia pouca chance de esse aguaceiro parar e, enquanto isso, os minutos avançavam para as oito horas. Como íamos pegar o trem?

"Podemos correr", disse Shin.

E assim começou nossa corrida louca, ziguezagueando de um abrigo para outro, como besouros saindo apressados de sob um vaso de flores. Havia blocos intermitentes de lojas e grandes árvores da chuva, mas era inútil. Eu sabia disso, ainda que lutasse contra o sentimento de pânico por estar atrasada. Aquele trem ia partir sem nós. Meus sapatos estavam escorregadios por causa da água e quase torci o tornozelo duas vezes.

"Você está bem?", perguntou Shin.

Coloquei a mão no tronco de uma árvore para me equilibrar. "Sim", respondi, entre dentes. Eu nunca tinha reclamado de coisas assim e não ia começar agora. Se o melhor caminho para ficarmos juntos era mostrando que eu tinha espírito esportivo, então eu continuaria com esse jogo.

Shin manteve os olhos fixos na minha testa. "Só mais um pouco", disse ele. "Ali."

Ainda não estávamos nem perto da estação de trem, e, quando olhei para o relógio de pulso dele, os ponteiros marcavam cinco para as oito. Era impossível.

"Você ainda tem o anel que eu dei para você no outro dia?"

Olhei para Shin, me perguntando por que, de repente, ele se importava com isso. Eu deveria tê-lo devolvido antes, e, constrangida, abri o lenço.

"Coloque-o", disse ele.

"Por quê?"

Ele parecia irritado. "Só coloque o anel e venha comigo."

Algumas portas adiante, Shin parou e olhou para uma placa. Então entrou. Era um pequeno hotel. Eu nunca tinha ficado em um hotel antes. Quando minha mãe e eu visitamos Taiping muito tempo atrás, ficamos com uma de suas tias, uma mulher de aparência ameaçadora que parecia ter herdado toda a determinação que minha mãe não tinha. Fiquei pensando se ela ainda morava na cidade e o que ela pensaria se me visse entrar num hotel com um homem. Mesmo sendo meu meio-irmão.

As garotas do trabalho me ensinaram a desconfiar de hotéis. *Nunca encontre um homem em um hotel.* Nem mesmo na área da recepção. Era um teste, diziam, para distinguir as garotas que iriam daquelas que não iriam. E agora lá estava eu, prestes a entrar num hotel. Um pouco decaído, a julgar pela aparência. Mas as circunstâncias do dia eram diferentes, e além disso, eu estava com Shin. Estava tudo bem, não estava?

O interior do hotel era sombrio e úmido. Uma única lâmpada elétrica iluminava a recepção, onde Shin estava assinando um livro de registros. A recepcionista era uma mulher mais velha que me lançou um olhar penetrante. "Sem bagagem?"

"Perdemos o trem de volta", disse Shin tranquilamente. "Então só vamos precisar de uma noite."

A mulher olhou para ele, e depois para mim de novo. Fiz o meu melhor para parecer calma, como se perdesse trens todos os dias. Por falar nisso, por que Shin estava tão familiarizado com esse processo? Quantas mulheres ele tinha levado a hotéis? Fiquei encarando suas costas, e a mulher fez contato visual comigo intencionalmente.

"Sr. e sra. Lee", disse ela, lendo o registro. "Recém-casados?"

"Não", disse ele, "estamos juntos há muito tempo." Ele passou o braço ao meu redor, tomando o cuidado de mostrar o anel no meu dedo.

"Vocês querem uma refeição?"

Shin olhou para mim. "Apenas chá e torradas."

"Vamos mandar para o quarto", disse a recepcionista. Espremendo o corpo, ela deu a volta no balcão e nos conduziu até um desgastado lance de escadas. "Vocês estão com sorte esta noite. É o único quarto vago com um banheiro privado."

O quarto era pequeno e escassamente mobiliado, com venezianas nas janelas de vitral colorido em padrão floral que davam para a rua chuvosa. Mas eu estava olhando para a cama, não para a vista. Bem-arrumada, com lençóis e dois travesseiros altos e duros, e um fino cobertor de algodão estendido sobre ela. Uma cama de casal. O que eu estava esperando, duas camas de solteiro?

"Shin", falei assim que a recepcionista se afastou. "Por que você não disse que éramos irmãos?"

"Não temos dinheiro suficiente para dois quartos de solteiro. Além disso, dizer que você é minha irmã parece mais suspeito, já que não somos parecidos", disse ele de forma sensata, mas algo em seu rosto, que ele havia desviado, me fez pensar que Shin estava nervoso. Eu nunca o tinha visto assim, e fiquei ainda mais inquieta. Decidi que era melhor ser gentil.

"Nunca me hospedei num hotel", comentei, animada.

Silêncio. Eu não poderia perguntar se ele já estivera em um, porque era óbvio que sim, embora eu não soubesse em que circunstâncias. Talvez tivesse sido imaginação minha, mas não pude deixar de imaginar Shin encontrando mulheres em hotéis. Mulheres jovens e ansiosas, mulheres mais velhas e sofisticadas. O que importava, já que não era da minha conta?

"Vou ali me enxugar", falei.

Para minha surpresa, Shin abriu o saco de papel pardo com as coisas que havia comprado antes e, depois de revirá-lo, tirou uma camisa masculina nova. Era de algodão branco, perfeitamente dobrada dentro da embalagem, com a gola ainda envolta em papelão e fixada por alfinetes.

"Aqui", ele tirou os alfinetes e me entregou a camisa. "Pode ficar."

"Você não vai precisar dela?"

Suas roupas também estavam molhadas, mas ele balançou a cabeça. "Pode pegar."

Quando entrei no banheiro contíguo, um pequeno espaço parecido com uma caixa azulejada, entendi o motivo. Bastou olhar para o espelho estreito e fiquei mortificada ao descobrir que meu vestido molhado estava todo grudado em mim. Não era de admirar que Shin tivesse mantido os olhos grudados na minha testa. Tremendo, tirei a roupa e me limpei com as toalhas finas e ásperas de algodão. Então vesti a camisa masculina. De alguma forma, embora revelasse menos do que o vestido que eu estava usando antes, parecia muito mais provocante. Sem saber o que fazer, fiquei no banheiro por um bom tempo, tentando juntar coragem suficiente para sair. Mas, quando abri a porta devagar, Shin tinha saído.

Havia uma bandeja de chá na cama. Tomei o chá, comi a maior parte das torradas e até escovei os dentes com a escova que ele tinha comprado na farmácia. Então fui para a cama e apaguei as luzes. De maneira irracional, lágrimas de decepção ameaçavam abrir passagem pelos meus olhos. O que eu estava pensando, que Shin finalmente daria um passo? Estava claro que isso nunca aconteceria. As coisas de que ele gostava em mim — ser franca, direta, e ter espírito esportivo — não eram descrições usadas para as heroínas nos romances. Serviam apenas para aliados do herói, como o Dr. Watson. Enterrei minha cabeça sob os travesseiros duros e fiquei soluçando em silêncio.

A porta se abriu, e eu congelei. Shin ficou parado contra a luz do corredor. Então fechou a porta com um clique discreto, entrou no banheiro e começou a se lavar. Era melhor fingir que eu estava dormindo. Apertando os dentes, jurei nunca deixá-lo ver que eu tinha chorado. Tão logo decidi isso, ele voltou e se deitou na cama ao meu lado.

O som da chuva havia diminuído, mas ainda havia uma garoa constante. Eu podia ouvir a água escorrendo do telhado, o rangido da cama quando Shin se deitou. Prendi a respiração, o coração batia tão forte que eu estava com medo de que ele conseguisse ouvir.

"Você está dormindo?" A forma como perguntou isso, com tanta delicadeza, fez meu coração se desmanchar. Não era justo Shin usar esse tom de voz comigo. Soltei a respiração, mas saiu como um soluço abafado.

"O que aconteceu? Você está chorando?" Ele se sentou de repente.

Era inútil esconder, ainda mais quando Shin tirou o travesseiro do meu rosto. A luz da rua brilhava pelas janelas salpicadas de chuva, e ele podia ver meu cabelo desalinhado, as lágrimas no meu rosto.

"É o Robert?"

Shin, seu idiota, pensei, esfregando o rosto. Robert era a menor das minhas preocupações, mas Shin se inclinou sobre mim. Ele estava sem camisa, e tive aquela sensação de novo. A falta de ar e a agitação que eu sentia toda vez que ele se aproximava demais de mim. Fechei bem os olhos.

"Você gosta tanto dele assim? Ele não vale a pena."

"Eu não estou chorando por causa do Robert."

"Então, o que foi? Você está sentindo dor?"

Era tão ridículo que eu não sabia se ria ou se começava a chorar de novo; enquanto isso, Shin estava sentado seminu ao meu lado. Só consegui dizer: "Por que você saiu agora há pouco?".

"Eu estava pensando." Ele me observava, olhos escuros e inescrutáveis. Meu estômago se revirou, intensamente. Não dava para ficar deitada com ele inclinado sobre mim desse jeito; eu estava em desvantagem. Quando é que os músculos de seus braços e de seu tórax tinham ficado tão definidos, tão belamente delineados à meia-luz da janela?

Eu me esforcei para me sentar. "De novo? Sobre o quê?"

"Fiquei esperando por anos. Acho que não posso esperar mais." Ele colocou a mão na minha cintura, por baixo da camisa. Eu podia ver a pulsação na cavidade da garganta de Shin, o olhar meio ansioso, meio interrogativo em seus olhos. Eu não conseguia respirar.

"Robert beijou você?"

Confirmei balançando a cabeça, sem palavras.

Um instante de raiva. "Bem, eu faço melhor."

Eu tinha certeza de que ele ia dizer algo mais rude, mas, em vez disso, colocou a outra mão na minha nuca e me beijou.

Tive uma sensação de fraqueza nas pernas, que foi se espalhando lentamente em direção ao centro do meu corpo. Uma sensação quente, como se estivesse derretendo. Seus lábios eram macios e ferozes. Eles percorreram a minha pele, fazendo minha boca se abrir. Eu conseguia sentir as batidas de seu coração, o aperto de sua mão conforme deslizava perigosamente pela minha cintura. "Shin!" Prendi a respiração de repente, mas ele me beijou com mais força, minha boca, meu pescoço, puxando impaciente a camisa que eu usava. Isso era tudo o que eu tinha desejado, mas tão mais rápido e afoito que quase me assustou. "Espere!" falei, sem fôlego, enquanto deitávamos na cama.

"Por quê?" Ele estava abrindo os botões da minha camisa.

"Porque não podemos. Não devemos." Meus pensamentos estavam confusos, desmoronando enquanto eu o envolvia em meus braços.

"Devemos, sim. Caso contrário, você não será minha." Shin enterrou o rosto em meu pescoço de novo, suas mãos cobrindo meus seios. Uma corrente elétrica passou por mim; arquejei e bati em suas mãos, afastando-as.

"Sempre fui sua. Então, por favor, pare."

"Não foi, não." Ele se sentou, passando a mão pelo cabelo escuro que caía em seu rosto. "Este último mês foi a primeira vez que você me olhou desse jeito — você só tinha olhos para Ming!"

Bochechas queimando, eu não conseguia pensar no que dizer.

"Se bem que, se fosse pelo Ming, eu estaria disposto a desistir. Mas não desistiria por alguém como o Robert", ele disse amargamente.

"Shin", toquei seu rosto. "Eu achava que você não gostava de mim."

"Claro que gosto. Sempre gostei de você."

"E o que você tem para me dizer sobre todas as outras garotas?", falei, indignada. "O que estava fazendo com elas?"

"Tentando esquecer você, sua idiota."

Sua boca percorreu uma trilha lenta e febril entre meus seios. Para minha vergonha, um gemido escapou dos meus lábios, e eu os mordi com força. Shin continuou me beijando com cuidado, sem pressa. Ele me tocava com habilidade, me enchendo com uma dor ardente e escorregadia. Senti um zumbido em meus ouvidos; minha pele queimava. Tive aquela estranha sensação de novo, uma mistura de curiosidade, medo e excitação insuportável. Eu não conhecia esse Shin, esse estranho com o corpo delineado e rígido de um homem, não de um menino. Eu não me conhecia também. Essa parte de mim que queria mordê-lo, chupar a ponta de seus dedos, consumi-lo. Ele gemeu baixinho quando afundei os dedos em suas costas, ficando tonta de triunfo e prazer. Então senti seus joelhos separando minhas pernas, aquele calor urgente pressionado contra minha coxa, e percebi que ele estava falando sério.

"Eu disse... espere!" Com esforço, eu o empurrei.

"Eu falei para você", seus olhos eram quentes e macios, "que a tornaria minha."

"Não existe 'minha' nisso!" Eu me sentei e abotoei a camisa, até o pescoço, embora meu coração estivesse acelerado. Minha cabeça parecia enevoada. Shin se jogou na cama e colocou um braço sobre o rosto.

"Robert não vai querer você se não for virgem." Sua voz estava abafada.

"Então é disso que se trata?" Furiosa, falei: "De qualquer forma, ele não me quer. Não sou tão popular!".

"Você é cega? Você não faz ideia de quantos problemas eu já tive por me livrar de seus admiradores ao longo dos anos."

"Você fez o quê?"

"Ah Hing, do armazém. Seng Huat, da minha escola. Ah, e o professor de matemática, nosso vizinho." Ele contou nos dedos.

Furiosa, bati nele com um travesseiro. "Quer dizer que eu tinha uma chance com o professor de matemática?" Tive uma queda por ele num verão, porque usava óculos e dividia o cabelo da mesma forma que Ming. "Você é uma besta, Shin! Uma besta muito egoísta!"

Shin agarrou meu braço e me puxou para cima dele.

"O que eu deveria fazer? Você nunca olhou para mim. E, seja como for, se não tiveram coragem de se aproximar, eles não valiam a pena."

Estávamos tão perto, nossos rostos a menos de quinze centímetros um do outro. Meu coração martelava o peito, minha respiração vinha em arquejos. Apesar de todos os meus esforços para lançar um olhar de desprezo, uma felicidade vertiginosa se infiltrou em mim.

"Você me odeia?" Aquele olhar meio ansioso de novo. Nunca vi Shin desse jeito — entre nós dois, ele sempre foi o mais tranquilo —, e fiquei corada. Ele deve ter notado, porque emendou: "Se você não me odeia, então me deixe fazer isso", e começou a me beijar de novo.

Seria fácil ceder, deixar essa lenta dor me consumir. Meus braços deslizaram em volta dele, sentindo os músculos de suas costas se flexionarem enquanto ele girava, ficando em cima de mim. Um alarme disparou na minha cabeça; todos os avisos que minha mãe tinha me dado. O que eu estava fazendo?

"Não!" Desta vez eu o empurrei com tanta força que Shin caiu da cama.

"Você está preocupada em engravidar?" ele estava ajoelhado, olhando para mim. À meia-luz chuvosa que entrava pelas venezianas, estava incrivelmente bonito. "Porque você não precisa ficar preocupada. Comprei algo na farmácia."

"Então você estava planejando isso desde o começo?"

"Claro", disse ele. "Eu disse que andei pensando um pouco."

"É por isso que você veio comigo hoje?"

"Sim."

Eu queria bater nele. "E toda aquela história de me ajudar a enterrar o dedo, era tudo mentira?"

"Eu realmente não me importo com o dedo. Eu só queria estar com você."

"Você poderia estar comigo a qualquer momento", respondi. "Não precisava mentir sobre isso."

"Não, eu prometi para o meu pai." Ele parou, como se tivesse falado demais.

"O que você prometeu a ele?" Um sentimento de apreensão recaiu sobre mim. Lembrei-me de sombras tortas e azuladas, a escuridão de um galinheiro e o modo como o braço quebrado de Shin pendia de forma grotesca. "Me conte ou nunca vou perdoar você! O que aconteceu naquela noite?"

Em uma voz baixa e monótona, subitamente cansada, Shin falou: "Ele disse que viu o jeito como eu olhava para você; isso o deixou bravo, então tivemos uma briga. Foi quando ele quebrou meu braço. Prometi que não encostaria nem um dedo em você. Não naquela casa. Em troca, ele deveria deixar você em paz". Ele suspirou. "E isso é tudo."

Coloquei a mão em seu cabelo, como eu sempre quis fazer. "O que vamos fazer agora?", perguntei suavemente.

Shin enterrou o rosto no meu colo, os braços em volta da minha cintura. "Você pode me deixar dormir com você. Esta noite."

Pensei sobre isso. "Certo. Mas apenas dormir. Nada mais."

Ele levantou uma sobrancelha, mas não disse nada, apenas voltou para a cama e me envolveu em seus braços. Em meu peito havia um alvoroço doce e doloroso, como um pássaro batendo as asas. Voltei às cenas da nossa infância, nossas muitas brigas e rivalidades. Será que fui eu que consegui me acertar com Shin, ou será que foi ele, jogando um jogo tranquilo e paciente, que me apanhou em uma armadilha? Estou deitada de lado, ouvindo a chuva e a respiração de Shin, me sentindo ridiculamente feliz.

A Noite do Tigre
Yangsze Choo

43

Batu Gajah
DOMINGO, 28 DE JUNHO

O telefonema chega no domingo à noite, interrompendo o silêncio da varanda, onde William está sentado com uma camisa de algodão e um sarongue. O ar parece pesado e pegajoso, prelúdio de uma monção. Ele está numa cadeira de ratã trançado, o gelo em seu copo tilintando enquanto o inclina. William se lembra de caminhar por um lago congelado e ouvir os fragmentos de gelo soltos flutuando contra a margem. Como sinos ressoando, disse Iris, seu rosto encantador corado de frio. Foi um pouco antes de ela o acusar de infidelidade, de beijar outra mulher. Ele podia ter feito muitas coisas, mas nunca fora infiel a Iris. Deve ter sido um engano, ele disse. "Eu sei o que vi", disse ela friamente. "Na festa dos Piersons." A única pessoa que ele tinha beijado naquela noite, na escuridão do corredor, sem testemunhas, exceto o tique-taque de um relógio de pêndulo, fora a própria Iris. E, ironicamente, isso aconteceu porque sentiu uma grande afeição repentina por ela, depois de um dia agradável entre amigos. Ao se lembrar dessa injustiça, William sente uma onda de ressentimento vir à tona. As neuroses de Iris, sua incrível capacidade de arruinar bons momentos. Mas era uma lembrança de outra época, de outra vida, e William pressiona o copo de uísque gelado contra a testa, ouvindo o toque insistente do telefone no bangalô vazio.

No oitavo toque, Ah Long atende. Ele não é tão rápido quanto Ren, que vinha correndo para atender. Em seguida, ele está à porta da varanda.

"É a dama, *Tuan*."

Na hora certa, pensa William. Afinal, ele não tinha ido à igreja de manhã; Lydia perdeu a chance de falar com ele. Ele respira fundo. "Alô?"

A voz dela é fraca e incerta, mesmo desconsiderando os estalidos da linha telefônica. "William? É a Lydia. Você vai estar aí amanhã bem cedo?"

"Quão cedo?" A visita era uma perspectiva ao mesmo tempo desagradável e preocupante. "Não podemos deixar para depois?"

Mais estalidos na linha. "... conversar sobre Iris."

Um vento forte golpeia o algodão fino do sarongue ao redor de seus tornozelos. O cheiro da chuva.

"O que você disse?", grita ele.

"Encontre-me às sete da manhã. Na ala europeia."

Um relâmpago torto, e o telefone para de funcionar. William olha para o aparelho. Amanhã de manhã, então. Apesar de a ligação estar ruim, havia uma nota de triunfo na voz de Lydia que fez a bílis subir em sua garganta. O que mais ela tem feito por aí, com suas investigações amadoras? Fechando bem os olhos, ele reza para que a sorte sombria que o tem acompanhado o favoreça mais uma vez.

• • •

Às seis da manhã de segunda-feira, William está de pé e vestido. A violenta tempestade que durou a noite toda se foi, deixando apenas faixas de grama alagadas e um gotejar constante dos beirais do telhado. Ah Long serve um café da manhã sem graça, torradas com feijão cozido em molho de tomate e enlatado. Sem ovos. William não tem estômago para ovos esta manhã; além disso, sente falta das delicadas omeletes de Ren. A casa inteira sente falta de Ren. Na escuridão, ela fica vazia e cheia de sombras. Ah Long diz de maneira ríspida: "Quando o garoto vai voltar?".

"Vou dar uma olhada nele hoje."

O estado de Ren é tão estranho, sua piora, tão precipitada, que William sente um medo doentio de chegar ao hospital e encontrá-lo morto. Mas não deve mencionar tais pensamentos a Ah Long, que é supersticioso.

A escuridão na estrada sinuosa antes do nascer do sol. Os faróis do Austin espalham sombras que se fundem com arbustos e árvores. O que Lydia quer dele? William tem um mau pressentimento, que se intensifica quando chega ao hospital. Um rubor leitoso se infiltra no horizonte e, embora os prédios estejam silenciosos, há a sensação indefinível de que as pessoas estão começando a se mexer. São 6h45. Ele está adiantado.

Construído em um estilo enxaimel tropical, o hospital possui um charme excêntrico. Olhando para cima, William se aproxima do bloco escuro dos escritórios administrativos da ala europeia. É um dos poucos prédios de dois andares no hospital baixo e ajardinado — certamente Lydia deve estar ali em algum lugar. O instinto o leva a dobrar o corredor. E lá está ela, o cabelo brilhante reconhecível à distância.

Lydia está parada sobre a grama úmida ao lado do prédio, a cabeça virada para um jovem chinês com mandíbula torta. A julgar pelo uniforme branco, é um assistente hospitalar saindo do turno da noite, mas a tensão na forma como os dois se encaram deixa William alerta. Na penumbra, não notam sua aproximação silenciosa.

"... nada a ver comigo", diz Lydia. "Você pode contar ao dr. Rawlings tudo o que quiser."

O homem abre a boca, mas um estrondo faz com que William nunca chegue a ouvir o que ele diz. Uma sombra trêmula despenca, acertando a cabeça do jovem. Ele cai, um peso morto amarrotado. William corre e se ajoelha, mas a situação não é boa. Ele consegue ver de imediato. O crânio foi esmagado; há pedaços, respingos inomináveis, nas mãos e na camisa. O cheiro ferroso de sangue e miolos. Alguém está gritando, um som alto e histérico. O que quer que tenha caído se despedaçou, mas William reconhece os fragmentos. Uma pesada telha de terracota, do mesmo tipo que recobre os telhados do hospital, as passagens cobertas e as enfermarias. Ele olha para cima. Não há nada a ser visto, apenas as janelas abertas no segundo andar e, acima delas, o cume intacto do telhado.

· · ·

O acontecimento todo é horrível, chocante até para William, acostumado com sangue e ferimentos abertos. Ele não consegue imaginar como é para Lydia, que saiu chorando e tremendo da cena. Os policiais chegam e recolhem depoimentos. Eles sobem no telhado e constatam a ausência de algumas telhas, mas se foi por causa da tempestade da noite anterior ou se elas haviam caído meses antes, ninguém sabe dizer.

"Parece que o telhado estava sendo consertado", diz o sargento, apontando algumas telhas empilhadas num canto do prédio. "Poderia tê-lo atingido, senhor."

"A srta. Thomson teve sorte." Lydia, de fato, escapara por pouco da morte. Apenas sessenta centímetros a separavam do infeliz assistente cuja cabeça fora rachada como uma melancia.

"Você o conhecia?", pergunta o sargento. "Wong Yun Kiong, também conhecido como Y. K. Wong. Vinte e três anos."

"Ele fazia muitos trabalhos para o dr. Rawlings, creio." Ele pensa sobre isso ao lembrar as palavras de Lydia, *você pode contar ao dr. Rawlings tudo o que quiser.*

"Você vai tirar o dia de folga?"

William balança a cabeça. "Tenho pacientes para ver."

Quando ele finalmente é liberado, percebe o tremor de suas mãos, a fraqueza em seus joelhos. É um acidente trágico e esquisito, mas ele não consegue se livrar da sensação de que algo está errado. Aquele instinto que lhe informou, tão logo a sombra caiu, de que uma desgraça era iminente. Afinal, após o choque de ver o corpo, sua primeira sensação foi de que a pessoa errada tinha morrido. *Deveria ter sido Lydia,* pensa ele, ainda que repleto de uma culpa repugnante. Aquela sorte obscura que o acompanha, reorganizando os eventos para salvá-lo, tomou um rumo inexplicável. Algo está errado com o padrão, William pensa enquanto volta, pasmo e nauseado, ao seu consultório. Ou será que ele tem visto tudo de cabeça para baixo?

Ele estaca. De fato, há algo errado, algo captado de relance, mesmo na escuridão do início da manhã. William volta para falar com o policial.

A Noite do Tigre
Yangsze Choo

44

Taiping/Falim
DOMINGO, 28 DE JUNHO

Deitada nessa cama de casal com travesseiros duros, minha cabeça no peito de Shin, desejei que o tempo parasse, nesse momento, para sempre. Era de manhã. Tinha parado de chover, e havia um silêncio claro e luminoso no ar. Shin estava dormindo.

A escuridão se dissipara. Como se os meses e os anos vividos naquela *shophouse* comprida e estreita acima da revendedora de minério de estanho tivessem se transformado em outra coisa, embora eu não soubesse dizer exatamente em quê. Só sabia que estava mais feliz do que nunca. Perigosamente feliz. Pressionei os lábios na clavícula de Shin. Sua pele estava quente e tinha gosto de sal.

De repente, preocupada, eu me sentei, mas a camisa que eu usava ainda estava abotoada e minha calcinha estava no lugar. No banheiro, me observei atentamente no espelho manchado de preto. O amor não tinha operado nenhum milagre, embora minhas bochechas ficassem coradas ao me lembrar de como Shin havia me agarrado na noite passada. Se ele tivesse insistido, eu poderia muito bem ter cedido, mesmo depois de uma conversa severa comigo mesma. O que íamos fazer? Eu não conseguia ver nenhum caminho livre para nós.

Quando voltei para o quarto, Shin ainda estava deitado na cama. Eu me inclinei sobre ele, admirando seus longos cílios, e ele me agarrou pela cintura. Vários minutos sem fôlego se seguiram. "Precisamos pegar o trem." Com esforço, me desvencilhei.

"Por que você sempre diz não para mim?"

"Só não acho certo a gente fazer isso."

"Você vai se arrepender", disse ele. "Você sabe como é difícil fugir assim? Ir para uma cidade diferente, encontrar um hotel onde ninguém nos conhece?"

No começo, pensei que ele estava brincando, mas seu olhar era absolutamente sério. Shin desabotoou a camisa que eu estava usando e começou a beijar meu pescoço. Eu não conseguia respirar, não conseguia resistir enquanto suas mãos percorriam minha pele, me tocando com habilidade, fazendo minhas pernas enfraquecerem, e meu estômago se contrair.

"Pare!", falei, ofegante.

O rosto de Shin estava vermelho. "Ji Lin, por favor", disse ele, com uma voz rouca que eu nunca tinha ouvido antes. "Por favor, por favor."

Eu sabia o que ele estava pedindo. Meu coração hesitou de forma traiçoeira, mas eu tinha certeza de que, se fizéssemos isso, seria o caminho errado, a ordem errada. "Desculpe. Não podemos. Você não pode esperar?", falei consternada.

Ele se levantou abruptamente e foi ao banheiro. Dava para ouvir a água correndo, ele passou um bom tempo lá. Pousei a cabeça no lugar quente onde Shin estivera deitado, sentindo profunda melancolia. Talvez ele achasse que eu não o amava de verdade. Afinal, Fong Lan estivera tão disposta a se entregar para ele. Pensar nas outras namoradas de Shin fazia meu peito se contrair de dor. Como ele aprendeu a beijar daquele jeito e o que mais fez com elas? Mas eu não teria ciúmes, pensei. Eu não seria assim, carente e chorona, mesmo que ele me deixasse um dia.

Quando Shin voltou, estava em seu estado normal de novo. O cabelo escuro estava alisado e úmido, e meu vestido amarelo, que eu havia pendurado para secar na noite passada, estava em seu braço. "Troca seu vestido por essa camisa?", indagou ele, brincando.

"E a sua camisa da noite passada? Não está seca?"

"Quero essa que você está usando."

Fiquei vermelha e, surpreendentemente, Shin também. Fui ao banheiro, me troquei e entreguei a ele a camisa masculina que eu estava usando, agora infelizmente amassada, já que eu havia dormido com ela. Depois disso, sem saber o que dizer, descemos e saímos do hotel. A mesma recepcionista estava lá e ficou nos olhando.

"Houve um barulho vindo do quarto de vocês na noite passada."

"Sim", disse Shin. "Eu caí da cama."

Ela franziu a boca, e precisei sufocar uma vontade histérica de rir, apertando a mão de Shin. E assim saímos Taiping, aquela cidadezinha chuvosa e romântica entre as colinas de calcário. Um dia, pensei, gostaria de voltar lá com Shin. E fazer tudo do jeito certo.

• • •

Eu estava indo para Falim, porque queria ver como minha mãe estava. Shin iria para Batu Gajah, para seu turno no hospital. "Tome cuidado quando for para casa", disse ele. Seguramos a mão um do outro em segredo durante todo o caminho no trem; não era apropriado demonstrar afeto em público, mas, quando ninguém estava olhando, Shin me roubou dois beijos. Eu estava tão feliz que devia estar sorrindo como uma idiota, e Shin não estava muito melhor.

"Consigo guardar um segredo", falei.

Em resposta, Shin encostou os lábios no meu ouvido. "Viu?", murmurou ele. "Você está toda alvoroçada agora."

Eu odiava admitir, mas ele estava certo. Ao me lembrar de como Shin disse *vou torná-la minha*, eu me perguntei se todos os homens tinham esse poder sobre as mulheres. Fosse nos agarrando, com carícias ou palavras doces, eles poderiam nos dobrar à sua vontade. Não gostei dessa ideia. Por outro lado, Robert havia me beijado, e os resultados foram desastrosos.

"Shin", falei devagar. "Você tem outra garota?"

"Não."

"Então de quem é esse anel?"

"É seu. Eu não dei de presente para você?"

Fiquei estupefata. Ele me entregou o anel na frente da supervisora, mas presumi que ele estava apenas encenando. Shin parecia constrangido. "Eu pretendia fazer de um jeito melhor — não daquele jeito."

"Achei que você tivesse uma namorada em Singapura. Koh Beng disse que você tinha."

"É que quando estou em Singapura digo que tenho uma garota em Ipoh, e vice-versa. Caso contrário, é problemático. As pessoas perguntam se estou disponível ou tentam me arranjar alguém. Mas sempre foi você."

Fiquei tonta. "Você comprou um anel para mim?"

Em resposta, ele beijou a palma da minha mão. "Pensei que eu deveria tomar uma atitude em relação a isso. Especialmente depois que Ming ficou noivo."

"Mas está largo."

"Do jeito que você come, pensei que tivesse engordado."

Shin entrelaçou os dedos nos meus e comecei a rir. Parecia errado estar tão feliz. Pensei no olhar de Ren, cheio de deleite, como se tivesse esperado a vida toda por mim, e fui tomada por uma sombra.

"Estou preocupada com Ren. Você vai cuidar dele, e também de Pei Ling? Descubra se ela se recuperou da queda."

Na Estação de Ipoh, protelei, não queria deixá-lo. Shin disse: "É melhor você ir. Senão vou acabar desembarcando com você". Sem se importar se outras pessoas iam nos ver, ele me beijou com força contra a porta do trem. Então voltou para o seu lugar. Coloquei a mão no vidro da janela; Shin colocou a sua do outro lado. Olhei para o anel de Shin, que reluzia no meu dedo médio. O dedo fantasma, ou *jari hantu*, como Koh Beng o tinha chamado. Shin bateu no vidro. Assustada, olhei em seus olhos. Ele balançou a cabeça. *Vá!* E assim, com um último olhar, eu fui.

•••

Quando cheguei a Falim, já era quase meio-dia, e o clarão branco do sol me fez apertar os olhos. Percorri o último trecho para casa em transe. O interior da *shophouse* estava escuro e frio, e levei alguns segundos para perceber que Robert estava lá. Com a minha mãe e o meu padrasto.

Congelei. Eu pretendia entrar em silêncio, e não participar de uma reunião de comitê.

"Onde você esteve, Ji Lin?" Os olhos ansiosos de minha mãe examinaram meu vestido amarelo-canário, que, infelizmente, parecia mais um vestido de festa do que nunca.

"Por quê? O que houve?" Eu me esforcei para parecer calma, embora a pulsação martelasse em meu pescoço. O que, exatamente, Robert havia contado a eles?

"Robert disse que não conseguiu encontrá-la na casa da sra. Tham."

Bom. Não muita coisa, afinal. Lancei-lhe um olhar furtivo. Ele tinha um ar desalinhado e agitado, como se Robert, e não eu, tivesse passado a noite fora de casa. Meu padrasto não disse nada, mas seu olhar atento e silencioso me deixou mais ansiosa.

"Eu estava com a minha amiga Hui. Você se lembra dela, não?"

Minha mãe nunca conheceu Hui; supliquei para que atendesse ao meu apelo silencioso. Seus olhos foram parar no meu padrasto e, surpreendentemente, ela disse: "Ah, isso mesmo. Eu deveria ter pensado nisso. Bem, vou começar a preparar o almoço, então".

Com essa e outras desculpas, ela conseguiu se retirar com meu padrasto, que, antes de sair, encarou-me fixamente.

Assim que saíram, Robert disse: "Quero falar com você".

Não gostei da insistência em seus olhos, mas não pude fazer nada senão caminhar um pouco com ele, para longe da *shophouse*. Nós nos arrastávamos em silêncio, o sol do meio-dia queimando nossas cabeças. Fiquei zonza e com sede, o peito apertado de medo.

"Há quanto tempo você trabalha lá?", disse ele finalmente.

"Alguns meses."

"Andei sondando...", disse ele sem jeito. "É um salão de dança bastante decente, mas não é um bom trabalho. Você sabe disso, não sabe?"

É claro que eu sabia, mas Robert me fez ouvir um longo discurso. Eu queria desesperadamente que ele fosse embora, que voltasse ao seu mundo de criados e carros e viagens para a Europa, mas eu tampouco poderia hostilizá-lo.

"Escute", falei, por fim. "O que você acha que eu faço no May Flower?"

"Você dança com homens. Por dinheiro." Ele não me olhava nos olhos, e percebi que estava imaginando muitas outras coisas, indizíveis.

"Sim. Eu sou uma... instrutora de dança", falei. "E vou lá duas tardes por semana, mas não atendo a solicitações, mesmo que provavelmente pudesse ganhar mais dinheiro assim."

Robert não demonstrou nenhuma reação a essa história de solicitações, e percebi com um leve sentimento de surpresa que ele estava familiarizado com o termo. Talvez já tivesse feito isso algumas vezes.

"Você precisa de dinheiro?"

A voz de Shin soou em minha cabeça — *não peça nada a ele* —, então respondi: "Essa é uma questão minha. Além disso, não estou mais trabalhando lá".

Ele mordeu o lábio. "Deixe-me ajudar, Ji Lin. Afinal, você impediu que Shin me batesse ontem."

"Não queria que ele se metesse em problemas", respondi, mas Robert não entendeu a insinuação.

"Fiquei chocado quando ele ficou violento. Você está bem?"

Eu estava prestes a fazer Robert lembrar que ele tinha praticamente me chamado de prostituta na frente de Shin, mas me contive. "Estou bem. E agora, você vai me desculpar, mas preciso trocar de roupa."

Assim que as palavras saíram da minha boca, vi Robert perceber que eu ainda estava usando o mesmo vestido de ontem. Tive vontade de me bater; eu o conduzi direto rumo a essa conclusão.

"Você estava com Shin na noite passada? Aonde vocês dois foram ontem?"

Perigo. "Eu já disse que fui para a casa da minha amiga."

Eu me virei, mas Robert sabia algo sobre mim agora; se meu padrasto descobrisse onde eu tinha trabalhado, quem sabe o que poderia acontecer? "Acho que é melhor a gente não se encontrar mais", eu disse tão educadamente quanto pude. "Agradeço por sua preocupação, mas posso cuidar de mim mesma."

"Mas eu quero", disse ele, seguindo meus passos. "Você precisa de ajuda."

Apertei o passo, louca para fugir. Com desespero, percebi que ele via a si mesmo como meu salvador. Alguém que me resgataria das minhas escolhas infelizes, do meu irmão violento. Seria engraçado se não fosse tão horrível. Robert segurou meu cotovelo. Congelei. Estávamos parados na rua, e havia bicicletas e pessoas passando. Com certeza ele não tentaria nada aqui. Devo ter parecido muito assustada, porque ele soltou meu braço, constrangido.

"Só tenho as melhores intenções em mente", disse ele.

Por fim, depois de fazer mais um discurso sobre o perigo das escolhas erradas e como eu deveria ser mais cuidadosa por ser uma jovem mulher, ele foi embora. Mas meus problemas não tinham acabado.

• • •

Quando voltei, ouvi vozes exaltadas vindas da sala no segundo andar. Ansiosa, subi as escadas correndo enquanto meu padrasto descia. Ele não olhou para mim, apenas passou furiosamente. Minha mãe estava sentada em uma poltrona de ratã na sala, os olhos fechados. Mãos pressionadas contra as têmporas.

"O que aconteceu?", preocupada, procurei ferimentos visíveis, mas não consegui ver nada de errado. "Foi alguma coisa que eu fiz?"

"Não, não." Ela abriu um sorriso fraco. Em seguida, falou em voz baixa: "Mas onde você realmente estava ontem à noite, Ji Lin?".

Por um breve momento, considerei contar a verdade sobre Shin e o que sentíamos um pelo outro, mas algo me avisou para não fazer isso. "Já disse, eu estava com minha amiga Hui", falei. "Você não lembra, aquela que está sempre na moda?"

Eu já havia falado de Hui para minha mãe, pensando que ela se interessaria por suas roupas e seu estilo, mas minha mãe não caiu. Ela apenas assentiu, os olhos atentos. Se ao menos Robert não os tivesse avisado! O fato de eu ter voltado de um destino desconhecido usando esse vestido amarelo exagerado e justo deixou tudo ainda mais suspeito. Mas esse era o vestido que eu estava usando quando

Shin me beijou. O vestido do qual disse ter gostado. Só por isso, seria meu preferido para sempre, embora eu não pudesse olhar para ele sem culpa. Eu sempre me sentia culpa em relação à minha mãe; sua brandura e suave reprovação me aniquilavam.

"Você e Robert estão bem?"

"Não vamos mais nos ver." Quanto antes eu resolvesse essa expectativa, melhor.

"Por quê? Ele é um rapaz tão bom."

"Nós não combinamos." Vendo seu rosto angustiado, acrescentei: "Por favor, não diga mais nada".

"É por causa de Shin?"

Congelei. "O que ele tem a ver com isso?"

"É que Shin não gosta de Robert por algum motivo."

"Shin não gosta de ninguém", respondi calma.

"Não, ele gosta de Ming. E de você. Fico feliz que você tenha um irmão agora, mesmo que vocês dois discutam. Família é realmente importante. Você vai descobrir quando ficar mais velha."

Ela ficou em silêncio, e me perguntei se minha mãe estava se lembrando dos abortos espontâneos, daquelas crianças que nunca chegaram a nascer. E estremeci, pensando em Yi. Será que ele ainda estava sentado pacientemente naquela estação de trem na terra dos mortos, esperando o irmão gêmeo morrer?

"Mãe", falei devagar, pensando se estava cometendo um erro terrível, "tenho algo para contar para você."

A Noite do Tigre
Yangsze Choo

45

Batu Gajah
SEGUNDA-FEIRA, 29 DE JUNHO

O desastre passa pelas enfermarias como um vento maligno, trazendo notícias de mais um acidente bizarro. A morte conhece bem este hospital; ela anda pelos corredores todos os dias, levando os velhos e os enfermos. No entanto, ao chegar de forma tão dura logo depois da morte de Pei Ling, traz calafrios desagradáveis às palavras sussurradas pela equipe.

Havia um fantasma vingativo no hospital, diziam eles. Pei Ling caiu da escada porque o viu. E aquele assistente, Y. K. Wong, tinha sido morto por uma telha que caiu de manhã, porque viu o fantasma andando no telhado do hospital.

"Por que no telhado?", pergunta Ren. Ele será liberado hoje. A rapidez com que tinha se recuperado era incrível, disse o médico local que o examina. Absolutamente surpreendente, a mudança de um dia para o outro, mas assim eram as crianças.

"Não é nada com que você deva se preocupar." Dr. Chin, o mesmo homem que tinha comunicado Ren, sem muito jeito, sobre a perda do dedo, franze a testa para uma mancha branca na pele do cotovelo do garoto. É exatamente onde a enfermeira pálida, Pei Ling, o tinha segurado naquele mundo abrasador e onírico. Quando Ren coloca os dedos da mão direita sobre esse ponto, sente um formigamento. Seu senso felino fica mais aguçado, como se tivesse aberto uma porta para uma estrada sombria. E, lá fora, havia muitas criaturas brancas e frias. Ren pensa na *pontianak* e em outras histórias de mulheres perdidas e furiosas que apareciam à noite, envoltas em seus longos cabelos pretos. Você nunca deve deixá-las entrar, nunca, mesmo que arranhem a porta com suas unhas compridas e o chamem com vozes lamentosas e doces, prometendo conhecimento e segredos. Mas e se fosse lá fora, só um pouquinho, para conversar com elas?

O médico apalpa o cotovelo, mas Ren não sente dor, apenas dormência. A marca tem a aparência sinistra do aperto de uma mão fantasmagórica. "Eu poderia jurar que isso não estava aqui antes", murmura. Ren fica em silêncio. Ele entendia que esse era o preço que deve pagar por abandonar Pei Ling naquele trem.

"De todo modo, você vai receber alta hoje."

O mais provável é que William o leve de volta no fim do dia. Pelo menos, é o que Ren pensa.

O dr. Chin o olha com curiosidade. "É melhor checar se ele não voltou para casa mais cedo. Ouvi que ele foi o primeiro a chegar na... cena, hoje de manhã."

A enfermeira diz: "Não, ele está trabalhando". Os dois trocam um olhar.

"E a srta. Lydia?"

Naquele momento, a própria Lydia aparece à porta aberta da enfermaria. Seus lábios estão sem cor, e seu cabelo está achatado de um lado como se tivesse repousado deitada num consultório, o que ela, de fato, fez.

"Você estava me procurando?", diz ela, ouvindo seu nome. "Precisa de ajuda?"

"Oh! Ouvi dizer que você estava lá quando o acidente aconteceu", a enfermeira diz a Lydia. "Deve ter sido horrível."

"Sim. Meu pai vem me buscar daqui a pouco. Não estou bem para dirigir", responde ela, franzindo o rosto. Houve meneios de cabeça solidários e meio admirados diante de sua força estrangeira. Alguém colocou um xale de algodão leve sobre os ombros dela, mas a peça não escondia os respingos marrom-avermelhados em sua blusa. Ren olha para a mancha, o senso felino entrando em ação. A morte cobre a blusa, salpica a saia, e ele fica atordoado de terror. No entanto, apesar do rosto pálido, Lydia está repleta de uma energia agitada.

Ela se aproxima e se senta ao lado de Ren. "Céus, você parece muito melhor!"

"Sim." Ele abaixa os olhos. Será que ninguém mais via o sangue nela? Mas era muito pouco, apenas alguns respingos. Para as antenas invisíveis de Ren, no entanto, uma teia cinzenta e pegajosa está agarrada a Lydia. Ele não sabe o que isso significa, apenas se esquiva de sua amabilidade desajeitada. Era bravura ou alguma outra coisa que fazia as pupilas dos olhos dela se estreitarem — medo ou emoção?

"Eu queria deixar isso com você", diz Lydia, tirando algo da bolsa. "Você vai ver sua amiga Louise de novo?"

Ren está momentaneamente confuso — quem era Louise? Então ele se lembra de que era o outro nome da sua garota de azul. Sem saber como responder, ele concorda.

"Você poderia entregar isso a ela?"

Ren hesita. É um pequeno frasco de vidro. Do mesmo tipo que continha o dedo seco, mas esse contém um líquido cor de chá. Claro, é um hospital, e Lydia é voluntária aqui. Não era nenhuma surpresa que ela tivesse o mesmo tipo de frasco.

"O que é isso?"

"Um remédio para estômago que prometi a ela da última vez", diz ela.

Ren se lembra da conversa entre Lydia e Ji Lin, algo sobre as mulheres serem incomodadas uma vez por mês e como isso era injusto. Obediente, ele coloca o frasco no bolso, depois se lembra das regras do dr. MacFarlane para medicamentos. "Devo colocar um rótulo com a dosagem?"

"Apenas diga a ela para tomar tudo se sentir dor de estômago. É um tônico suave; eu mesma tomo. Mas não conte a ninguém — pode deixá-la constrangida." Sorrindo, ela se levanta para ir embora.

Ren olha para Lydia, perguntando-se como ninguém mais sentia o manto que se agarrava às suas costas conforme ela se afastava. Era como uma mortalha ou um casulo invisível, os delicados filamentos saídos do nada. Lydia aparentemente tinha enganado a morte hoje de manhã. Mas, pelo que parece, não tinha saído ilesa.

46

Falim

DOMINGO, 28 DE JUNHO

Seu rosto, já abatido, ficou ainda mais pálido quando contei a ela. Minha mãe fechou os olhos por um longo momento.

"Mas eu só estava dançando. De verdade. Nunca fiz mais nada."

Decidi contar sobre meu trabalho no salão de dança, já que Robert poderia abrir a boca a qualquer momento. Não havia nada que eu pudesse fazer sobre a reação do meu padrasto, mas era melhor que, pelo menos, ela estivesse preparada.

"Então, se você ouvir algo de outras pessoas, não precisa ficar chocada. Embora haja uma boa chance de que isso nunca aconteça." Falei com falsa confiança. "E a sra. Tham, é claro, não sabe."

Eu estava com medo de que ela começasse a me repreender por ter tomado uma decisão tão estúpida, mas ela só parecia triste. "Foi para ajudar a pagar minha dívida?"

Hesitei, mas não havia por que negar. "Já saí de lá. Então não precisa se preocupar."

O rosto dela se contorceu. "Foi errado da minha parte envolvê-la... Você não deve mais fazer coisas assim. Vou falar com o seu padrasto sobre o dinheiro."

"Ele vai ficar furioso! Além disso, Shin disse que ajudaria."

"Não quero que você se preocupe com isso. Não é responsabilidade sua." Ela mordeu o lábio. "Foi por isso que Robert não vai vir mais, ele descobriu?"

"Não. Sou eu que não quero vê-lo."

"Mas por quê? Ele é um bom rapaz, Ji Lin, se apesar de toda essa..."

"Não está certo, porque não sinto afeto por ele."

"Você poderia aprender!" Ela parou, percebendo que havia levantado a voz. Então continuou em uma voz baixa e insistente: "Não perca essa chance, Ji Lin. Isso fará uma grande diferença... Você vai se arrepender pelo resto da sua vida se deixá-lo escapar!".

Nunca ouvi minha mãe ser tão assertiva e, para ser sincera, isso me chocou. Balancei a cabeça. "Não é uma opção para mim."

"Então faça disso uma opção. Não seja tão orgulhosa!"

Não era orgulho o que me impedia, mas eu nunca poderia dizer a ela.

"Há outra pessoa?", ela perguntou de forma abrupta.

Uma pausa. "Sim."

"Quem é?"

"Ming." Eu a observei com discrição. Quão forte era a vontade dela de ter Robert como genro?

"Oh. Ming". Minha mãe deu um suspiro de alívio. "Você sabe que isso não vai acontecer. Ele está noivo." Ainda assim, lançou um olhar inquisidor. Será que ela suspeitava?

No jantar, minha mãe e eu nos olhávamos com cautela. A possibilidade de ela confessar suas dívidas para o meu padrasto me enchia de pavor, mas ela parecia muito mais preocupada com a minha oportunidade perdida com Robert. Li a suspeita em seu rosto; ela não acreditava que eu ainda estivesse apaixonada por Ming, mas não falamos uma palavra sobre isso porque meu padrasto estava presente. Ele se sentou, opressivamente silencioso, enquanto nos servíamos. Dava para sentir a tensão no ar. Olhei para o lugar vazio de Shin na mesa vezes demais e, quando notei minha mãe prestando atenção, abaixei os olhos, culpada. Isso não era bom. Nesse ritmo, eu acabaria sendo descoberta. Então fui para a cama, rezando para que a manhã chegasse rápido.

• • •

Em vez disso, sonhos vieram. Não o lugar ensolarado onde sempre encontrei Yi, mas outras visões estranhas. Talvez eu tivesse me preocupado muito com os acontecimentos dos últimos dias, porque eu estava em um cruzamento de trens com muitas plataformas e corredores e escadas que se conectavam abaixo dos trilhos. Era como uma imagem reversa da Estação Ferroviária de Ipoh. Aquela lá era branca e imponente, mas aqui tudo era escuro, apertado e sujo. O crepúsculo caía, havia um silêncio azulado, e multidões de vultos silenciosos e espectrais corriam para lá e para cá. Tudo o que eu sabia era que precisava escolher um trem logo, ou seria deixada para trás.

As pessoas eram indistintas. Quando eu me esforçava para olhar, elas se dissolviam como fumaça, mas assim que desviava os olhos, elas voltavam, apressando-se para resolver alguma coisa importante. Fui até a beira da plataforma e olhei para os trilhos. Eles se estendiam como escadas tortas ao longe. Duas placas opostas apontavam para *Hulu* e *Hilir*, que significavam "rio acima" e "rio abaixo" em malaio, embora isso não fizesse sentido em uma estação de trem. O trilho com a placa *Hilir* me fez pensar que, lá longe, do outro lado, eu poderia encontrar Yi. Foi um pensamento muito rápido que logo descartei, embora tivesse a sensação de que, se chamasse Yi agora, ele apareceria do mesmo jeito silencioso e assustador.

Uma fumaça com fuligem pairava sobre a plataforma enquanto um trem ribombava. As pessoas correram para entrar, e eu hesitei, imaginando se ficaria presa ali para sempre se não tomasse uma decisão logo. Um velho de aparência simples — um estrangeiro de olhos claros e barba grisalha e desleixada — abria caminho em meio à plataforma. As extremidades do terno escuro que usava pareciam puídas e borradas, como se estivesse se desfazendo no crepúsculo que caía. Sua boca se moveu ao apontar para a minha cesta de viagem.

"Desculpe, não entendi", falei.

Não havia som, como um rádio silenciado, mas eu podia deduzir pelos movimentos cuidadosos e exagerados de seus lábios que ele estava tentando falar comigo.

Coloque de volta, ele mexeu a boca, acenando para minha cesta. E eu sabia, à maneira inexplicável dos sonhos, que ele se referia ao dedo restante — o polegar do pacote de Pei Ling.

"Onde? No hospital?"

Mas ele apenas sorriu. *Obrigado por tudo.* Depois passou por mim, embarcando no trem.

"Espere!", gritei, correndo atrás dele.

Ele virou e olhou para mim com gentileza. Com amabilidade. Olhei em seus olhos, aqueles olhos claros, e percebi que tinham pupilas verticais estreitas, como os olhos de um felino. Horrorizada, dei um passo para trás.

O velho inclinou a cabeça. *Estou indo agora.* Ele juntou as mãos num gesto de desculpas e gratidão, então vi que estavam intactas, com todos os dez dedos. Vapor e fumaça áspera subiam. Havia apenas o barulho do apito do trem, a vibração intensa dos trilhos e o tom cinza que recaía sobre tudo.

• • •

O apito do trem se tornara um grasnido, o crocitar rouco de um corvo andando de um lado para o outro no peitoril externo da minha janela. Apertando as mãos contra os olhos, ocorreu-me que, além de significar "rio acima" e "rio abaixo", as palavras *hulu hilir* também significavam "começo e fim" em malaio. Sentei-me em meio ao silêncio da manhã. Era um sonho, nada mais. Será mesmo? Seja como for, eu nunca quis falar com os mortos.

Coloque de volta, dissera ele. Tremendo com o ar fresco da manhã, fui até minha cesta de viagem. Eu tinha empacotado as listas de nomes para mostrar a Koh Beng, além do polegar amputado do misterioso pacote de Pei Ling. Hoje eu iria para Batu Gajah e o colocaria de volta com os outros espécimes naquele depósito de patologias, e esperava dar um fim a tudo isso.

Mas não foi o que eu disse à minha mãe. "Vou voltar para Ipoh."

Ela assentiu sem dizer nada, embora seus olhos demonstrassem dúvida. Ela ainda estava preocupada com Robert. Mas eu não planejava ver Robert de novo — apenas Shin. Precisava contar a ele sobre o meu sonho. Lembrando-me da mão esquerda do velho estrangeiro, com seus cinco dedos intactos, tive a certeza de que fizemos a coisa certa ao enterrar o dedo no túmulo do dr. MacFarlane.

• • •

Quando cheguei ao hospital em Batu Gajah, eram oito e meia da manhã. Um pouco cedo para a multidão que havia se juntado e andava de maneira confusa em frente à entrada principal.

"O que aconteceu?", perguntei a uma mulher de meia-idade que usava um *samfoo,* traje típico chinês, amarelo.

"Acidente. A polícia não nos deixa entrar, expliquei que eu tinha uma consulta, e o pobre coitado já está morto mesmo."

Um sinal de perigo percorreu meu corpo. "Quem morreu?"

"Um jovem que trabalhava aqui. Um assistente hospitalar, disseram."

Shin! Aterrorizada, corri. "Deixe-me passar, por favor!"

Um policial malaio estava de guarda, e passei freneticamente pela multidão, a irritação das pessoas se convertendo em murmúrios de interesse e piedade.

"Meu irmão é assistente aqui", eu lhe disse, sem fôlego. "Você sabe quem morreu?"

"Não sei o nome, mas se você for da família, vou levá-la. Por aqui, para a ala europeia."

Com a boca seca, corri atrás dele. Atravessamos uma parte do hospital onde eu nunca tinha pisado. Na esquina de um prédio de dois andares em estilo enxaimel, nos aproximamos de um grupo de pessoas. Estavam olhando para o telhado, depois para o gramado próximo ao prédio.

"Foi ali que aconteceu." O policial indicou com a cabeça, olhando para um oficial sikh alto que guardava um caderno. "Capitão Singh, ela quer saber se é o irmão dela."

"Qual é o nome dele?" Seus olhos encontraram os meus numa mirada penetrante e âmbar.

"Lee Shin", respondi, prendendo a respiração. "Ele é assistente aqui."

Ele olhou para o caderno. "Não. Foi o sr. Wong Yun Kiong."

Meus joelhos fraquejaram. Graças aos céus! Mas o nome era terrivelmente familiar. "Você quer dizer Y. K. Wong?"

"Você o conhecia?"

O que eu deveria dizer? Enquanto hesitava, alguém passou por mim.

"Inspetor. Preciso falar com você." Era William Acton, abatido e com os olhos vermelhos, como se estivesse acordado fazia muitas horas.

O inspetor virou, os dois homens me ignorando.

"O que foi, sr. Acton? Achei que o senhor tinha ido para casa."

"Tenho pacientes para atender. Mas acabei de me lembrar de uma coisa."

"De acordo com seu depoimento, uma telha que caiu do telhado esmagou o crânio do sr. Wong."

"Certo. Mas não foi do telhado."

Todos olhamos para cima, instintivamente.

"Só percebi isso depois, porque aconteceu muito rápido. Mas não tinha altura suficiente."

"O que quer dizer?"

"Bom, foi como uma sombra caindo. Mas tenho quase certeza de que a telha veio do segundo andar, e não do telhado."

Houve uma pausa. "Essa é uma acusação muito séria, sr. Acton. Está dizendo que alguém jogou uma telha da janela do segundo andar?"

Era possível, pensei, examinando o prédio. As janelas eram altas e graciosas, abertas para permitir a passagem de ar. Acton hesitou. "Possivelmente."

"Você poderia afirmar isso sob juramento? Ainda estava escuro."

"Não tenho certeza", ele esfregou o rosto, "mas é o que sinto."

"Sentimentos importam menos que fatos." A animosidade estalava entre os dois. Eles já se conheciam?

"Estou apenas transmitindo as informações que tenho para a polícia."

"É claro que vamos subir e checar o segundo andar", disse o inspetor com calma. "Mas, aparentemente, estava trancado na hora do ocorrido. São escritórios administrativos, não são?"

"Sim, embora vários funcionários tenham as chaves."

"Obrigado, sr. Acton. Vou me lembrar disso."

William Acton hesitou, depois se virou. Corri atrás dele para perguntar o que havia acontecido, esperando que o inspetor tivesse se esquecido de mim. Por que Y. K. Wong havia morrido?

"Louise", disse Acton enquanto eu o alcançava. "Por que você sempre aparece quando eu menos espero?"

Comecei uma explicação titubeante sobre o meu irmão, mas ele não estava ouvindo de verdade. "A primeira vez que a encontrei foi no depósito de patologias, antes que aquela pequena enfermeira caísse da escada. Você sabia que ela morreu nesse fim de semana?"

Horrorizada, balancei a cabeça.

"Você estava lá na festa, na noite em que Nandani desapareceu. E agora está aqui hoje de manhã de novo. Você é o anjo da morte, Louise?"

"Claro que não!"

"Mas você sabe sobre o rio nos meus sonhos. Então me diga, você tem visto pessoas mortas ultimamente?"

Ele não tinha como saber que Shin e eu tínhamos ido revirar o túmulo do dr. MacFarlane. Meu coração batia de forma instável. Acton abriu um sorriso triste. "Sinto muito. Estou de mau humor hoje. Que tal uma bebida uma hora dessas? Quanto você cobra por solicitação?"

Surpresa, só consegui colocar um sorriso automático no rosto. O mesmo semblante profissional e vazio que usava no trabalho. Para ele, eu era só um rabo de saia para espairecer. Mas eu também poderia jogar esse jogo, e havia perguntas que queria fazer. "Você viu mesmo algo cair do segundo andar?"

"Você não acredita em mim?"

"Não, eu acredito", respondi com sinceridade. "Acho que os instintos são importantes."

Ele suspirou. "Alguém pode ter entrado no segundo andar. Mas por que raios essa pessoa jogaria uma telha de uma janela?"

Realmente, qual seria a razão? Entretanto, as palavras de Shin, *vou matá-lo*, ecoaram desconfortavelmente na minha cabeça. É claro que ele tinha ficado com raiva depois de ouvir que Y. K. Wong havia me trancado no depósito de patologias, mas nunca faria uma coisa dessas — ou faria? Pensei na fúria silenciosa de Shin, a escuridão que sempre temi no meu padrasto.

"Está tudo bem, Louise?", perguntou Acton. Paramos de andar, e as pessoas que passavam começavam a nos lançar olhares.

"Você conhecia Y. K. Wong, o homem que foi morto?", perguntei. Será que eu deveria contar ao inspetor sobre meus desentendimentos suspeitos com ele, ou isso traria problemas?

"Na verdade, não. Eu o via por aí." Ele esfregou a mandíbula, a tez cinzenta e fina como papel. "De certa forma, seria melhor se não fosse um acidente bizarro; se houvesse uma razão lógica para a morte dele."

"O que você quer dizer?"

Acton fez uma careta nervosa. "É só um pensamento. Uma ideia peculiar. Você alguma vez já sentiu que as coisas se reorganizaram de um jeito conveniente demais?"

Meu estômago se contraiu. Foi exatamente o que Yi me disse naquela estação de trem abandonada, que o quinto de nós estava reorganizando os acontecimentos. *Tudo está fora de ordem.*

"Como se o destino fosse alterado para se adequar a você?"

Foi um tiro no escuro, mas Acton pareceu espantado. Então ele riu de forma sombria: "Que garota extraordinária você é, Louise. Mas você entende. Talvez eu a tenha conhecido em outra vida".

Naquele momento, Koh Beng apareceu atrás de mim. Surpresa, imaginei quanto de nossa conversa teria ouvido, mas ele apenas disse: "A supervisora quer vê-lo, senhor".

"Certo." Acton olhou ao redor. "Não vá embora", ele me disse enquanto ia para o prédio seguinte.

Eu não tinha intenção de obedecer ao sr. Acton, embora tivesse esperado alguns minutos até ele sumir de vista. Koh Beng continuou parado. "O que você está fazendo aqui, conversando com o sr. Acton?"

"Dei de cara com ele quando eu estava conversando com a polícia sobre o acidente."

"A polícia? Você contou sobre os dedos desaparecidos?"

"Não, deveria ter contado?"

Koh Beng me olhou de soslaio. Ele estava diferente, nervoso e nada alegre, como se a morte do colega o tivesse abalado. "Você trouxe as listas que estavam no pacote de Pei Ling? Lembra que eu disse que daria uma olhada nelas para você?" Enquanto eu as procurava na minha cesta, ele acrescentou: "E o que ele quis dizer antes, sobre alguém no segundo andar?".

"Ele acha que viu um vulto lá."

"E contou para a polícia?"

"Não sei se acreditaram nele." Tirei as listas da cesta. Koh Beng olhou ansiosamente por cima do meu ombro.

"Bem, isso prova que Y. K. Wong estava vendendo os dedos", disse ele. "Todos esses são pacientes que tiveram contato com ele."

"Como você sabe?"

Koh Beng deu de ombros. "Fico de olho nas coisas. As pessoas no hospital estão preocupadas e vulneráveis; todas estão procurando alguma garantia. Olha, esse sujeito aqui definitivamente era um apostador." Ele apontou para a lista na minha mão. "Os apostadores compram qualquer coisa; você não se lembra da loucura pelos ninhos de *burung ontong*?"

Burung ontong era um passarinho que construía ninhos discretos em lugares altos e inacessíveis. Se um ninho fosse colocado num cesto de arroz, dizia-se que ele traria grande fortuna ao dono. Tinha havido uma grande procura por eles não fazia muito tempo, com preços chegando a dez ou até vinte e cinco dólares dos Estreitos por um bom exemplar. Em comparação com encontrar um pequeno ninho, imaginei que vender amostras de patologia fosse muito mais fácil.

"Mas Y. K. Wong não parecia ser bom em persuadir pessoas supersticiosas e vender amuletos." Ele era muito tenso, muito esquisito, pensei, franzindo a testa. "É melhor eu mencionar isso para o dr. Rawlings ou para o sr. Acton."

"Para quê? Ele está morto agora."

"Ainda faltam espécimes, e não quero que desconfiem de Shin, já que ele foi o último responsável pelo depósito."

Um lampejo atravessou o rosto de Koh Beng. "Eu faço isso para você." Ele estendeu a mão para pegar os papéis.

Olhei para ele. E percebi como fui tola. Eu estava procurando um padrão durante todo esse tempo, mas não conseguia ver esse. Por que não prestei mais atenção?

"Não precisa." Eu me afastei. Para o meu desânimo, a passagem estava deserta.

"Aonde você vai?"

Ele estava sorrindo para mim, com um ar tenso, raivoso.

"Shin está me esperando", menti.

"Azar o dele." Ele agarrou meu braço, prendendo-o às minhas costas. Senti uma dor aguda na minha lateral. "Se gritar, vou cortar você de novo", disse ele no meu ouvido. Em pânico, não consegui ver o que segurava na mão esquerda, apenas senti que era muito afiado.

"Continue andando", sussurrou ele, enquanto caminhávamos em um abraço grotesco e amoroso, seu braço direito travado em volta dos meus ombros. Olhei ao redor, desesperada.

"Você quer as listas? Eu as entrego para você."

Em resposta, ele me espetou de novo, passando o objeto afiado na lateral do meu vestido. Estávamos do lado de fora, atravessando a grama úmida. Ainda não havia ninguém. Em desespero, me vi indo em direção a um dos prédios anexos.

"É uma pena que você tenha percebido", disse Koh Beng, em tom de conversa. "Eu esperava não precisar fazer isso. O que a fez suspeitar de mim?"

Balancei a cabeça, mas ele me cortou de novo. Lágrimas escorreram pelo meu rosto. "Fale a verdade agora", disse ele.

"Você disse que Pei Ling era uma amiga sua. Mas ela me disse que não tinha amigos homens. Não tinha a quem pedir para pegar o pacote."

"Isso é tudo?" Ainda estávamos andando, não em direção ao prédio anexo, mas para a parte de trás. Eu andava devagar, mas ele me puxava.

"Ela disse que o vendedor tinha um amigo de quem ela não gostava. Pensei que fosse Y. K. Wong, mas era você." Eu me lembrei de como Pei Ling empalidecera ao conhecer Shin, me dizendo que ele tinha um amigo de quem ela não gostava.

"Sim, Y. K. era problemático, ficava procurando evidências para fofocar para o dr. Rawlings. Pena que sempre acabava irritando as pessoas."

"Valia a pena fazer isso, vender partes de corpos?" Olhei ao redor em pânico. Estávamos tão longe do hospital principal!

"Foi bom enquanto durou. Mas aquele idiota do Chan Yew Cheung, de todos os lugares possíveis, foi perder um dedo justo em um salão de dança. E, ainda por cima, num frasco rastreável do hospital. Ele o queria porque o espécime tinha um número de sorte, 168."

Os números, pensei com desespero. Sempre os números.

"Achei que ele renderia mais negociações, mas, em vez disso, tentou me chantagear. E a namorada dele era igual."

"Você empurrou Pei Ling da escada."

"Na verdade, foi culpa sua. Vocês duas ficaram do lado de fora do refeitório, discutindo como idiotas um pacote que Yew Cheung tinha escondido. Eu tinha certeza de que era a evidência que ele guardava contra mim."

Pobre e miserável Pei Ling. Ela só estava preocupada em recuperar suas cartas de amor.

"Percebi então que ela precisava ser eliminada."

Com o alvoroço da descoberta sobre a terrível queda de Pei Ling, lembrei que Koh Beng tinha sido a única pessoa que continuou comendo. Tão ocupado fingindo ser normal que se esqueceu de parecer surpreso. Fiquei enjoada.

"Até onde Shin sabe?", perguntou Koh Beng.

"Não muito", respondi, tentando desesperadamente reduzir os danos. "Mas ele desconfia."

"E eu que pensava que tudo estava resolvido. Me dê as listas. E o frasco de vidro... aquele que vi quando você pegou os papéis."

Eu não tinha escolha a não ser entregar tudo, incluindo o polegar preservado. "Você matou o vendedor também?"

"Não. Foi apenas sorte ele ter caído numa vala de escoamento." Ele franziu a testa, pensando. Minha cabeça latejava, meu peito estava apertado de pânico. Ele era mais pesado que eu, mas não muito mais alto. Em uma luta, minha única vantagem seria o elemento surpresa. Abrindo uma porta, Koh Beng me forçou a subir um lance de escadas que já não eram usadas.

"O que aconteceu com Y. K. Wong hoje de manhã? Foi sorte também?", perguntei, tentando atrasá-lo.

Achei que ele não responderia, mas Koh Beng contou daquela maneira terrivelmente coloquial: "Eu o ouvi marcar um encontro com uma mulher inglesa, Lydia Thomson. Tinha a ver com os dedos, mas não sei o que achava que ela sabia sobre isso. Esse Y. K. Wong, sempre um idiota cabeçudo. De qualquer forma, ele estava se tornando perigoso, então, enquanto os dois conversavam, fui até o segundo andar, peguei uma telha da pilha num canto e joguei na cabeça dele".

"E se tivesse acertado Lydia?"

"Não importa. É melhor errar do que hesitar."

Chegamos ao topo da escada e abrimos outra porta. A ofuscante luz do sol nos atingiu. A porta levava a um telhado plano onde era possível andar. "É usado para secar coisas", disse Koh Beng alegremente. "Não há muitos prédios de dois andares aqui."

Nesse instante, eu soube exatamente o que ele ia fazer e por que não hesitou em me cortar. Ferimentos assim não importariam se meu corpo estivesse destroçado no chão.

Ele deve ter visto tudo isso nos meus olhos, porque disse: "Eu não estava mentindo, sabe. Você é mesmo meu tipo. Mas teria sido melhor se fosse um pouco mais idiota".

A Noite do Tigre
Yangsze Choo

47

Batu Gajah
SEGUNDA-FEIRA, 29 DE JUNHO

Os olhos de Ren se abrem. Ele dorme um sono leve, esperando para ter alta ainda hoje, mas sente um solavanco. Algo terrível está acontecendo com Ji Lin. Ren se senta. Uma dor fraca na lateral do corpo. Na verdade, o único lugar que não dói é o cotovelo, que está pálido e frio. As enfermeiras comentaram sobre a marca esbranquiçada e incomum em sua pele. E falam sobre isso quando acham que ele está dormindo. *Não parece uma mão?,* diz uma delas com um arrepio. Mas nada disso importa agora.

Fora de si, ele procura uma enfermeira. Diz, gaguejando, que precisa procurar uma garota.

"Que garota?" pergunta ela, irritada.

"Aquela que veio me ver na sexta-feira."

"Ah, uma visitante? Tenho certeza de que ela vai voltar em breve."

Não, Ren tenta explicar. Ela está em algum lugar no hospital. Lá, depois do outro prédio. A enfermeira suspira.

"Quando ela vier, avisamos você. Agora, não saia da cama!"

Desesperado, Ren aperta bem os olhos. Quando segura a marca branca em seu cotovelo, colocando os dedos exatamente onde Pei Ling tinha tocado em seu sonho, seu senso felino fica mais forte. Ele não gosta desse novo sentimento, um zumbido pesado e sombrio que faz seus dentes baterem, os ossos de seu crânio doerem. Seus lábios se movem enquanto ele se concentra. *Onde está você?*

Talvez não funcione, ela não é Yi, mas Ren acha que vai funcionar. Precisa funcionar. Seus dedos se fincam na marca fantasmagórica do braço. Atordoado, ele prende a respiração, chamando.

E então chega algo.

O sangue corre em seus ouvidos, seu coração bate violentamente. Não é Ji Lin; é o outro. Aproximando-se cada vez mais a passos largos. Com os ombros tensos, ele observa a porta da enfermaria aberta, como um animalzinho. É um jovem de uniforme branco. Ren nunca o viu antes. Definitivamente não, porque é alguém de quem as pessoas se lembrariam. *Ah. É você*, Ren quer dizer. Seu senso felino arde, uma explosão elétrica de alívio, mas sua garganta está tão seca que nada sai dela.

"*Ah Kor*", diz ele. Irmão mais velho.

O jovem levanta as sobrancelhas. Em seguida, dá um sorriso pesaroso. "Você está acordado? Ela vai ficar feliz."

Quem é *ela*? Mas Ren já sabe. Esta é a outra metade da sua garota de azul. Os dois combinam, como Yi e ele. E Ren se lembra daquela figura alta e esbelta à porta da sala de patologia, aquela que ele pensava ser o dr. Rawlings, mas não era.

"Você deve ser *xin*", diz ele, animado.

Seria surpresa ou uma centelha de desconforto? "Sim, sou Shin. Ji Lin contou a você?"

Ren balança a cabeça apressadamente. "Conheci os outros. Somos você, eu, ela e meu irmão, Yi. E meu mestre, William Acton. Somos cinco."

Shin parece estar prestes a dizer alguma coisa, mas apenas afaga um pouco a cabeça de Ren, despenteando-o. "Passei aqui ontem, mas você estava dormindo. Vamos conversar mais quando você se sentir melhor."

Com urgência, Ren diz: "Não, você precisa encontrá-la; ela está em perigo!".

"Quem?" Mas Shin já sabe, seus olhos penetrantes vasculhando o rosto de Ren.

"Ela está no hospital. Alguém a está machucando!"

"Onde ela está?" Ele se levanta.

"Depois daquele prédio. No telhado." Da janela, Ren aponta para o local que o atrai como uma linha estirada. É só imaginação, ou ele consegue sentir um grito fraco e silencioso? "Rápido! Ou será tarde demais!"

48

Batu Gajah
SEGUNDA-FEIRA, 29 DE JUNHO

Koh Beng percorreu comigo pelo telhado plano, a ponta de um bisturi pressionando a parte macia sob a minha mandíbula. Abri a boca para gritar, mas, mesmo se fizesse isso, ninguém nos veria aqui fora, de frente para as árvores da selva. As pessoas só ouviriam meu grito interrompido quando eu caísse do telhado. Em vez disso, fiquei mole como se tivesse desmaiado.

Koh Beng se curvou instintivamente para me segurar e, ao fazer isso, agarrei seus joelhos com violência, fazendo-o perder o equilíbrio. Ele caiu, batendo o ombro no cimento. Chocou-se com força contra mim. Rolando. Cotovelo no meu rosto enquanto eu fazia esforço para me levantar. "Vagabunda!", murmurou ele, agarrando meu cabelo, mas eu o arranhei e mordi, e então rolamos, lutando. Enquanto ele me arrastava para a borda, a porta do telhado se abriu atrás de nós. Koh Beng virou a cabeça, surpreso, mas não teve tempo de reagir antes que alguém o agarrasse por baixo. A respiração foi arrancada do meu corpo.

"Shin!", gritei, mas não saiu nenhum som. Ele caiu em cima de mim enquanto Koh Beng dava golpes descontrolados. Senti Shin ofegar, recuando enquanto rolávamos rumo ao vazio nauseante na borda do teto. Houve um instante vertiginoso quando visualizei o chão lá embaixo. Então minha cabeça bateu na calha quando caímos.

• • •

Devo ter batido a cabeça com força para perder a consciência, porque dessa vez caí no mundo do inconsciente com um estrondo terrível. Eu sabia exatamente onde estava, bem perto da bilheteria de madeira polida deserta. A sala de espera dos mortos. Havia uma expectativa silenciosa na luz do sol que reluzia nos trilhos do trem.

"Yi", chamei.

Ele se levantou. Estava ajoelhado atrás do balcão, uma criança brincando de esconde-esconde, mas não parecia feliz em ser encontrado. No olhar triste, consegui encontrar a resposta para a minha pergunta.

"Por que você não fugiu?", perguntou ele.

Eu deveria ter fugido, mesmo correndo o risco de ser esfaqueada. Foi a minha curiosidade, aquela tola sede de conhecimento, que me deteve, ávida por ouvir as respostas de Koh Beng. E agora era tarde demais. "Estou morta?"

"Ainda não." Os olhos de Yi passearam por mim, apertados, como se estivesse olhando para algo distante. "Mas você pode morrer a qualquer momento a partir de agora, porque está pendurada no telhado."

"Koh Beng vai me matar?" Seria como aconteceu com Pei Ling, empurrada da escada. Ou Y. K. Wong, esmagado por uma telha que desabou. *É melhor errar do que hesitar,* Koh Beng tinha dito com uma eficiência assustadora. "E Shin?"

"Ele segurou você, mas o outro está tentando chutá-lo para fora."

"Por favor, não o Shin!" Amargamente, caí de joelhos, pressionando minha testa contra a madeira fria do balcão. *Você vai se arrepender,* Shin tinha dito naquela manhã, deitado na cama do hotel. E eu me arrependi. Um oceano de arrependimento vasto e furioso. Eu devia ter me entregado a ele quando pude. Lágrimas escorreram pelo meu rosto.

"Levante-se!", disse Yi. "Ainda não acabou!"

"Como assim?"

"Escolha!", disse ele. "Quem vai ser, você ou Shin?"

"Quer dizer, qual de nós vai morrer agora?"

"Sim. Eu lhe disse, deste lado posso movimentar e alterar as coisas. Só um pouquinho." Ele contorceu o pequeno rosto com esforço. "Como os acidentes que aconteceram com Ren."

"Mas isso é errado!" Se Yi tivesse algum tipo de alma imortal, eu tinha certeza de que isso era absolutamente proibido.

"Não importa!", gritou ele. "Já fui deixado aqui por muito tempo. Agora você vai morrer. Mas, em vez disso, pode escolher Shin."

"Você não pode fazer isso!", falei, desesperada. "Está interferindo nos acontecimentos, como a quinta pessoa que você disse que estava reorganizando as coisas."

"*Li?*", disse ele. "*Li* não tem nada a ver com isso!"

"Então quem é o quinto de nós? É Koh Beng?"

"Por que você é tão cega?" O rosto de Yi estava vermelho, como se estivesse prestes a chorar. "Claro que não é ele; o outro ainda é perigoso. Rápido, o tempo está se esgotando! Escolha, ou eu mesmo vou fazer isso!"

A estação trepidou. Houve um estrondo profundo, um tremor que me sacudiu até a alma, e tive a sensação repentina e aterrorizante de que o tempo estava se movendo neste lugar de novo. Um trem estava chegando, ou será que estava partindo? Não importava, a estreita janela da oportunidade estava se fechando.

"Vou ficar com você, Yi!", gritei. "Deixe Shin viver!"

"É isso mesmo que quer?" O rosto de Yi se abriu num sorrisinho estranho. "Você realmente ficaria comigo?"

"Sim!"

"Não me esqueça."

• • •

Brilhante. Estava muito brilhante e minha cabeça doía. Vozes. Pessoas conversando. Eu me mexi com esforço, agitando os braços. Por que ainda estava viva? Yi tinha me enganado.

Mãos me detiveram, examinando meu corpo. "Ela tem sorte de ter sobrevivido àquela queda. O outro sujeito não conseguiu."

"Shin", chamei com a voz embargada. Minha garganta estava dolorosamente seca, mas isso não era nada comparado ao pânico que senti. Tentei me sentar, com muito esforço.

"Não se mova." Estavam conferindo meus braços e minhas pernas, perguntando se eu conseguia mexer o pescoço, mas eu não me importava comigo mesma. O terror tomou conta de mim.

"Onde está Shin?"

"Ele está bem aqui."

E estava. Aos tropeços, levantei da maca onde estava deitada, apesar dos gritos alarmados. Shin estava deitado na outra cama do quarto. Seu rosto estava pálido, com uma expressão lívida, e havia sangue em seus braços e sua camisa. Quando me aproximei, ele abriu os olhos.

"Por que você não obedece ao médico?", perguntou ele, com pesar.

Soluçando e rindo, eu o abracei.

• • •

O que aconteceu foi que nós três caímos do telhado. Foi um milagre, disseram. Não tive ferimentos, exceto os cortes que Koh Beng tinha feito na lateral do meu corpo e no pescoço. Shin teve um braço fraturado e cortes nos antebraços — ferimentos de defesa, como o médico local indicou com atenção. E Koh Beng quebrou o pescoço.

Alguns curiosos, atraídos pelos gritos, nos viram brigando. Segundo disseram, devo ter caído primeiro, depois foi a vez de Shin, já que Koh Beng claramente estava numa posição mais vantajosa. Mas, de repente e de maneira estranha, ele nos ultrapassou e caiu em uma confusão de braços e pernas, amortecendo nossa queda. Não havia explicação para isso, senão a possibilidade de ter pisado em falso. Ou talvez ele pretendesse se matar, como alguns já estavam sussurrando.

Um arrepio de espanto e desconforto passou por mim. Será que, do outro lado do rio da morte, Yi havia trocado Koh Beng por mim, como peões num jogo, me trazendo de volta dos mortos ao roubar uma vida? Se sim, o que tinha acontecido com Yi — e esse era o seu obscuro presente para mim? Comecei a tremer de forma incontrolável.

A Noite do Tigre
Yangsze Choo

49

Batu Gajah
QUINTA-FEIRA, 2 DE JULHO

No bangalô arejado, onde as folhas ensolaradas do lado de fora salpicam os quartos caiados com um verde fraco e luminoso, Ren está na cozinha com Ah Long, tirando o fio das vagens. Ah Long está satisfeito que ele esteja de volta e prepara um caldo de galinha especialmente para Ren, embora finja, com seu ar rabugento, que é para William. Já se passaram três dias desde a recuperação repentina de Ren e a alta do hospital. Três dias de tranquilidade e descanso, enquanto ele se pergunta o que terá acontecido com sua garota de azul.

Ela está viva; ele sabe disso. Havia muitos boatos, e até um escândalo, sobre o que aconteceu no hospital na segunda-feira. Rumores sobre maldições fantasmagóricas e partes do corpo roubadas. Os criados ao redor cochicham fofocas, perguntando a Ren se ele ouviu alguma coisa enquanto estava no hospital. Ele diz a verdade, que não viu nada, embora isso não o impeça de se preocupar. A pessoa que mais sabe é William, mas ele não vai dizer muita coisa, exceto que Louise está perfeitamente bem e que não é preciso se preocupar.

"Louise" é como William chama Ji Lin, e, quando diz o nome dela, Ren sente uma culpa mordaz. Tem algo a ver com o que o dr. Rawlings disse naquela tumultuosa segunda-feira, quando entrou na enfermaria mais tarde, enquanto William examinava Ren, e chamou o médico de lado. Ren ouviu trechos da conversa: *partes do corpo faltando... escândalo... não diga nada até que a diretoria resolva.* Deduziu então que existia um segredo, como uma larva branca e agitada que ameaça minar a vida limpa e organizada do hospital.

Seja o que for, definitivamente incomoda William. Ele passa o tempo livre sentado taciturno na varanda, como se estivesse esperando algo acontecer. Quando Ren pergunta se está se sentindo bem, ele responde que precisa de uma bebida para fortalecer o estômago.

"*Cheh!* Que estômago?", comenta Ah Long, com desdém. "Gelo é ruim para a digestão dele. E nem precisa de muito", ele avisa enquanto Ren prepara outro *stengah*. O Johnnie Walker está acabando de novo; restam apenas uns dois centímetros na garrafa. "A srta. Lydia vem hoje."

São cinco da tarde, e William voltou para casa mais cedo do trabalho. Em vez de vestir um sarongue de algodão, ele fica com a camisa de colarinho duro e a calça, e agora Ren entende por quê. Se Lydia está vindo, é claro que seu mestre não pode ficar à vontade por aí com roupas nativas. Para a hora do chá, Ah Long prepara bolinhas de *onde-onde,* um doce feito com farinha de arroz glutinoso e açúcar de palma picado em pedacinhos, e depois enrolado em coco ralado.

Cheio de culpa, Ren se lembra do frasco com líquido cor de chá que, como prometido a Lydia, daria a Ji Lin. Ele não teve oportunidade de entregá-lo e teme que ela faça perguntas sobre isso. Pegando o frasco em seu quarto, ele o coloca no bolso. Se Lydia perguntar, ele vai lhe mostrar o frasco para provar que não foi descuidado nem o perdeu.

A campainha toca. Ren se levanta devagar. Seus ferimentos estão melhorando surpreendentemente rápido, mas ainda não está acostumado com a perda do dedo anelar. O coto dói, e sua mão esquerda está menos firme, embora isso não o tenha impedido de fazer a maior parte das coisas. Perder o polegar teria sido muito pior, como Ah Long disse de forma soturna.

Vozes no corredor. Lydia parece desanimada, mas Ren capta nela uma corrente de excitação subjacente. Ele se lembra dos filamentos delicados e pegajosos fixando-se nela no hospital, e a espreita com preocupação. Será que ela ainda está em perigo? O sol da tarde se inclina e projeta padrões de luz e escuridão no saguão. Lydia tira o chapéu de sol e um jogo de sombras faz parecer que ela tem longos cabelos escuros. Ren estaca, surpreso. A porta aberta, a mulher parada junto a ela. Por um momento pavoroso, ele se lembra da *pontianak*, o espírito feminino vingativo que aparece às portas e janelas. De forma instintiva, ele avança, mesmo que já seja tarde demais. William a deixou entrar. Não se deve deixá-las entrar. Mas o mestre ficaria ofendido se ouvisse esses pensamentos tolos. Perplexo, Ren pisca. A escuridão em sua cabeça recua; seu senso felino está desaparecendo, e talvez isso seja um alívio também.

Lydia entrega seu chapéu e sua sombrinha a Ren, e sorri com bondade para ele. William a leva para a sala de estar, cuja mobília de ratã foi recolocada no lugar depois da festa. Em geral, ele recebe os convidados masculinos na varanda, mas com Lydia é rigidamente cortês.

"O que posso fazer por você, Lydia?"

Ren admira a forma como o mestre vai direto ao ponto, sem rodeios. Lydia é evasiva e fala um pouco sobre o tempo e a terrível tragédia no hospital.

"Ouvi dizer que você deu um depoimento ao inspetor", diz ela. "Você realmente viu alguém no segundo andar?"

"Não posso falar sobre isso agora", diz William. "Mas a polícia tem um suspeito."

"Você não vai me contar?"

"Desculpe, a decisão não é minha."

Ela parece contrariada. "O que você disse à polícia sobre mim?"

"Que você ligou e pediu para me encontrar. E, quando cheguei, parecia que você tinha uma reunião antes com aquele assistente, Y. K. Wong. Por que você queria me ver naquela manhã, afinal?", pergunta ele. "Eles queriam saber sobre isso também."

"Receio ter contado uma mentirinha." Lydia se move com desconforto. "Eu disse que você e eu estamos acostumados a nos encontrar porque ficamos noivos em segredo."

"O quê?"

"Desculpe. Foi tudo em que consegui pensar na hora."

William se levanta e vai até a outra ponta do sofá. Ren, ainda de pé, em silêncio no corredor, vê que ele está agitado, até mesmo furioso.

"Por que raios você fez isso?"

"Porque seria ruim para a minha imagem. Você sabe, encontrar homens antes do amanhecer em um lugar deserto. Ainda por cima um chinês."

"Lydia", William pressiona a lateral do corpo como sentisse com dor, "é melhor você me contar a verdade."

Ren não escuta o que ela diz, porque, neste momento, Ah Long o chama para a cozinha. A bandeja de chá está pronta, fumegante e perfumada, os doces dispostos com delicadeza em pratos de porcelana decorados.

"Você consegue levar?", pergunta Ah Long.

"Sim", diz Ren com orgulho. Ainda assim, Ah Long o ajuda a levar a bandeja, colocando-a sobre o aparador.

Ren dá uma olhada em William e Lydia. As duas cabeças estão inclinadas. Ele não consegue ver o rosto de Lydia, mas William parece chateado. *Má digestão, estresse demais,* Ah Long havia dito, e Ren se lembra de quando o corpo daquela pobre mulher foi encontrado, comido pela metade por um tigre, e William só conseguia comer omeletes, nada de carne. Mas William nunca toma remédio, só Johnnie Walker.

Hesitante, Ren pega o frasco com o líquido que Lydia lhe deu. Remédio para estômago, disse ela. *Muito suave. Eu mesma tomo.* É quase exatamente da mesma cor do chá, e Ren o coloca na xícara de William. Pronto. Se a srta. Lydia perguntar se ele fez bom uso do remédio, poderá responder de forma adequada. De qualquer maneira, ela gosta de William, então ficará contente se isso o curar.

Com cuidado e orgulho, Ren coloca as xícaras na mesa.

• • •

"E então?" A voz de William é calma, mas por dentro ele está fervendo de raiva.

"O que exatamente aconteceu na segunda-feira de manhã que você não podia contar à polícia?"

De soslaio, ele vê Ren servir o chá no aparador antes de colocá-lo na mesinha de centro. O procedimento está errado. O chá precisa ser colocado na mesa baixa para que o anfitrião ou a anfitriã o sirva, mas isso é algo que os criados locais parecem nunca entender. William afasta da mente pensamentos irrelevantes como esse. Lydia. Precisa lidar com ela.

Ajeitando o cabelo para trás, ela o encara. Está muito bonita hoje, mas isso o enche de medo — esse tom de pele delicado, os olhos brilhantes. Traços muito parecidos com os de Iris.

Lydia diz: "Aquele assistente hospitalar chinês — ele disse que se chamava Wong — queria falar comigo. Sobre você".

"Sobre mim?" Isso é tão surpreendente que William se senta de novo.

"Sobre um dos seus pacientes, um vendedor que morreu recentemente."

O vendedor! Aquele que viu William e Ambika juntos na plantação de seringueiras; agora parece fazer tanto tempo. O que morreu de forma tão fortuita. Os batimentos cardíacos de William estão acelerados, ainda que se esforce para manter a expressão neutra.

Lydia coloca açúcar no chá. "O sr. Wong achava que ele estava envolvido com venda de partes humanas."

"Bobagem!", diz William. Rawlings lhe disse para dar fim a esse tipo de boato. Se essa notícia vazar, será um escândalo terrível para o hospital.

"Também me perguntou se ele já tinha tentando chantagear você."

"O quê?" O estômago de William se revira, retomando o terror sentido assim que o torso mutilado de Ambika foi identificado, diante da possibilidade de o vendedor se apresentar e contar a todos sobre o caso que os dois estavam tendo. Mas não havia nada a temer, certo? Apesar das dúvidas de Rawlings na época, não houve investigação criminal.

Ele levanta a xícara de chá. Está quente demais para beber. "Por que perguntar a você sobre isso?"

"As pessoas acham que somos íntimos. E somos, não somos?

William estremece com essa suposição. "Não somos, Lydia. Você não pode dizer às pessoas que temos um compromisso quando isso não é verdade."

O rosto dela enrubesce, sua boca treme. "Como você pode dizer isso depois de tudo o que fiz por você?"

Um arrepio na nuca, dizendo-lhe para fugir, fugir agora. "Nunca pedi para você fazer nada por mim."

"Todas as coisas que poderiam lhe causar problemas — eu me livrei delas."

Ele se desloca com desconforto. Alguma coisa está chegando, aproximando-se das portas de sua mente. Algo que ele esqueceu ou deixou passar. Ele não está acostumado a ser perseguido dessa forma. Está errado, tudo errado. Indignado, ele diz: "Não tenho problema nenhum!".

Mas ela não está escutando. "Você nunca sentiu que pode mudar as coisas, controlá-las, se desejar intensamente?"

William recua.

"Você sente, não? Eu sabia que você sentia. Ninguém mais entende." Lydia aperta a mão dele. Os dedos dela estão frios. "Bem, eu também tenho esse poder. Você provavelmente sabe disso, porque soube que andou perguntando sobre os meus noivos."

Noivos. "Houve mais de um", diz William, tendo acabado de se dar conta disso.

"Sim, fiquei noiva duas vezes. Três, contando planos de noivado. No entanto, não eram bons. Eu não sabia como escolher, entende? Precisei me livrar deles."

Lydia está dizendo que é como ele, repleta desse poder sinistro? A mão de William está dormente. Afastando-a dos dedos dela, ele tenta dizer com desdém: "Você está dizendo que consegue desejar que as pessoas morram?".

"Você não consegue?"

William nunca contou isso a ninguém, mas, neste instante, afogando-se no frenético olhar azul de Lydia, ele quase confessa. "Todo mundo já desejou a morte de alguém em algum momento, Lydia. Isso não significa nada."

"Fiz por você", diz ela. "Aquele vendedor. E aquelas mulheres que não eram boas para você. Por que se relaciona com elas?"

O horror se espalha, dando voltas em seu estômago.

"Primeiro foi a mulher tâmil, Ambika, aquela que você costumava encontrar na propriedade de seringais. Eu disse que o via caminhando pela manhã, embora você nunca tenha me visto. Ela era bastante inadequada, claro, e as pessoas estavam começando a falar, até mesmo nossos criados, em casa. Então eu me livrei dela."

"Depois aquele vendedor apareceu de novo. Eu o conheci quando foi paciente aqui. De vez em quando ele aparecia para visitar aquela enfermeira baixinha. Conversávamos um pouco — ele era bem paquerador para um morador local." Ela sorri. "Ele estava perguntando sobre você, insinuando que Ambika era sua amante. Precisei detê-lo também."

Paralisado, William ouve enquanto a boca delicada feito um botão de rosa se move, vertendo palavras. Um fio de razão estreito e gélido lhe diz que é impossível. Ninguém pode planejar uma morte por ataque de tigre ou fazer um homem quebrar o pescoço. Lydia não anda bem da cabeça, ele diz a si mesmo, tentando não entrar em pânico ao constatar o quanto ela sabe sobre sua vida íntima.

"Lydia", diz William com firmeza. "Chega. Você está imaginando coisas."

"Não estou, não." Ela olha para ele por cima da borda da xícara de chá. "Fiz tudo por você."

"Eu não lhe devo nada!" E agora William está furioso, seu estômago ardendo com a acidez. Mulher tola, idiota e problemática! Se sair por aí falando assim, as coisas ficarão ruins para ele. Ele respira fundo e bebe um pouco de chá. Está amargo.

Duas manchas avermelhadas aparecem nas bochechas dela. "Há uma planta, um arbusto alto com flores. Está crescendo bem do lado de fora da sua casa. As pessoas acham bonito, mas não sabem como o oleandro é venenoso. Se você fizer um chá forte com as folhas trituradas, ele causa tontura, náusea, vômito. Depois, desmaio, insuficiência cardíaca e morte." Ela recita os sintomas como se os tivesse aprendido de cor. "Meu pai gerenciava uma plantação de chá no Ceilão, onde é comum as meninas cometerem suicídio comendo as sementes. Levei algumas comigo quando voltei para a Inglaterra. Foi muito útil." Ela toma outro gole de chá. "Quando cheguei aqui, foi fácil prescrever para as pessoas. Afinal de contas, eu ajudo no hospital; os moradores acreditam no que eu digo. Dei a Ambika um tônico para incômodos femininos... ela deve ter perambulado por ali e morreu na plantação. Mas eu não esperava que um tigre fosse comer metade dela."

"Ele não a comeu", diz William, a voz alterada pela tensão.

Ela o ignora. "A mesma coisa com o vendedor, embora eu tivesse dito que era um remédio para o estômago. Ele vomitou e caiu numa vala."

"E Nandani? Você deu isso a ela também?"

"Ela estava sentada bem ali, na sua cozinha." Lydia direciona o olhar febril para William. "Foi melhor assim. Ela já tinha feito uma cena, aparecendo daquele jeito no jantar."

As mãos de William estão tremendo. A bílis sobe em sua garganta. "Vou chamar a polícia."

Aquilo é decepção, ou triunfo, nos olhos dela? "Você não vai fazer isso."

"Lydia, eu não posso cometer perjúrio por você."

"Então que seja por Iris", diz ela, com os olhos brilhando. "Eu sei o que você fez."

A garganta de William se fecha, dedos ossudos a apertam, expulsando o ar para fora dele. "Do que está falando?"

"Você a afogou, aquele dia no rio."

Aquele dia no rio, a luz se inclinando, verde e dourada. Iris se zangou, uma atmosfera sombria recaiu sobre ela. Acusou-o mais uma vez, em seu ciúme interminável, batendo o dedo em seu peito várias vezes, daquela maneira que o deixava furioso em todas as brigas, então ele a empurrou com força. Ou ela tropeçou e caiu sozinha? Ele próprio não conseguia lembrar, ou não queria.

"Foi um acidente!"

"Ela nunca ficaria em pé num barco. Jamais, não importa o que você diga." Lydia não está bonita agora, nem um pouco. Parece uma bruxa, os olhos ferozes e astutos. "Iris não tinha muito equilíbrio. Todos nós sabíamos disso na escola. Tinha algo a ver com os ouvidos dela."

"Lydia..."

"E mesmo depois que caiu, você não a tirou de lá."

Ele achou que daria uma lição em Iris, deixando-a se debater um pouco antes de tirá-la da água. Mas ela afundou muito rápido, a pesada saia de lã a puxou para baixo. Tão rápido que William achou que ela estivesse pregando uma peça nele, prendendo a respiração para fingir estar em apuros. Quem diria que uma pessoa poderia se afogar tão rápida e silenciosamente, sem qualquer sinal dos espasmos severos que ele imaginava? Quando foi atrás dela, Iris não passava de um peso morto.

"*Lydia!*" Ele precisa fazê-la parar, parar de vomitar essas palavras odiosas.

"Iris me escrevia cartas. Muitas. Sobre você e como ela achava que você a traía. Tenho uma carta escrita antes de ela morrer, dizendo que estava com medo de que você a matasse."

Não entre em pânico, pensa William, se controlando. Afinal, foi o que ele fez em relação a Iris. *Ela estava inclinada e depois caiu. Não, nós não brigamos.* Ainda assim, os murmúrios e boatos o perseguiram. A mesma história pérfida de traição e covardia, suficiente para eliminá-lo do clube, suficiente para levá-lo a outro lugar, outro país. Ele se esforça para manter o autocontrole.

"Ela era histérica, manipuladora."

Lydia se inclina para trás. "Você está certo." Há um leve sorriso em seu rosto. "Mas você poderia ser acusado, considerando a evidência circunstancial, se voltasse para casa." Outro gole de chá. "Fui justa, não fui? Contei tudo sobre mim. Embora, ao contrário de você, possa facilmente negar tudo."

"E a morte de todas essas pessoas? O vendedor, Ambika, Nandani?"

"Ora, você as matou. Elas estavam no seu caminho. Vou dizer que você se livrou das mulheres porque queria se casar comigo, mas eu recusei. A polícia já está desconfiada porque Nandani esteve na sua casa antes de morrer, e se desenterrarem a conversa sobre Iris dos tempos da Inglaterra, não vai ser nada bom para você."

Silêncio. Ele ouve a torrente de sangue em sua cabeça. Se se levantar agora, pode segurar aquela longa garganta branca. Pressionar os polegares até que ela pare de respirar. Por que, por que isso está acontecendo de novo? A semelhança com Iris, as mesmas exigências histéricas e pegajosas. É como se ela tivesse voltado do rio, e não se dará por satisfeita enquanto não o levar lá para baixo.

"O que você quer, Lydia?"

Ela vai dar sua cartada, seja o que for. Com o estômago pesado como chumbo, William sabe que foi completamente vencido por ela.

"Eu amo você", diz ela.

Ele se levanta. Dá a volta por trás dela, sua mente percorrendo diferentes possibilidades. Empurrá-la para a frente, abrir sua cabeça na mesinha de centro. Ela o infectou com sua loucura.

"Então você quer ficar noiva?" Um acidente com arma, então. Mostrar a Purdey para Lydia. Mas ele já atirou em Ren por acidente. Suspeito demais.

"Sim. Eu gostaria." Ela sorri, como se William tivesse acabado de pedi-la em casamento de joelhos. "Já contei para a polícia, mas seria bom tornar oficial. Poderíamos dar uma festa."

"Vou pensar nisso."

"Um brinde então?", diz ela. Entorpecido, William pega sua xícara e bate contra a dela. *Entre no jogo; ganhe um pouco de tempo,* pensa ele, tomando o chá morno e amargo. Nenhuma quantidade de leite e açúcar poderia disfarçar o vômito subindo em sua garganta quando ele o força a descer.

Um farfalhar de saia, o leve aroma de gerânios que ele agora odeia. Ele a leva até a porta. Boas maneiras, mesmo que isso o esteja matando. Lydia faz uma pausa, seus olhos brilham. "Depois que nos casarmos, não podem me obrigar a testemunhar contra você. Nem você contra mim. Ficaremos quites, não é mesmo?"

William quer gritar, bater a cabeça dela na parede, mas diz por entre dentes: "Por que você se importa comigo?".

"Iris nos apresentou na Inglaterra, embora você não se lembre. Foi numa festa na casa dos Piersons; você gostou de mim, gostou de verdade. Depois, você me beijou no corredor. Não consegui parar de pensar em você por dias."

Memória. O tique-taque do relógio de pêndulo, um instante febril de carícias na escuridão. Ele estava tão feliz com Iris naquele dia, seu rosto atrevido mais atraente que nunca, que a pegou no corredor, ou foi isso que pensou ter feito. Depois, seguiram-se dias de um mau humor triste. Iris reclamando que ele tinha bebido muito naquele fim de semana, as acusações de tê-la ignorado, o que ele atribuiu às suas neuroses, à dor de cabeça. Com uma constatação súbita e clara, ele diz: "Foi um engano. Nunca soube que era você".

Mas Lydia não se importa. Está com a cabeça longe. Um olhar sonhador enche seus olhos. "E então, quando Iris continuou escrevendo sobre como você estava infeliz, eu soube que algo ia acontecer para fazê-la desaparecer. Porque você e eu estamos fadados a ficar juntos: temos até o mesmo nome. Na outra noite, na sua festa, quando você escreveu seu nome chinês, eu lhe disse que também tenho um nome chinês. Nasci em Hong Kong, você sabe."

Do que ela está falando? Lydia não sente medo nenhum dele?

"Meu nome chinês tem o mesmo caractere — *Li* de *Li di ya* — que o seu. É uma das Virtudes do Confucionismo", diz ela.

Ren entra no corredor para entregar o chapéu e a sombrinha para Lydia. O garoto olha para ela, olhos enormes em seu pequeno rosto. Os pensamentos de William inundam sua mente, frenéticos. Entre no jogo; ele sempre fora capaz de administrar as coisas. Haverá tempo suficiente para lidar com ela.

"Vamos precisar de mais criados depois que nos casarmos", diz Lydia, olhando em volta, apreciando o bangalô grande e vazio.

Só por cima do meu cadáver, pensa William. Mas ele sorri e a leva até a porta.

A Noite do Tigre
Yangsze Choo

50

Batu Gajah
SEGUNDA-FEIRA, 29 DE JUNHO

O braço de Shin estava quebrado. O braço direito, como ele apontou com pesar. Meu padrasto havia quebrado o esquerdo, e agora era a minha vez: uma simetria estranhamente assustadora. Eu disse que sentia muito, descansando a cabeça em seu ombro depois que todo o alvoroço acabou e, por fim, ficamos a sós. Fomos colocados em um quarto privado temporariamente, embora a única lesão séria fosse o braço de Shin e alguns cortes e contusões.

"Você tem muita sorte", disse o médico local que me examinou. "O outro sujeito amorteceu a sua queda."

Fiquei em silêncio quando Koh Beng foi mencionado. Minha declaração à polícia sobre como ele tentou me matar, assim como toda a questão da venda de dedos como amuletos de sorte, fez o hospital e a polícia local ficarem com uma imagem ruim: o hospital, por não ter rastreado as partes dos corpos, e a polícia, por não ter conseguido evitar uma tentativa de homicídio logo após Y. K. Wong ter sido morto naquela mesma manhã. Já havia boatos de que Koh Beng havia enlouquecido e tido um surto. Nesse meio-tempo, foram especialmente gentis comigo e com Shin.

"Bem, é o fim do meu trabalho", disse Shin, olhando para o gesso em seu braço.

"Talvez deixem você fazer outra coisa", falei.

"Não seja boba. Eu também não consigo escrever, então nada de trabalho de escritório."

Não importava. Eu estava muito grata por estar sentada ali com ele, lembrando como pensei que a morte nos separaria para sempre.

Mas minha alegria era temperada com pesar. O que tinha acontecido com Yi? Suas últimas palavras, *não me esqueça*, me atingiram como um eco melancólico de seu lamento anterior: *não quero que Ren me esqueça*. Será que ele ainda estava esperando naquela estação vazia, ou havia desistido e seguido caminho sozinho? Onde quer que estivesse, eu rezava para que encontrasse misericórdia. Eu tinha uma grande dívida com ele.

Soltei a mão de Shin com culpa quando mais uma enfermeira entrou. Muitas enfermeiras vinham visitá-lo, dando risadinhas e rodeando sua cama de um jeito coquete. Eu disse à polícia que Shin era meu irmão, então não podia fazer nada, só ficar ali, sorrindo. Estava tudo bem; eu estava acostumada.

"Por que você não me deixa contar a verdade para elas?", perguntou Shin, irritado, depois que a última enfermeira saiu.

"Agora não." Precisávamos pensar nas coisas. Descobrir como lidar com os nossos pais primeiro, e não deixar que isso se espalhasse como fofoca. Minha mãe teria um ataque quando descobrisse que tínhamos sido empurrados de um prédio. Fui atingida por uma onda de exaustão; o hospital cheirava a desinfetante e cebolas cozidas em água fervente.

"Venho ver você amanhã", falei, me levantando.

Ele pegou minha mão. "Fique. Eles propuseram que você passasse a noite aqui em observação."

"Não há nada de errado comigo. E preciso avisar a minha mãe que estamos bem." A notícia provavelmente já havia chegado a toda Batu Gajah e talvez até a Ipoh agora. Além disso, o hospital me deixava bastante desconfortável, embora eu não quisesse mencionar isso a Shin, para que ele não ficasse preocupado. Quando olhei pela janela, pude ver o telhado distante onde Koh Beng tinha tentado me matar.

"Então vou para casa com você", disse Shin.

• • •

Não o deixaram ir, claro, alegando que o braço de Shin precisaria de mais radiografias no dia seguinte pela manhã. Tentaram me segurar lá também, apesar das minhas objeções. Parecia mais uma tentativa de manter as coisas sob controle do que uma preocupação real com nosso bem-estar. O diretor já havia aparecido, assegurando-nos que o hospital estava em conformidade com os mais altos padrões e lamentando profundamente as ações de um funcionário que teve um colapso nervoso (ele se referia a Koh Beng, presumi), e pudemos apenas concordar e prometer não falar sobre isso até que a polícia esclarecesse as coisas.

A supervisora veio se despedir. Seu rosto bronzeado e anguloso estava pensativo enquanto esperávamos o carro que o hospital havia providenciado para me levar de volta para casa. "Então, o que vocês dois são, irmãos ou noivos?"

Baixei o olhar. "Somos meios-irmãos, mas não estamos noivos na verdade."

"Parece complicado", disse ela, mas não de forma indelicada. "Vou guardar segredo, se você quiser. Boa sorte." Ela apertou minha mão. Gostei de seu aperto firme e direto. "Você parece uma garota inteligente, e sensata também. Se não quiser depender de um homem, temos lugar para você."

Agradeci a ela, me perguntando por que eu não estava tão emocionada quanto poderia estar. Talvez o hospital a tivesse instruído a me oferecer um emprego, para manter as coisas tranquilas. Eu estava cansada. Tão cansada que tudo o que eu queria fazer era fechar os olhos, embora tivesse medo de que, se fizesse isso, regressasse àquele rio escuro. E, desta vez, não haveria volta.

• • •

Os dias seguintes foram tranquilos. Minha mãe e meu padrasto reagiram de forma surpreendentemente contida à história toda. O hospital já os havia notificado em termos mais brandos: um infeliz acidente com um indivíduo mentalmente perturbado. E, claro, cobririam todos os custos médicos e pagariam o salário de Shin pelo resto do verão, embora ele tivesse sido dispensado de suas obrigações. Apesar de chocada com meus cortes, minha mãe ficou aliviada por meu rosto não estar marcado.

"O rosto de uma garota é muito importante", disse ela enquanto ajudava a trocar o curativo na lateral do meu corpo. "Imagine como Robert ficaria chateado!"

"O que Robert tem a ver com isso?"

Eu não deveria ter dito essas palavras. Seu rosto pareceu desapontado, e aquele olhar tímido apareceu. "Vocês ainda são amigos, não são?"

"Tanto quanto sempre fomos." O que não era muito, mas não tive coragem de dizer isso. Olhei para baixo, de repente ansiosa. "Você conseguiu fazer o pagamento deste mês?"

Eu não tinha lhe dado dinheiro suficiente para cobrir o empréstimo, mas, para minha surpresa, ela disse: "Você não precisa mais se preocupar com isso. Seu padrasto pagou".

"Pagou tudo?"

Ela hesitou. "Não. Shin me deu algum dinheiro para ajudar a liquidar." Entendi, sem ela dizer uma palavra, que deve ter sido aterrorizante confessar para o meu padrasto até mesmo aquele valor reduzido.

"Ele ficou furioso?" Olhei para seus braços, seus pulsos finos. Ela estava usando mangas soltas; eu não sabia dizer se havia alguma coisa errada.

"Ele tinha o direito de ficar."

"E? Ele fez mais alguma coisa?" Fúria e desespero vindo à tona, sufocando minha garganta.

Minha mãe olhou para o chão. Percebi que isso era bastante humilhante para ela. "Implorei a ele. Chorei tanto que desmaiei." Diante do meu olhar de horror, ela disse rapidamente: "Foi bom, na verdade. Isso o deixou preocupado, logo depois do aborto espontâneo. Acho que percebeu que não valia a pena. E estou bem". Uma careta. "Ele me fez jurar que nunca mais tocaria em nenhuma pedra de mahjong."

Captando a ansiedade nos meus olhos, minha mãe me lançou um olhar de advertência. Dessa vez, não era da minha conta. Imaginei que o susto com o aborto pudesse ter amolecido meu padrasto, fazendo-o perceber que poderia ficar viúvo de novo. Ainda assim, foi um tremendo alívio. Essa dívida estava pendurada como uma bigorna sobre nossas cabeças. Minha mãe esboçou um sorriso. "Talvez eu devesse ter contado a ele desde o começo. Tenho certeza de que Robert seria mais compreensivo com coisas desse tipo."

"Mãe, precisa ser o Robert?"

Ela deve ter ouvido a tristeza em minha voz, porque parou de mexer nas ataduras e me abraçou. "Não, não precisa. Contanto que seja alguém que a faça feliz."

"Sério?" Meu ânimo melhorou. Por que será que cheguei a duvidar dela?

"Shin aprova?"

"Aprova quem?"

"A pessoa de quem você gosta."

Eu não conseguia parar de sorrir. "Sim, ele aprova."

A Noite do Tigre
Yangsze Choo

51

Batu Gajah
QUINTA-FEIRA, 2 DE JULHO

Ren observa seu mestre de perto depois que Lydia vai embora. Será que seu estômago está melhor depois de tomar o remédio? Mas William sai para a varanda, puxando o colarinho rígido como se não conseguisse respirar. Ele fica sentado, imóvel, a cabeça entre as mãos, enquanto, em algum lugar no denso abrigo da floresta, um pássaro canta. É um *merbuk*, uma rolinha-zebrinha cujo chamado suave e persistente ecoa pelo vasto espaço verde.

"*Tuan,* está passando mal?"

William se vira, o rosto pálido e coberto de suor. Ele não parece bem, mas sorri por um breve momento. "Você é um bom menino, Ren. Estive pensando: você gostaria de ir à escola?"

Surpreendido pela sorte, Ren só consegue piscar e gaguejar. "Sim. Mas o trabalho doméstico..."

"Você não precisa se preocupar com isso. Vamos ter novos criados de qualquer forma."

Isso significa que Ren perdeu o emprego? "Claro que não", diz William, lendo seu olhar preocupado. "Haverá algumas mudanças; isso não pode ser evitado. Mas vou garantir que você frequente a escola. É o mínimo que posso fazer." Ele franze o rosto.

Ren sabe um bocado sobre culpa e confusão. Yi não tem mais aparecido em seus sonhos, não desde a última vez no rio. Na verdade, ele não consegue encontrar nenhum vestígio de seu irmão gêmeo. Será que aquele fraco sinal de rádio teve sua transmissão interrompida, ou será que agora estava sintonizado em outra estação, que ele não consegue ouvir? Seja o que for, ele pensa em Yi com amor e tristeza. Um dia, os dois estarão juntos novamente.

• • •

Dispensado, Ren começa a voltar para a cozinha. Então ele se vira. Não é apropriado perguntar, mas ele reúne toda sua coragem. "*Tuan*, o senhor vai se casar com a srta. Lydia?"

William inclina a cabeça. É difícil ler a expressão de seu mestre. "Você não gosta da ideia?"

"Ela disse que seu nome chinês era Li. Como o do senhor."

"Isso nos torna um bom par, então?" Há amargura na voz de William. Ren se pergunta como tinha sido o restante daquela longa conversa, que terminou com Lydia parecendo tão satisfeita, e seu mestre, tão pálido.

"Não sei", diz Ren com sinceridade. Ele está confuso. Então, qual deles era o misterioso *Li*? Ou talvez ele tenha se enganado, e nenhum dos dois seja. Pressionar os dedos na marca branca e dormente em seu cotovelo o deixa zonzo, o ar fica pesado e escuro. Ele se lembra das finas teias presas a Lydia que o fizeram recuar. "Essa dama vai tornar as coisas difíceis para o senhor."

William sorri sem humor e diz algo sobre *os jovens serem inteligentes*. Então diz que está cansado e que vai dormir. Não é preciso servir o jantar hoje à noite. Seus pés se arrastam pelas escadas, como se fosse um homem condenado à morte.

• • •

Na manhã seguinte, William não desce. Ah Long, franzindo a testa para o café da manhã intocado, inclina a cabeça para Ren. "Vá ver o que aconteceu."

Ren sobe as escadas, sentindo a madeira lisa e fresca sob seus pés descalços. O tempo todo como um marujo subindo no mastro de observação. Na janela do topo, ele se lembra de ter pensado no bangalô branco como um navio em uma tempestade, a selva verde-escura como um oceano ondulante. Nele estavam todos os tipos de animais estranhos, incluindo o dr. MacFarlane, perambulando na forma de tigre.

Ren balança a cabeça; a imagem desaparece. Também já está desaparecendo aquele medo sombrio em relação ao antigo mestre: a solidão sombria, as promessas envolvendo dedos amputados e cavar túmulos. E até suas preocupações com os quarenta e nove dias tinham diminuído, uma calamidade foi evitada, embora, se alguém perguntasse, Ren não soubesse dizer o quê ou por quê. Apenas tem absoluta certeza de que o dedo voltou ao dr. MacFarlane. Ele tem uma estranha visão — pequena e brilhante, como um sonho febril — de Ji Lin de joelhos, cavando apressadamente com uma pá, deixando algo cair e, em seguida, recobrindo-o com a terra vermelha e úmida. O que quer que tenha acontecido, ele acredita que a garota não o decepcionaria, mesmo que já não consiga se lembrar direito dessas coisas desde que acordara no hospital, após a morte de Nandani; é como se a longa noite tivesse terminado, e o dia estivesse começando. Um dia que acena com a promessa de estudar. Animado, Ren aperta o passo. O dr. MacFarlane ficaria satisfeito; ele sempre teve a intenção de mandar Ren para a escola.

A porta do quarto de William está fechada. Ren bate e, em seguida, gira na maçaneta devagar. Está trancada. Confuso e um pouco assustado, Ren informa Ah Long.

"Será que ele está se sentindo mal?"

"Pode ser."

Ah Long se levanta, vasculha a gaveta da cozinha e, juntos, ele e Ren sobem as escadas. A casa está tão silenciosa que Ren imagina que tudo — as paredes e o teto, a grama do lado de fora e a brancura do céu em forma de redoma — está prendendo a respiração. Nenhum som a não ser o barulho dos passos de ambos e as batidas do coração de Ren. Diante da porta trancada, Ah Long se detém e inclina o ouvido na direção do buraco da fechadura. Nada.

Com um suspiro, ele coloca a mão no bolso e tira o enorme molho de chaves que guarda na gaveta da cozinha. Procura a chave certa, contando em voz baixa. Separa uma delas e a encaixa na fechadura. Quando a porta se abre, ele diz bruscamente: "Não entre!".

Assustado, Ren espera do lado de fora. Ele não precisa ouvir os movimentos apressados de Ah Long. Indo até a cama, abrindo as cortinas. Essa quietude é familiar para ele — é a mesma que lhe diz que o ocupante do quarto se foi para sempre. E Ren, encostado na parede, sente lágrimas quentes escorrerem em silêncio por seu rosto.

A Noite do Tigre
Yangsze Choo

52

Falim/Ipoh
QUARTA-FEIRA, 1º DE JULHO

E então voltamos para onde começamos. Para aquela *shophouse* comprida e escura, com o cheiro metálico do minério de estanho e da umidade que se infiltrava pelo piso inferior. Dispensado do hospital, com o braço quebrado em um asseado gesso branco, Shin estava de volta.

Minha mãe estava feliz porque nós dois estávamos em casa, mas eu precisava ir para a casa da sra. Tham em poucos dias. Também precisava visitar Hui, contar que eu havia saído do May Flower, embora ela provavelmente já tivesse percebido. Havia tantas questões que eu queria discutir com Shin, mas não tínhamos oportunidade. A presença silenciosa do meu padrasto tomava conta da frente da *shophouse*, onde ele cuidava dos negócios, e minha mãe tagarelava, preparando as comidas preferidas de nossa infância, embora eu implorasse para ela não fazer esforço.

"É bom ter você em casa", disse ela, dando atenção ao braço de Shin.

Pelo menos essa era uma coisa que me deixava feliz: minha mãe gostava muito dele. Talvez tudo terminasse bem para nós. Afinal, Ren tinha tido alta depois de uma recuperação notável. E Shin e eu ainda estávamos vivos. Meus pensamentos em relação a Yi ficavam só para mim, e eu os acalentava como um triste segredo. Se os mortos de fato continuam vivendo na memória das pessoas, então eu o protegeria para sempre.

...

Naquela noite, eu me sentei à mesa da cozinha, no círculo aquecido da lamparina, relendo *As aventuras de Sherlock Holmes*. Eu amava tanto esse livro que comprei meu próprio exemplar em um sebo, ainda que Koh Beng e sua série de assassinatos tivessem diminuído meu entusiasmo pelo trabalho de detetive. Ainda assim, era melhor do que mergulhar em meus próprios pensamentos. Minha mãe e meu padrasto já estavam na cama, e Shin tinha saído com Ming.

A realidade do que Shin e eu estávamos fazendo pesava sobre mim. Que tipo de futuro teríamos? Talvez, nesta vida, Shin e eu só pudéssemos ser irmãos, falsos gêmeos destinados a estar juntos, mas separados. Estava tão silencioso que eu podia ouvir o relógio batendo na frente da *shophouse*. Uma badalada oca. Dez da noite. O barulho da porta da frente. E agora Shin estava de volta, os passos rápidos e familiares percorrendo o longo corredor escuro, passando pelas balanças de carga e pelo primeiro pátio aberto no qual as pilhas de minério de estanho secavam.

"Shin", chamei em voz baixa, me levantando.

Estava escuro no corredor, onde a luz amarela da lamparina da cozinha respingava. Todos os meus pensamentos, as boas intenções que eu tinha em mente, bateram asas quando o vi. Sem dizer nada, eu o puxei para a mesa. Ele olhou rapidamente para o andar de cima.

"Eles estão dormindo", eu disse.

Ficamos sentados um ao lado do outro, acanhados. Fiquei estranhamente tímida, com o coração aos pulos. Como era estranho estar assim, na casa do meu padrasto. Como se tudo e nada tivesse mudado entre nós. Se eu fechasse os olhos, poderíamos ter dez anos de novo.

"O que vamos fazer, Shin?"

Ele enroscou seus dedos nos meus. A inclinação das sobrancelhas lhe dava um ar vulnerável. "Primeiro, vamos conseguir uma cópia da sua certidão de nascimento. Já tenho a minha. Então vamos fazer o registro do nosso casamento."

"O quê?", me endireitei.

"Meu pai disse, não disse? Quando estiver casada, você não será mais responsabilidade dele."

"Ele vai nos matar!"

"Não vai, não. Ele mesmo definiu as condições. Não importava com quem você fosse se casar, contanto que ele tivesse um emprego decente. Claro, ele estava pensando em Robert." Shin franziu o cenho. "De qualquer forma, você e eu não somos parentes, nem mesmo no papel. Meu pai nunca adotou você, eu chequei."

Eu não sabia se ria ou se ficava assustada com a ousadia de Shin. "Tem certeza de que quer se casar comigo? Você ainda é um bolsista, não?"

"Estou planejando isso há anos." Ele estava completamente sério.

"E se eu não quiser me casar com você?"

"Vai querer."

Seus lábios roçaram os meus. De leve, mas minhas pernas ficaram fracas, e uma vertigem tomou conta de mim. Era como um feitiço, um truque de mágica que pressionava o ar para fora dos meus pulmões. Shin olhou para mim, triunfante. Senti aquilo de novo, amor, desejo e vontade de bater nele, tudo de uma só vez.

"As pessoas vão comentar."

"Deixe que falem."

Beijos suaves, urgentes. O calor úmido de sua boca, a delicada exploração de sua língua. Aquela agitação no meu peito de novo, como um pássaro que ansiava por voar. O braço saudável de Shin envolveu minha cintura; tremi quando ele me pressionou, com força, contra a cadeira. Minha respiração vinha em leves suspiros. Usando os dentes e a mão boa, a esquerda, ele começou a desabotoar minha blusa fina de algodão. Eu deveria detê-lo, eu sabia; mas, em vez disso, meus dedos deslizaram por seu cabelo. "Não ria", disse Shin, fingindo indignação. "Meu braço está quebrado por sua causa."

Em resposta, pressionei minha boca contra a dele. Estávamos tão absortos um no outro que não percebemos o rangido na escada e, depois, o sussurro horrorizado da minha mãe.

"O que vocês estão fazendo?"

A mão de Shin congelou em minha blusa desabotoada pela metade. Nós nos levantamos rapidamente, um rugido abafado em meus ouvidos. O rosto de Shin estava vermelho.

"Mãe", falei.

Mas ela não estava olhando para mim. "Como você se atreve a tocar na minha filha?!" Mesmo assim, notei que minha mãe mantinha a voz baixa, sussurrando as palavras.

"Não é culpa dele, é minha!"

Foi então que ela me deu um tapa. Minha mãe nunca tinha me batido no rosto antes. Tinha me disciplinado, sim, com uma vara fina quando eu era menor, embora fosse facilmente dissuadida de me punir. Mas nunca assim: com um golpe que me deixou ofegante. O mais estranho e terrível foi que tudo isso aconteceu quase em silêncio. Nenhum de nós se atreveu a levantar a voz naquela casa escura e silenciosa. Sabíamos o que aconteceria se meu padrasto acordasse.

Segurei os ombros frágeis da minha mãe, depois os soltei. Se eu quisesse, poderia tê-la empurrado sem esforço. No telhado com Koh Beng, lutei em desespero, dando chutes e arranhando. Mas não consegui levantar a mão para minha mãe. Shin também não. Nós dois ficamos de cabeça baixa com um sentimento de culpa, quando ela encurvou de repente, como se a vida tivesse se esvaído dela. "Eu não criei você da maneira correta?", murmurou ela. "Por que está fazendo isso?"

"Porque o amo", respondi.

"Amor?", minha mãe disse. "Em que você estava pensando?"

Ela chorou, então, daquele jeito terrível e silencioso que me aborrecia. Como todos nós havíamos aprendido a chorar nesta casa, sem fazer barulho. Afetada por tudo isso, me vi consolando-a, impotente. Sempre foi assim. Não importava o que acontecesse, eu tentaria salvá-la. Olhei para Shin, sinalizando para ele sair da cozinha.

Mas, em vez de fazer o que pedi, ele se ajoelhou diante dela. Nunca vi Shin ficar de joelhos por ninguém, ele era muito orgulhoso, mas agora estava abaixando a cabeça.

"Mãe", disse ele. "Minhas intenções com Ji Lin são sérias. Por favor, deixe-me casar com ela."

Ao ouvir a palavra *casamento*, o corpo da minha mãe se arqueou, rijo, como se estivesse tendo um espasmo. Alarmada, eu a segurei em meus braços.

"Você não pode se casar", disse ela, frágil. "Você é da família agora. Eu proíbo absolutamente."

• • •

Uma das coisas mais espantosas e convenientes sobre ser da mesma família é que você pode trocar acusações terríveis à noite, e depois fingir que nada aconteceu na manhã seguinte. Porque foi exatamente isso que fizemos no café da manhã. Todos nós descemos, quietos e carrancudos, e minha mãe distribuiu porções de macarrão fumegante e mole. O macarrão estava sem graça, como se ela tivesse esquecido como prepará-lo. Seus olhos estavam inchados, mas ela disse ao meu padrasto que não tinha dormido por causa de uma dor de cabeça.

Ele resmungou, e eu esperava que não tivesse notado nada. Afinal, tinha um sono pesado. Shin e eu nos sentamos, estranhamente calados, como dois irmãos de mentira em uma família perfeita de mentira.

"Vou voltar para Singapura no fim de semana", anunciou Shin.

Minha mãe assentiu. Ela se inclinou sobre seu macarrão sem gosto, assim como meu padrasto.

"Ji Lin vai comigo", disse Shin. "Ela pode arranjar um emprego lá."

Nesse momento, as duas cabeças se levantaram.

Os olhos do meu padrasto se estreitaram. "Por que ela?"

"A verdade é que houve um assassinato no hospital de Batu Gajah na segunda-feira. Um outro assistente foi morto pelo mesmo homem que tentou empurrar Ji Lin do telhado. A polícia nos pediu para não falar sobre isso, mas um escândalo está começando a ganhar forma. Por que você acha que o hospital está me pagando para não trabalhar? Em troca, nos pediram para deixar a área."

"É isso mesmo?", perguntou o pai dele.

Olhei para Shin. Ele era um mentiroso inspirado, misturando meias verdades e fatos. "Sim. Vai sair no jornal em breve."

Minha mãe soltou um grito de horror, embora seus olhos estivessem cheios de suspeita. Apertei a mão de Shin sob a mesa.

"Você pode perguntar a Robert — o pai dele faz parte do conselho", emendei.

Eu ficava irritada com o fato de qualquer coisa relacionada a Robert e sua família ter um peso enorme para minha mãe. Eu podia ver a confusão em seu rosto.

"Arranjaram um cargo para mim num hospital em Singapura, como enfermeira estagiária. Vou morar num dormitório." Era pura ficção, mas ninguém ia me deter. "Shin pode me levar, porque Robert não tem tempo."

Robert de novo. Mas minha mãe não acreditou nisso, balançando a cabeça de maneira veemente. "Não, você não pode ir!"

Meu padrasto disse: "O que Robert pensa sobre esse plano de ir a Singapura?".

"Ele quer que eu estude e obtenha qualificações adequadas. E quanto menos escândalo, melhor para a família dele." Incrível como era fácil mentir quando eu de fato queria alguma coisa. Pedi desculpas ao pobre Robert em pensamento.

"Se Robert acha que é uma boa ideia, então, por mim, tudo bem", anunciou meu padrasto. E naquele momento fiquei contente, muito contente mesmo por ele ser duro e inflexível, valorizando apenas as opiniões dos homens. Os protestos de minha mãe foram desconsiderados; afinal, ela não ousou dar outra razão além de Singapura ser longe demais.

"Shin vai levá-la para Singapura", disse meu padrasto. "E ela não será nossa responsabilidade por muito tempo."

"Mas a família de Robert está em Ipoh", argumentou minha mãe. Seu olhar passou de Shin para mim com angústia, e me perguntei se ela ia nos trair. Se fizesse isso, todos nós sofreríamos. Meu coração batia forte e de forma irregular. Shin sustentava seu semblante mais inexpressivo, embora um músculo estivesse contraído em sua bochecha.

"Eles têm uma casa em Singapura", disse Shin, observando seu macarrão como se não fizesse a menor diferença me levar junto ou não. "Tenho certeza de que ele vai sempre para lá."

Meu padrasto assentiu. E a questão foi resolvida.

• • •

Eu deveria estar feliz. Só Deus sabe como Shin estava. Ele mal conseguia parar de sorrir conforme os dias antes de nossa partida minguavam, embora, por acordo implícito, nos evitássemos por completo. Ele comprou passagens de trem para nós, e eu fui ver a sra. Tham e esvaziar meu quarto na loja de vestidos.

"Você vai se casar?" perguntou ela, enquanto eu dobrava o último dos meus escassos pertences. Com ela não havia rodeios.

"Não, eu vou estudar enfermagem." Repeti essa mentira tantas vezes que quase me parecia real, mas eu precisava me lembrar de que não tinha perspectiva de emprego e nenhum lugar para morar. Ainda assim, eu estava flutuando com uma excitação fervilhante.

"Enfermeira", disse a sra. Tham, pensativa. "Não acho que você vai ser boa nisso."

"Por que não?" Fiquei surpresa com essa avaliação casual; ela parecera satisfeita com minhas habilidades de costura.

"Você vai ficar contradizendo os médicos. Acho melhor você se casar."

Eu me inclinei para esconder o sorriso.

"O que faz a senhora pensar que não vou contradizer meu marido?"

"Oh, você não deve fazer isso!" Ela pareceu horrorizada, embora soubéssemos muito bem quem ditava as regras na casa dos Tham. "Escute", disse a sra. Tham, aproximando-se, "o segredo de um casamento feliz é fazê-lo pensar que é tudo ideia dele. E, claro, você deve se vestir bem e ficar o mais bonita possível."

Ela soltou um suspiro de insatisfação ao me observar. Todo o seu trabalho de estilo foi perdido, já que apareci usando uma velha calça de algodão e uma camisa gasta para fazer as malas. "Não saia de perto dele — as mulheres vão rodeá-lo como moscas."

Ao sair, a sra. Tham me olhou como se soubesse de algo, e me perguntei se estava falando de Robert ou de outra pessoa. Ela podia ter descoberto que Shin e eu não éramos parentes; eu não ficaria surpresa com isso.

• • •

Também fui visitar Hui. Não pude explicar tudo o que tinha acontecido por causa da minha promessa à polícia e ao diretor do hospital, mas contei o que pude.
"Você poderia ter me falado que estava saindo. Tive que descobrir sozinha."
Ela estava furiosa e um pouco magoada. Só consegui assentir e dizer que sentia muito. Eu gostava de verdade de Hui — nunca tive uma amiga como ela antes, apesar de provavelmente tê-la desapontado por não ter compartilhado todos os meus segredos.
"Obrigada por me ajudar com Robert", falei, lembrando-me de como ela se atirara na briga, quando Y. K. Wong o tinha levado ao salão de dança. "Seja gentil com ele se você o encontrar de novo."
Hui revirou os olhos. "Jovens ricos são um desperdício nas suas mãos." Mas finalmente sorriu.

• • •

No entanto, a conversa que eu mais temia era com a minha mãe. Não havia como escapar; eu conseguia ver isso em seus olhares angustiados, em suas mãos trêmulas. De todas as pessoas, eu esperava que, quando o choque passasse, talvez minha mãe começasse a aceitar e apoiar a ideia. Afinal, ela amava os dois, Shin e eu — só que não juntos. Bem, tudo tinha um preço.
Então, sentindo culpa, só consegui ficar sentada em minha cama tarde da noite, depois que meu padrasto já estava dormindo, e deixar que ela me repreendesse. Shin, muito diplomático, tinha ido para a casa de Ming. Naqueles dias, minha mãe parecia ficar furiosa só de vê-lo. Ele tinha passado de filho favorito para o sedutor de sua filha, e nada do que eu dissesse a faria mudar de ideia.
"Isso não está certo", ela continuava dizendo. "As pessoas vão comentar; não parece decente. E Shin nunca ficou com uma namorada por muito tempo. E se ele mudar de ideia?"
"Aí eu vou seguir o meu próprio caminho", respondi.

Ela jogou as mãos para cima. "Uma garota só tem uma chance de se casar bem. Esse relacionamento é um erro! Você está confusa porque gosta dele, como um irmão. Além disso, na sua idade, tudo parece romântico." De repente, ficou me olhando, horrorizada. "Você não... você não dormiu com ele, dormiu?"

Por que todos perguntavam a mesma coisa — o que tinham a ver com isso? Mas é claro que eu sabia o porquê. Por mais humilhante que fosse, era uma moeda de sangue: uma garota ainda poderia arranjar um marido se conseguisse provar sua virgindade, mesmo que ele fosse velho, gordo e feio. "O que você acha?", falei amargamente.

Seus olhos se anuviaram em dúvida, e eu me senti traída. Por fim, ela assentiu com timidez. "Claro que confio em você. Mas não faça isso. Me prometa! Assim você terá a opção de mudar de ideia. Não quero que você estrague tudo, que jogue fora todas as suas chances."

"Mãe", eu disse. "Você realmente odeia tanto o Shin?"

"Eu não o odeio. Ele é um bom menino. Só quê... Eu não queria que ele ficasse com você. Eu temia que isso acontecesse, mas você sempre foi obcecada por Ming. E achei que fosse passar quando Shin foi embora. Não pensei que ele fosse tão teimoso. Casamento não é fácil. Nem sempre é como você espera." Ela olhou para o lado. "Você sabe que seu padrasto tem um temperamento forte."

"Shin nunca levantou a mão para mim!"

"Mas ele ainda é jovem." Ela torceu as mãos. "Você não sabe como será quando ficar mais velho."

Entendo o lado dela, pensei, lutando para me manter estoica, embora eu quisesse gritar e protestar que ela estava errada e que Shin não era nada parecido com o pai. Porém, acima de tudo, eu queria que minha mãe me perdoasse, me abençoasse e me dissesse que tudo ficaria bem, assim como fazia quando eu era pequena, quando éramos só nós duas neste mundo imenso. Mas talvez isso fizesse parte de não ser mais criança.

• • •

No sábado, estávamos em uma plataforma na Estação Ferroviária de Ipoh. Era uma linda manhã, toda branca e dourada. Eu levava apenas uma mala e uma caixa, amarradas cuidadosamente com barbante. Olhando para a amarração meticulosa que minha mãe havia feito, senti um nó na garganta. Meus lindos vestidos estavam na mala, e eu estava usando uma das melhores roupas da sra. Tham, porque, apesar dos meus protestos, ela insistiu em nos ver partir.

Acabou sendo uma bênção que ela e o sr. Tham tivessem vindo, pois seus comentários animadores tornaram as despedidas suportáveis, apesar das lágrimas que ameaçavam cair dos olhos da minha mãe. Eles trouxeram uma sacola enorme de mangostões e marmitas com pãezinhos de carne suína cozidos no vapor, como se fôssemos passar fome antes de chegar a Singapura. Seria uma longa jornada em direção ao sul: quatro horas até Kuala Lumpur, depois uma viagem de oito horas madrugada adentro até Singapura. Um total de cerca de 555 quilômetros — mais do que eu já tinha viajado na vida.

Enquanto o trem se afastava devagar, todos começaram a acenar de maneira frenética. Até meu padrasto, que costumava ser tão reservado, levantou a mão, mas não sei se o aceno era para Shin ou para mim. No último instante, minha mãe correu ao lado do trem. Fui invadida por um pânico súbito. Será que ela ia nos denunciar? Mas ela apenas pressionou a palma da mão na janela. Encaixei minha mão contra a dela, os cinco dedos. Então ela se foi, vencida pelo rápido movimento do trem.

Adeus, pensei, conforme suas figuras foram se encolhendo, deixadas para trás pelo constante estalido das rodas, pelo zumbido do trilho. Adeus à minha antiga vida, e olá para o restante dela, para o que quer que me traga. A empolgação e a melancolia se embrulharam no meu estômago, e pensei mais uma vez em Yi, aquele garotinho deixado em uma plataforma de trem. Será que ele tinha mesmo ido embora? Eu tinha a estranha certeza de que os laços que ligavam todos nós tinham sido refeitos em um padrão novo e diferente. *Nunca vou esquecer você,* prometi. Meus dedos envolveram a carta em meu bolso. Perdi a chance de deixá-la na caixa do correio, mas faria isso quando parássemos em Kuala Lumpur.

• • •

Os arredores de Ipoh passaram voando — coqueiros, palafitas de madeira em vilarejos *kampung*, uma magra vaca amarela brâmane —, até que a selva verde começou a se impor dos dois lados. "Vou ter que encontrar um lugar para morar em Singapura", falei, lembrando que mentimos sobre um dormitório no hospital.

"Isso é fácil", disse Shin. "Economizei um pouco de dinheiro."

"Mas essas economias são suas. Não quero usá-las."

"Por que você acha que estou trabalhando? Eu queria levar você para Singapura."

"Sério?" Meu coração deu um salto. Todos aqueles meses longos e solitários esperando que Shin respondesse às minhas cartas, algo que nunca aconteceu.

"Sim, mesmo não sabendo se você viria. Sua obsessão por Ming já durava anos. Eu temia que, se ele mudasse de ideia, você fosse correndo para ele. Você me deu mais problemas do que todas as outras garotas juntas." Sua boca se contraiu. "Precisamos mantê-la ocupada. Talvez você possa assistir a algumas aulas."

"Eu adoraria."

Shin balançou a cabeça de um jeito triste. "Por que você parece muito mais feliz com isso do que com um anel? Por favor, não me troque por um cirurgião."

Estremeci. "Chega de cirurgiões."

"Vou pegar emprestadas suas anotações das aulas todas as noites", disse ele, de um jeito sedutor e zombeteiro. Meu estômago deu uma leve sacudida. Se Shin continuasse olhando para mim daquele jeito, eu ia acabar fazendo papel de idiota e entrar no jogo, e ele sabia.

"Shin." Respirei fundo. Seria difícil dizer isso.

Em resposta, com delicadeza, ele passou o dedo pela palma da minha mão.

"Não podemos nos casar." Fiquei olhando para fora da janela. Seu dedo parou. "Pelo menos, não agora."

Ele ficou em silêncio por um longo tempo. "Por causa da sua mãe?"

"Não, precisamos pensar bem... vai ser difícil para você na faculdade e no trabalho. As pessoas vão fazer comentários. E quero viver sozinha por um tempo. Procurar emprego, cuidar de mim mesma. Não quero que você se responsabilize por mim enquanto ainda estiver estudando. E não estou pronta para me casar de imediato."

"Quanto tempo?"

"Não sei bem."

"Um ano", disse ele sem olhar para mim. "Se em um ano e um dia você não tiver decidido, será minha."

"Eu já disse para você que não existe isso de pertencer a alguém!"

Mas ele apenas respondeu de forma irritante: "Temos que ter um limite de tempo. Caso contrário, vamos continuar assim. Eu me recuso a seguir brincando de ser gêmeo".

Um ano e um dia. Soava como um caminho escuro coberto de trepadeiras espinhosas e feras desconhecidas. Será que Shin e eu ainda estávamos fora da selva? Eu não tinha ideia do terreno à nossa frente, mas talvez estivesse tudo bem. Tive uma visão repentina de quartos com pé-direito alto, corredores compridos e ensolarados, e bibliotecas tranquilas. Era a Faculdade de Medicina King Edward, de que tanto ouvi falar. Shin dando risada a uma mesa com um grupo de colegas. Eu entrando num ônibus lotado enquanto equilibrava uma caixa cheia de livros. Fritando arroz numa cozinha apertada de apartamento, ouvindo os passos rápidos e familiares na escada. Shin e eu, caminhando ao longo de um rio no frescor da noite, comendo bananas fritas e discutindo amigavelmente. Era estranho, mas em todas essas cenas eu usava roupas suficientemente elegantes para agradar a sra. Tham. A brisa vinda da janela do trem agitou meu cabelo curto e minha franja. Meu coração se animou.

"Certo", falei, rindo. "Vamos fazer as pazes?"

Shin revirou os olhos, mas estendeu a mão com o gesto familiar. "Sua mãe disse umas coisas terríveis sobre mim naquela noite. Mas ela estava certa. Eu definitivamente vou seduzir você."

A Noite do Tigre
Yangsze Choo

53

Batu Gajah
DUAS SEMANAS DEPOIS

Quando tudo chega ao fim — a polícia, o funeral e a algazarra bem-intencionada dos visitantes —, Ren se senta nos degraus da cozinha dos fundos. A casa estava vazia; só ele e Ah Long ficaram para empacotar as coisas do mestre. Não que houvesse muitas. William tinha pouquíssimos pertences, embora, de forma característica e eficiente, tivesse redigido um testamento. Tinha feito isso recentemente, o advogado comentou. Ren entendia de advogados; ele se lembrava daquele em Taiping, que cuidou dos assuntos do dr. MacFarlane, e da careta que fez diante da confusão de papéis enfiados nos compartimentos da mesa do velho médico. Mas as coisas de William estavam bem organizadas.

Ataque cardíaco foi o veredicto oficial. A srta. Lydia fez uma cena no funeral, chorando e se comportando como se fosse sua noiva, o que foi uma surpresa para muitas pessoas, incluindo os pais dela. Sua dor e sua fúria eram impressionantes. Embaraçosas, até. Ela queria tudo o que tinha pertencido a William, mas o advogado disse que ela não estava no testamento e que uma noiva não era o mesmo que uma esposa. Os criados espalharam as fofocas por suas vias rápidas, e agora todos sabiam disso.

Ah Long suspira e dá de ombros. "Sorte que ele não se casou com essa mulher." As linhas em seu rosto estão mais profundas, e seu corpo magro encolheu. Enquanto se movimenta pela casa vazia, guardando a prataria e os utensílios de cristal para serem devolvidos à família Acton, seus passos são lentos e menos seguros. Ele não parece se importar com a herança que William lhe deixara: *ao meu cozinheiro chinês, Ah Long, a quantia de quarenta dólares locais por seu serviço leal,* embora fosse um presente magnífico.

Ren tampouco consegue se alegrar, apesar de também ter sido citado. Há um valor disponível para custear os estudos de Ren, para que ele possa ir à escola, mas o dinheiro só pode ser usado para sua educação.

"Eu não quero", ele anunciou, para a surpresa do advogado.

"Por que não?"

"Não quero estudar. Não agora."

O advogado franze a testa. "Por que não esperar? Tire um tempo para pensar sobre isso."

• • •

Depois que o advogado vai embora, Ah Long chama Ren para a sala de jantar, a superfície polida da mesa está coberta com pilhas de correspondência não aberta. São cartas endereçadas a William e serão encaminhadas para a família.

"O que é isso?", pergunta Ren.

Ah Long segura um envelope branco. Por um segundo vertiginoso, Ren se pergunta se o mestre finalmente recebeu uma resposta daquela dama, Iris, para quem escreveu tantas cartas. Mas não, a carta era para Ren. Seu nome estava escrito na forma de um único caractere chinês. Era a parte que Ah Long, felizmente, consegue ler.

"Para mim?" Ren nunca tinha recebido nada parecido com uma carta em sua breve vida, embora soubesse como escrever uma. O dr. MacFarlane tinha lhe ensinado o formato, quando praticavam ditado. Ren abre o envelope com cuidado. Dentro, há um único pedaço de papel.

"De quem é?", pergunta Ah Long, desconfiado.

Mas Ren está lendo devagar. É curta, não tem mais do que algumas frases, e, depois de ler pela segunda vez, ele guarda a carta.

"É da garota", responde ele.

"Aquela de cabelo curto, da festa?"

Ren assente, impressionado com a memória de Ah Long.

"O que ela disse?"

Ren hesita. Como explicar isso, essa relutância em compartilhar as palavras dela? Palavras simples, mas privadas. "Ela disse que vai sempre se lembrar de mim." *E de Yi.* "E que vamos nos reencontrar. Há um endereço aqui se eu quiser escrever para ela, aos cuidados de Lee Shin, na faculdade de medicina."

Ah Long solta um grunhido. De alguma forma, parece satisfeito.

• • •

No dia seguinte, na tarde quente e sossegada, um visitante inesperado aparece. É o dr. Rawlings. Recusando as tentativas de Ah Long de lhe servir chá, ele se senta à mesa da cozinha e observa o corpo pequeno e desesperado de Ren. "Você tem para onde ir?", pergunta.

Um maneio de cabeça. "Posso ir para Kuala Lumpur. Para ver a tia Kwan, a governanta do meu antigo mestre." Ren ainda tem seu endereço na bolsa em tecido de tapete do dr. MacFarlane. Com uma ponta de dúvida, o garoto se pergunta se será um fardo para ela.

"Garoto, fique comigo", diz Ah Long, em seu inglês rude e mal falado. "Eu encontrar outro trabalho."

Ren olha para ele, espantado. Ah Long nunca lhe disse nada sobre isso, e ele experimenta uma sensação quente na barriga. Como se um gato estivesse sentado nela, com seu volume peludo e reconfortante.

O dr. Rawlings inclina a cabeça, pensativo. "Tenho uma proposta para vocês dois. Estou com uma transferência de emprego em vista, e minha equipe atual não quer se mudar. Vou precisar de um cozinheiro e de um criado. É o mesmo tipo de tarefa das casas de solteiros, já que minha esposa e minha família estão na Inglaterra."

Ah Long olha para Ren e dá um aceno quase imperceptível. "Obrigado, *Tuan*. Vou pensar sobre isso."

Rawlings balança a cabeça, um movimento rápido como o de uma cegonha. Ele também olha para Ren. "Não sou cirurgião, como o sr. Acton era. Sou patologista e médico legista, um campo de estudo interessante, embora eu entenda se você achar assustador, depois de tudo o que aconteceu com você."

Sério, Ren pergunta: "Vai ficar tudo bem?".

"Sim. Prometo que você terá tempo para ir à escola. Soube que você disse 'não' para o advogado, mas acho que daqui a pouco vai mudar de ideia. O sr. Acton queria isso. Ele tinha um apreço muito grande por você."

O rosto de Ren se ilumina. "Tinha?"

"Tinha mesmo. Ele me contou que você tratou a perna daquela garota, Nandani, e disse que você era um médico nato. Você não pode desperdiçar esse dom; pode salvar muitas vidas no futuro."

Salvar vidas. Ren sente uma borbulha de esperança. Sim, ele gostaria disso. "Para onde você está sendo transferido, *Tuan*?"

"Singapura", diz Rawlings. "Para o Hospital Geral de Singapura. Acho que você vai gostar de lá."

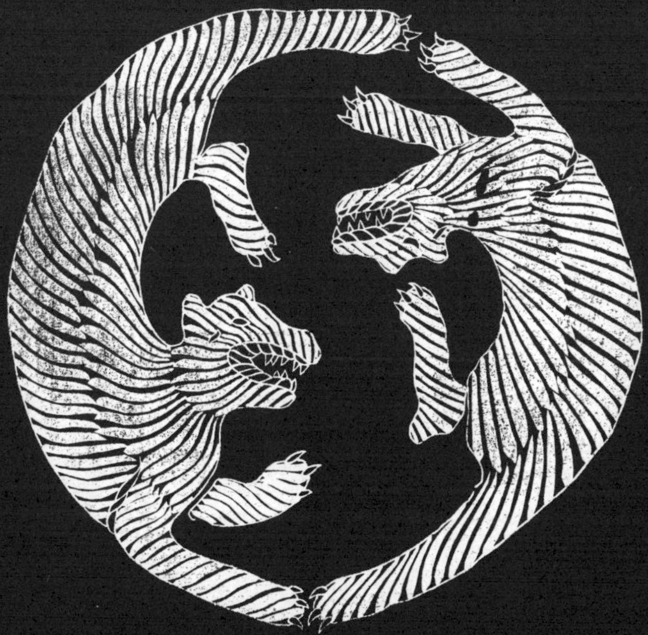

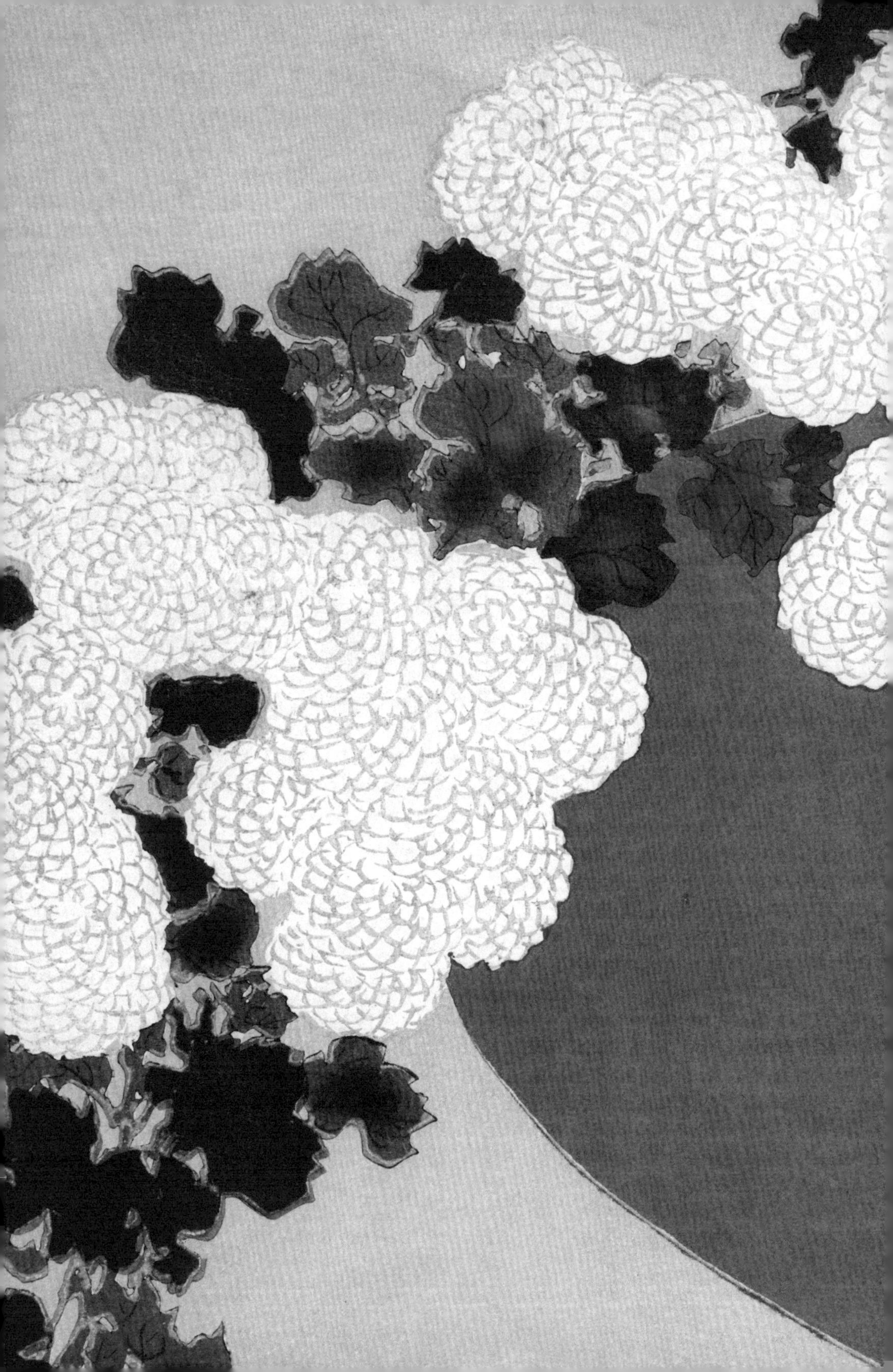

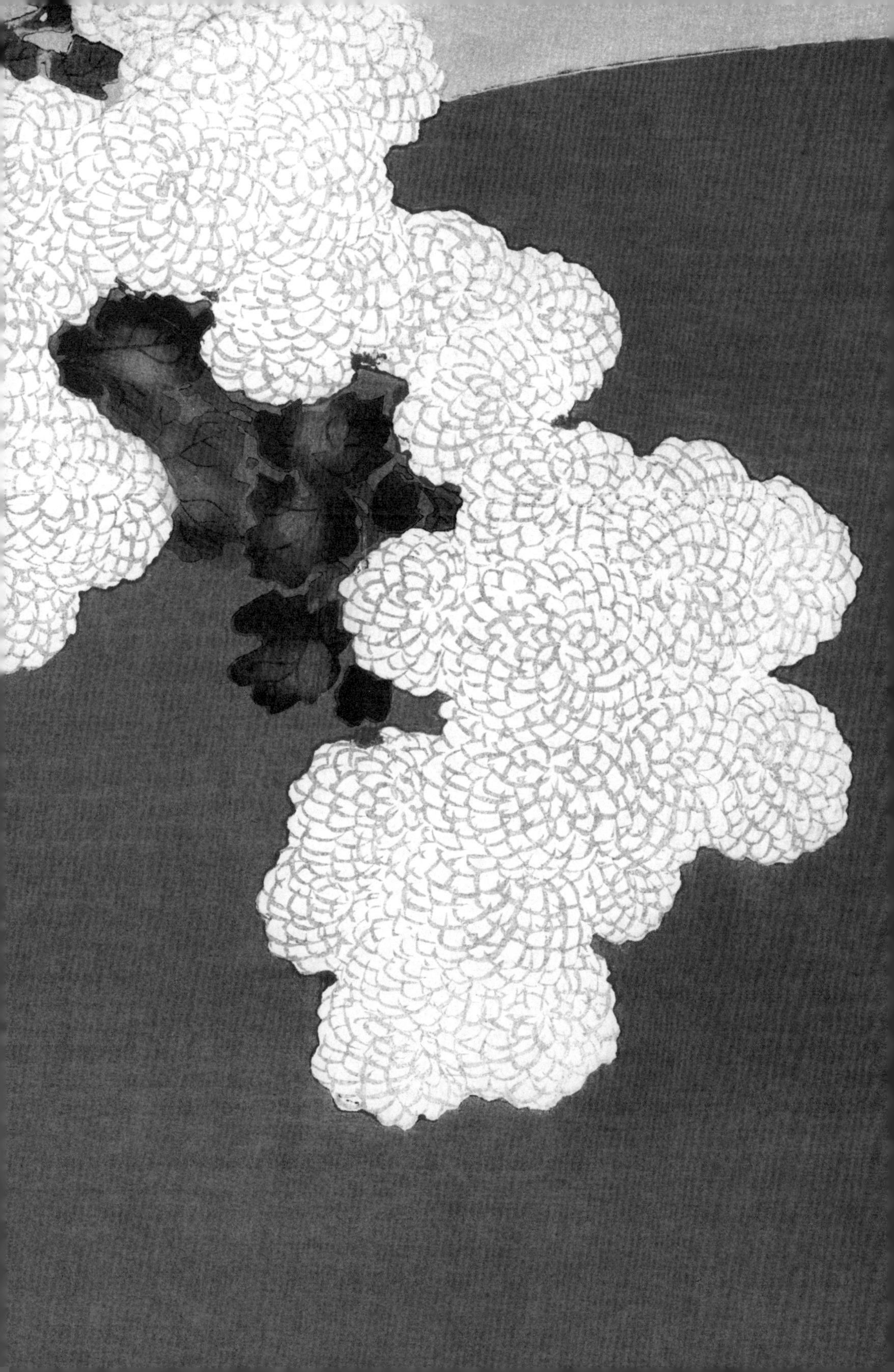

NOTAS

HOMENS-TIGRES

O tigre é tradicionalmente reverenciado em toda a Ásia. A adoração de antepassados na forma de tigres — a crença de que a alma de um ancestral poderia reencarnar como um tigre — era comum em Java, Bali, Sumatra e na Malaia, e, embora a forma ancestral fosse considerada "amigável", também era temida como um disciplinador.

Tigres espirituais aparecem em muitas formas, incluindo espíritos guardiões de santuários e locais sagrados, cadáveres que se transformam, e vilarejos inteiros de homens-fera. Acreditava-se que os tigres, como os humanos, tinham uma alma, e com frequência eram tratados com títulos honoríficos, como "tio" ou "avô". Em muitas histórias, a verdadeira natureza do homem-tigre consiste em uma fera que usa uma pele humana — o exato oposto do lobisomem europeu. É provável que exista uma conexão com as crenças budistas e taoístas de que, praticando meditação e magia, alguns animais poderiam chegar à forma humana. No entanto, por mais poderosos que se tornem, nunca serão completamente humanos.

Os seres metamórficos, em particular, incorporam a tensão entre o homem e sua natureza animal. Na maioria das histórias, o tigre age de uma maneira como as pessoas normalmente não agem, expressando desejos ocultos ou proibidos: o mais básico é matar pessoas em suas próprias casas. Dizia-se que os homens-tigre de Kerinci cobiçavam ouro e prata, ao passo que, no sul da China, existem várias histórias de mulheres atraentes que são tigres disfarçados, e só se revelam ao começar a cavar sepulturas e devorar cadáveres, para o horror dos maridos.

Ainda mais interessante, na história de Pu Songling, "Sr. Miao" (苗生), um estranho que se junta a um erudito para beber fica tão irritado com a má qualidade da poesia recitada em um dos encontros que se transforma em tigre e mata todo mundo (talvez a crítica literária definitiva!).

MALAIA

Malaia é o nome histórico da Malásia atual. Colonizada pelos portugueses, depois pelos holandeses e, por fim, pelos ingleses, antes da independência em 1957, a Malaia era uma fonte altamente lucrativa de estanho, café, borracha e especiarias, além de abrigar os importantes portos comerciais de Penang, Melaka e Singapura.

PERAK (VALE KINTA)

A história deste livro se passa no estado de Perak, em especial nas cidades do Vale Kinta: Batu Gajah e Ipoh. Um dos depósitos de estanho mais ricos do mundo, o Vale Kinta foi explorado comercialmente desde a década de 1880. Por mais de um século, até a década de 1980, a Malásia continuou a fornecer mais da metade do minério de estanho do mundo.

Povoada desde os tempos neolíticos, a região do Vale Kinta tem uma longa história. Já em 1500, os portugueses notaram que Perak pagava seus tributos anuais em estanho. Durante os anos de 1700, a região ficou famosa por seus elefantes selvagens, que eram aprisionados e vendidos para os exércitos de elefantes dos imperadores mogóis. A paisagem é dominada por belas colinas de calcário, muitas das quais estão repletas de cavernas naturais e rios subterrâneos.

Ipoh, a maior cidade de Perak, já foi conhecida como a cidade mais limpa da Malásia. Resultante do *boom* do estanho, o centro de comércio e prosperidade é famoso pela boa comida e pelos muitos edifícios históricos. Como este livro é ambientado em uma Ipoh fictícia, tomei liberdades em relação a alguns pontos de referência, como o Celestial Hotel, cuja construção começou em 1931, mas foi inaugurado mais tarde. Da mesma forma, embora Ipoh tivesse vários salões de dança, o May Flower é parte da minha imaginação, inspirado no relato de Bruce Lockhart sobre um salão de dança chinês em Singapura em seu livro de memórias.[1]

---

1   Bruce Lockhart, *Return to Malaya* (G.P. Putnam's Sons., 1936).

HOSPITAL DISTRITAL DE BATU GAJAH

Fundado em 1884 em um terreno de cinquenta e cinco hectares, o hospital foi construído em estilo colonial e disposto em uma área baixa que lembra um jardim. Desde então, os prédios foram modernizados, mas algumas das estruturas originais ainda podem ser vistas. Tomei liberdades quanto à disposição do hospital, adicionando degraus pela colina, um depósito de patologias, um refeitório etc., bem como com a equipe hospitalar, inteiramente fictícia, imaginando como teria sido em 1931, com base em fotografias antigas de hospitais e enfermarias coloniais.

SUPERSTIÇÕES COM NÚMEROS CHINESES

Os chineses gostam muito de trocadilhos e homônimos. Esse gosto por jogos de palavras, aliado ao feng shui, levou a muitas superstições a respeito de números da sorte, direções de sorte e orientação das construções. Existe a ideia de que, ao nomear algo, você o impregna com poderes tanto positivos quanto negativos, e isso é especialmente verdadeiro com os números.

Durante o Hungry Ghost Festival [Festival dos Fantasmas Famintos], é possível ver muitos bens representados em papel, feitos para os mortos, que devem ser queimados como oferendas. As réplicas possuem detalhes minuciosos, incluindo a placa dos carros e o número das casas. Um modelo de um carro, por exemplo, feito de papel esticado sobre varetas de bambu ou junco para ser queimado, provavelmente terá uma placa cheia de números 4, o que significa que é destinado aos mortos.

Para os vivos, a demanda por números que soam como palavras de sorte é grande. Algumas pessoas estão dispostas a fazer grandes esforços para conseguir números de sorte para suas casas, placas de carro e números de celular. O inverso também é verdadeiro e, às vezes, na Ásia, vale a pena evitar um determinado número de casa, como 24 ou 42 (que soam como "você morre" em chinês e em japonês), porque você pode ter dificuldade para revender a propriedade!

Curiosamente, o número 5 é ao mesmo tempo um número de sorte e de azar, pois é um homófono para "negativo/não". Assim, um 8, número de sorte que soa como "fortuna", torna-se menos desejável em combinação com um 5, pois 58 soa como "sem fortuna". Da mesma forma, um número de azar pode ser invertido, como é o caso do 54, que soa como "não morrerá".

ROMANIZAÇÃO DE NOMES

De acordo com a época colonial, usei variantes mais antigas para nomes de lugares, por exemplo, "Korinchi" e "Tientsin", em vez de Kerinci e Tianjin, usados hoje em dia. Os nomes chineses para pessoas, na época, eram escritos de acordo com a fonética, muitas vezes a critério do funcionário do cartório que fizesse o registro, e sofriam variações conforme o dialeto. O cantonês era, e ainda é, o dialeto chinês predominante na área de Ipoh, embora os dialetos hokkien, hakka, teochew, hainanês, entre outros, também sejam falados. Como a Malásia é uma sociedade multicultural, a maioria das pessoas fala mais de uma língua, incluindo malaio, inglês e tâmil ou algum dialeto chinês. Mantive a ortografia chinesa das colônias britânicas para nomes de pessoas, como Ji Lin e Shin, que seriam *Zhilian* e *Xin* em pinyin moderno (sistema de romanização da língua chinesa). Tradicionalmente, os sobrenomes chineses são apresentados primeiro, como em Chan Yew Cheung e Lee Shin.

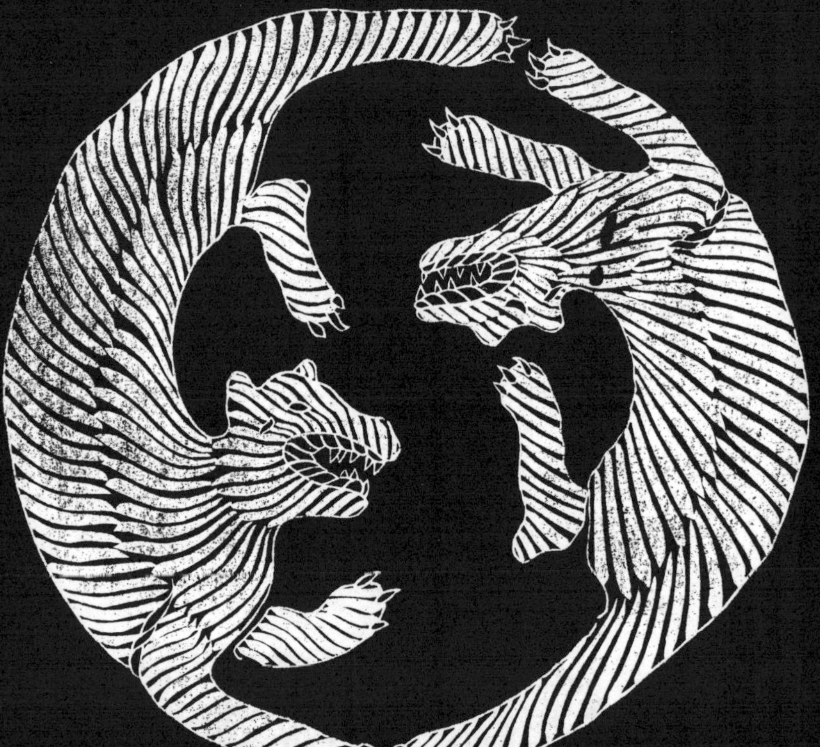

AGRADECIMENTOS

Este livro não teria sido possível sem o apoio e incentivo de muitas pessoas. Muito, muito obrigada:

A Jenny Bent, minha agente maravilhosa, que acreditou nesta obra (embora ela estivesse se tornando cada vez mais longa, pois eu não parava de escrever!) e a defendeu até que encontrasse um lar. A Amy Einhorn e Caroline Bleeke, minhas editoras incríveis, cuja percepção e cujo apoio fizeram este livro florescer. Também agradeço muito a Conor Mintzer, Liz Catalano, Vincent Stanley, Devan Norman, Helen Chin, Keith Hayes, Amelia Possanza, Nancy Trypuc, Molly Fonseca e o restante da equipe da editora Flatiron.

Aos queridos amigos Sue e Danny Yee e Li Lian Tan, que estiveram com este livro e todos os seus personagens desde o início, foram forçados a ler várias versões e passaram muitas horas discutindo finais alternativos comigo.

Aos leitores Carmen Cham, Suelika Chial, Chuinru Choo, Beti Cung, Angela Martin e Michelle Aileen Salazar, cujas percepções ponderadas foram inestimáveis. A Kathy e ao dr. Larry Kwan, pela amizade inabalável e pelas informações relacionadas ao tratamento de ferimentos tropicais. A Dato' Goon Heng Wah, pelas informações sobre espingardas usadas na Malásia britânica, e também por estimar as distâncias de ferrovias históricas. Sou muito grata a todos vocês!

À minha querida família, que me apoiou em todos os meus esforços relacionados à escrita, e em especial aos meus pais, cujas lembranças ajudaram a construir o mundo de *A Noite do Tigre*. E também aos meus filhos, que me inspiram todos os dias e me ajudam a ver o mundo através de olhos infantis.

E a James. Primeiro leitor e melhor crítico. Sem você, querido, eu não escreveria.

Salmo 50:10

YANGSZE CHOO é descendente de malaios. Formou-se na Universidade de Harvard e ocupou vários cargos corporativos antes de escrever seu primeiro romance, *A Noiva Fantasma*. Yangsze adora comer e ler, e faz as duas coisas ao mesmo tempo com frequência. Ela mora na Califórnia com seu marido e os dois filhos. Saiba mais em yschoo.com.

DARKLOVE.

*Para onde quer que você vá,
leve seu coração.*
— Confúcio —

DARKSIDEBOOKS.COM